저자 명단

편집

니시다 무쓰미 [홋카이도 대학병원 검사 · 수혈부/초음파 센터]
다카나시 노보루 [도카이 대학 의학부 부속 병원 임상 검사 기술과]

집필자일람(집필순)

야마사키 유키오 [다이이치산쿄(Daiichi Sankyo) 주식회사 의약영업본부 마케팅부]
야마모토 코지 [사이세이카이 마쓰사카 종합병원 검사과 초음파 검사실]
마에가와 기요시 [긴키대학 의학부 부속병원 중앙 초음파 진단 · 치료실]
이시이 유이 [도카이 대학 의학부 부속 하치오지 병원 임상 검사 기술과]
다카나시 노보루 [도카이 대학 의학부 부속 병원 임상 검사 기술과]
히로세 슌지 [도카이 대학 의학부 내과학계 소화기내과학]
고레나가 게이코 [JCHO 후나바시 중앙병원 건강관리센터, 가와사키 의과대학 간담췌내과학]
하타케 지로 [가와사키 의과대학 검사진단학]
가와이 료스케 [가와사키 의과대학 검사진단학]
다니구치 마유미 [가와사키 의과대학 부속병원 중앙검사부]
후모토 유키코 [가와사키 의과대학 부속병원 중앙검사부]
이와이 미키 [가와사키 의과대학 부속병원 중앙검사부]
나카타케 게이코 [가와사키 의과대학 부속병원 중앙검사부]
다케노우치 요코 [가와사키 의과대학 부속병원 중앙검사부]
구마다 다카시 [오가키 시민병원 소화기내과]
도요타 히데노리 [오가키 시민병원 소화기내과]
다다 도시후미 [오가키 시민병원 소화기내과]
가나모리 아키라 [오가키 시민병원 소화기내과]
다케지마 겐지 [오가키 시민병원 진료검사과]
오토베 가츠히코 [오가키 시민병원 진료검사과]
니시다 무쓰미 [홋카이도 대학병원 검사 · 수혈부/초음파 센터]
오오무라 다쿠미 [삿포로 후생병원 간내과(Hokkaido P.W.F.A.C. Sapporo-Kosei General Hospital)]
오가와 마사히로 [일본대학병원 소화기내과]

역자 명단

옮긴이

이주호 [차의과학대학교 분당차병원 소화기내과]

정영걸 [고려대학교 안산병원 소화기내과]

이현웅 [연세대학교 강남세브란스병원 소화기내과]

김문영 [연세대학교 원주세브란스기독병원 소화기내과]

월간 *Medical Technology* 별책

초음파 Expert 13

간암 조영초음파 검사

니시다 무쓰미 · 다카나시 노보루 편집

이주호 · 이현웅 · 정영걸 옮김

김문영 감수

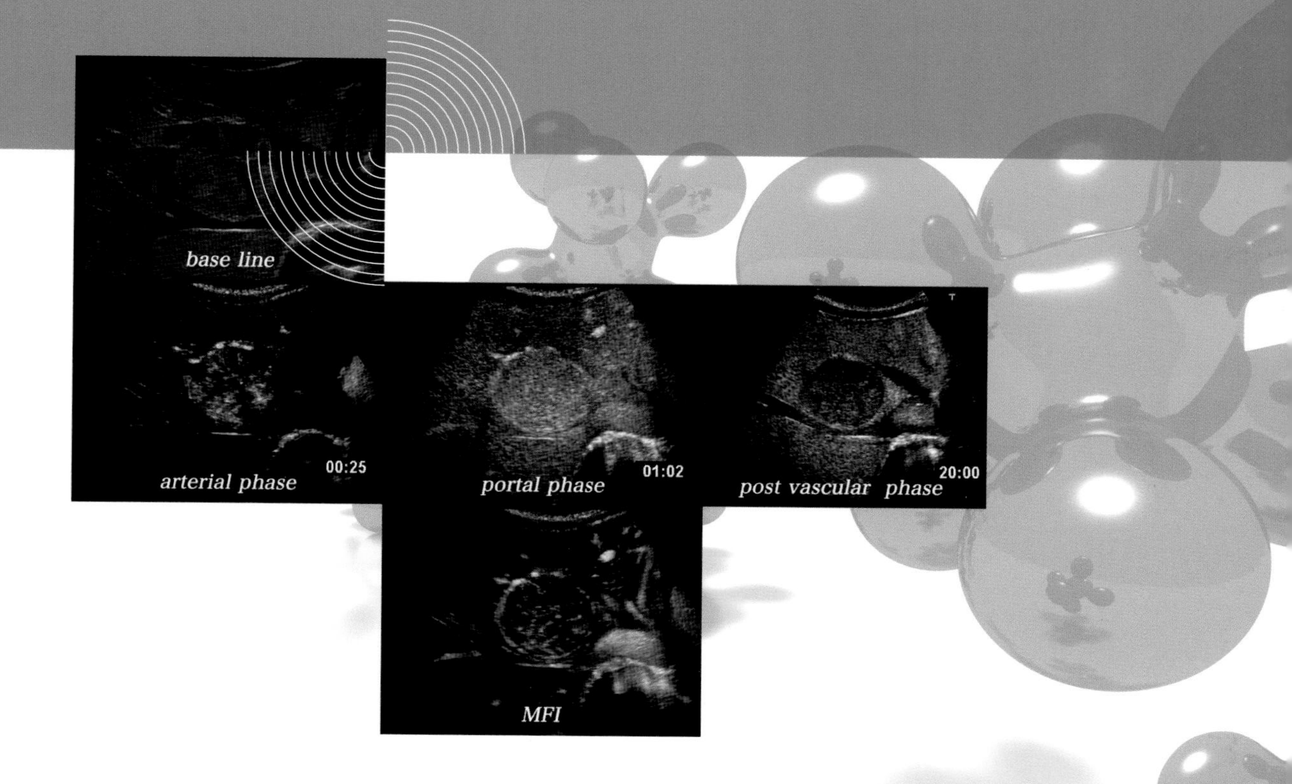

군자출판사

간암 조영초음파 검사

첫째판 1쇄 인쇄 | 2022년 11월 10일
첫째판 1쇄 발행 | 2022년 11월 17일

편 집 인 니시다 무쓰미, 다카나시 노보루
옮 긴 이 이주호, 정영걸, 이현웅, 김문영(감수)
발 행 인 장주연
출 판 기 획 이성재
책 임 편 집 강미연
편집디자인 최정미
표지디자인 김재욱
제 작 담 당 이순호
발 행 처 군자출판사(주)
등록 제4-139호(1991. 6. 24)
본사 (10881) **파주출판단지** 경기도 파주시 회동길 338(서패동 474-1)
전화 (031) 943-1888 팩스 (031) 955-9545
홈페이지 | www.koonja.co.kr

「Medical Technology」別冊 超音波エキスパート13
肝癌の造影超音波検査
西田 睦·高梨 昇 編
医歯薬出版株式会社 (東京), 2012.

Title of the original Japanese language edition:
Medical Technology/Extra issue. The Expert of Ultrasonography
Contrast-enhanced Ultrasonography for Liver Cancers

ISBN 979-11-5955-931-0
정가 36,000원

머리말

초음파 검사를 시행하는 사람에게 간종양성 병변의 진단은 존재 및 질적 진단과 함께 가장 요구가 높은 영역 중 하나이다. 특히 일본에서는 B형 및 C형 간염 이환자가 많아 간세포암의 선별검사로서 초음파 검사는 빼놓을 수 없는 진단법이 되었다. 또한 간세포암이 발견되었을 때의 치료법 중 하나로, 특히 재발하는 경우에는 대다수가 고주파 소작술(RFA)을 선택하며 그때의 가이드로서 초음파 검사는 필수적인 수단이 된다. 지금까지 초음파 검사는 B모드의 높은 분해능으로 질환의 진단에 크게 기여해 왔으나 역시 B모드만으로는 한계가 있어 일찍부터 조영제가 사용되어 온 CT, MRI 검사와 비교할 때 그 진단능은 결코 충분하다고 할 수 없는 상황이었다.

CT, MRI 조영제의 도입보다 늦게 1997년에 초음파용 1세대 경정맥성 조영제 레보비스트®가 발매되었다. 그러나 레보비스트는 조영제를 파괴하면서 조영 효과를 얻는 방식이었기 때문에 그 조영 효과는 지속되지 않았고 방법도 번잡하여 시행할 수 있는 시설은 제한되어 있었다. 이러한 상황에서 제2세대 조영제 소나조이드®가 2007년 1월 일본에서 발매되었다. 소나조이드는 하나의 조영제로 'vascular phase(혈관상)에서 혈류진단, post vascular phase(후혈관상)에서 쿠퍼진단', 다른 두 가지 시상(phase)과 메커니즘으로 진단할 수 있는 훌륭한 조영제이다. 실시간으로 역동적인 혈관상을 관찰할 수 있으며 post vascular phase에서는 조영 지속 시간이 길어서 간 전체를 충분히 관찰할 수 있으므로 검사자의 부담도 경감되었다. 임상에서는 간 표면의 미세 전이 발견 등의 위력을 발휘하고 있다. 그러나 소나조이드가 임상에 도입된 지 이미 5년이 지났음에도 불구하고 조영초음파 검사의 보급이 아직 충분하다고 말하기는 어렵다.

그러한 이유로 조영초음파 검사란 어떤 검사인지, 검사 방법 등을 포함하여 현재까지의 지식과 그 유용성을 정리한 본 별책을 기획하였다. 소나조이드의 약리적 기초부터 장치의 설정, 간종양의 조영진단, 유용한 임상 사례, 응용편, 치료 가이드의 실제 등 현재 해당 분야의 가장 최전선에서 활약하고 있는 선생님에게 집필을 부탁하였다. 본 책을 읽고 조영초음파 검사에 우선 흥미를 가지고 시행할 때는 꼭 참고해주기를 바란다. 본 책은 검사자의 필독 바이블이 될 만한 훌륭한 내용을 담았다고 자부할 수 있다.

본 책이 조영초음파 검사의 보급에 조금이라도 도움이 되고 환자의 진료에 기여할 수 있기를 바란다.

2012년 5월

편집을 대표하여

니시다 무쓰미, 다카나시 노보루

역자 서문

2019년 분당차병원에서 간이식센터 책임을 맡으면서, 일본 소화기학회 임상펠로우 과정으로 오사카 킨다이 대학병원에 단기 연수를 다녀오게 되었습니다. 평소 안면이 있었던 킨다이대학 의과대학교 마사토시 쿠도(Masatoshi Kudo) 주임 교수님께 처음 연수를 부탁드릴 때, 짧은 기간에 뭔가 실용적인 것을 배우고 가면 좋겠다고 하시면서 '조영증강 복부초음파' 술기 연수를 권해주셨습니다.

쿠도 교수님은 일본에서 처음 소나조이드(Sonazoid) 조영제 복부초음파 기술을 개발하고 보급시킨 분으로, 2014년 일본 간암 학회 가이드라인을 제정하면서 간암 진단 영상 검사에 '조영증강 복부초음파'를 최초로 포함시키셨습니다. 마침 2022년 새로 개정된 대한간암학회 '간세포암종 진료가이드라인'에도 '쿠퍼세포 특이조영제(Sonazoid) 조영증강 초음파'가 진단검사에 포함되게 되었습니다.

기존의 초음파는 혈관 조영에 따른 병변의 양상을 평가할 수 없는 제약이 있어 확진보다는 선별검사의 한 방법으로 주로 활용되어 왔습니다. 그러나 최근에 개발된 초음파 조영제는 이러한 기존 초음파의 단점을 극복하고 질환의 진단에 있어서 초음파의 능력을 크게 확대시켜 초음파 검사의 새로운 시대를 열어가고 있습니다.

킨다이 대학에서 연수 당시 직접 '조영증강 복부초음파' 지도를 해주시던 미나미 교수님이 주신 참고 서적이 "간암 조영초음파 검사"라는 책이었습니다. 일본의 한 의학 출판사가 '초음파 전문가'라는 별책으로 기획한 책이었습니다. 킨다이 대학병원 소화기내과 선생님들은 모두 이 책을 한 권씩 가지고 있었습니다. 책의 내용이 초보자부터 상급자까지 모두 참고할 수 있는 실용적인 것이 많아 한국으로 돌아오면서 몇 권 챙겨 오게 되었습니다. 연수를 마치고 돌아온 이듬해인 2020년 코로나 감염병이 유행하면서, 새롭게 병원에서 소나조이드 조영제 복부초음파를 시작할 때 생기는 궁금증이나 어려움을 해결하기 위해 일본을 찾아 가는 것이 불가능해졌습니다. 그때 먼저 조영제 복부초음파 경험이 있었던 원주세브란스기독병원 김문영 교수님께서 많은 도움과 자문을 해주셨습니다. 이후 비슷한 시기에 일본 교토 대학병원 연수를 하고 오신 고대 안산병원 정영걸 교수님께서 연수 때 참고했던 참고서를 한국어로 번역 출간하셨다는 소식을 듣고, 문득 "간암 조영초음파 검사"를 한글로 번역하면 이 분야에 관심이 있는 많은 분들께 도움이 되겠다는 생각이 들었습니다. 마침 '대한복부초음파 연구회' 위원장을 맡고 계셨던 강남세브란스 병원 이현웅 교수님께서 함께 번역을 도와주시겠다고 흔쾌히 수락을 해주셔서 용기를 내어 번역 작업을 시작하게 되었습니다. 지난 2년간 코로나 시대를 거치면서 이현웅 교수님, 정영걸 교수님, 김문영 교수님과 함께 번역하고 용어를 통일하는 과정을 거쳐 코로나 시대의 끝자락에 드디어 번역서가 빛을 보게 되어 너무나 감사한 마음입니다. 이분들이 없었다면 이 책의 출간은 불가능하였을 것입니다. 세 분 교수님과 함께 고민하고 이야기를 나눌 기회를 가졌던 것은 제 직업 인생에서 가장 즐겁고 보람된 시간 중 하나였습니다. 다만 일본어 용어를 한글로 옮기면서 좀 더 의미 전달을 쉽고 정확하게 하지 못한 것은 모두 대표 역자인 저의 역량 부족의 문제입니다. 지면을 빌어 그동안 긴 출판 및 기획 과정을 인내하면서 도와주신 군자출판사 이성재 선생님과 강미연 선생님께 다시 한번 감사를 전합니다. 끝으로 일본어 초벌 번역을 도와주신 이혜정 선생님께도 가슴 깊은 곳에서 감사를 드립니다. 또한 묵묵히 모든 과정을 지원해준 제 아내와 다른 가족들에게도 고맙다는 말을 전하고 싶습니다.

2022년 10월

역자를 대표하여

분당차병원 소화기내과 이주호

[분당차병원 소화기내과 이주호 교수]

▲ 해외 임상 펠로우 수료식 날 지도교수인 마사토시 쿠도(중앙) 교수와 함께한 필자(좌측)

▲ 2019년 하반기에 일본 다케다제약 해외 장학생으로 선발되어 수여식에 참여한 필자 (앞줄 왼쪽에서 둘째)

목 차

1. 초음파 조영제에 대하여
- 소나조이드®의 기초 지식

야마사키 유키오(山崎幸雄) | 다이이치산쿄(Daiichi Sankyo) 주식회사 의약영업본부 마케팅부

소나조이드(Sonazoid)® 주사용 16 μl(이하 소나조이드)는 노르웨이 Nycomed 사(현재 GE Healthcare AS사)에서 만든 제2세대 초음파 조영제이다. 일본에서는 1998년 다이이치제약 주식회사(현재 다이이치산쿄 주식회사)가 임상개발에 착수하였다. 2006년 10월 "초음파 검사의 간종양성 병변 조영"을 효능·효과로 승인·취득하여 2007년 1월에 출시하였다. 또한 2012년 8월에는 "유방종괴성 병변"에 대한 효능을 추가로 획득하였다. 1장에서는 소나조이드의 기본 특징에 대해 소개한다.

1. 제제의 성분과 특징

소나조이드는 Perflubutane ($C4F_{10}$, PFB) 가스를 수소첨가 난황 포스파티딜 세린 나트륨(sodium hydrogenated egg yolk phosphatidylserine, H−EPSNa)으로 안정화한 PFB 마이크로 버블을 유효 성분으로 한다(그림 1). PFB는 화학적으로 안정하나 물에 난용성(poorly soluble)이므로, 생체 내에서 혈액에 용해되기가 어렵다. PFB 마이크로 버블의 막 성분은 음전하를 가진 단층의 포스파

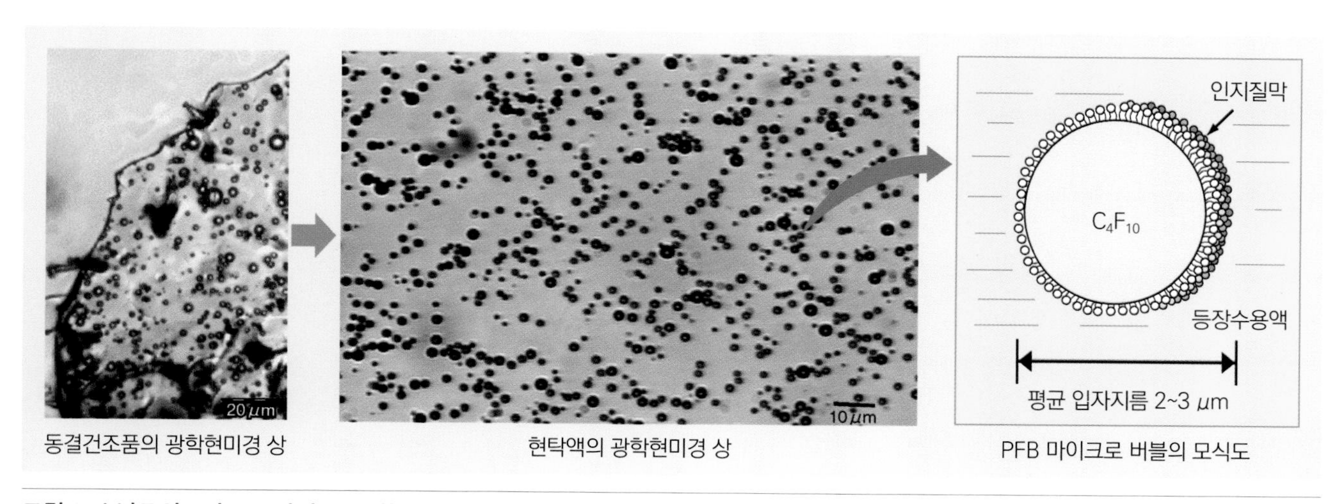

그림 1. 소나조이드의 PFB 마이크로 버블 (문헌 1 수정)

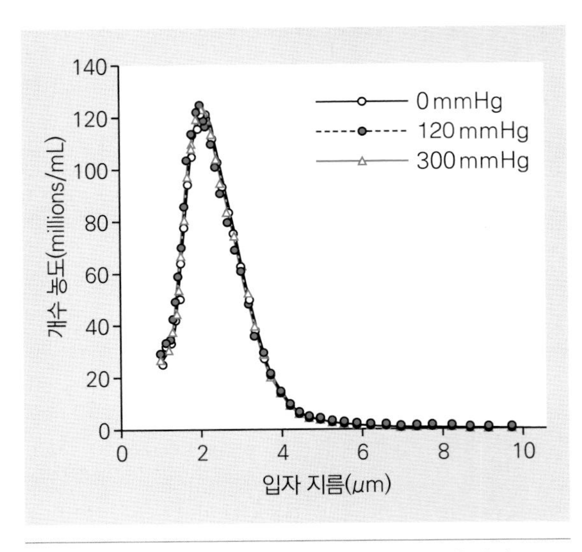

그림 2. 소나조이드 현탁액에 압력을 가한 전후에서 PFB 마이크로 버블의 개수와 크기의 변화

(문헌 1 수정)

표 1. 소나조이드 : PFB의 조직 분포 및 조직 농도(Rat)

조직	PFB 분포량 (투여량에 대한 %)				PFB 농도 투여 후 2분 (ng PFB/g tissue)
	5min	20min	3hr	24hr	
혈액	3.0	0	0	0	16
뇌	0.1	0	0	0	NA
지방	6.3	2.6	2.6	1.8	3
심장	0.2	0	0	0	5
신장	1.2	0.2	0.1	0	29
간	54.2	28.7	14.4	0.1	136
폐	7.4	1.2	0.7	0	117
근육	2.8	0	0	0	2
비장	2.9	1.6	1.2	0.1	157
합계	78.0	34.3	19.0	2.0	

수컷 SD Rat, 소나조이드 투여량 0.1 mL/kg, 측정 : 가스 크로마토 그래프 질량 분석계. NA : not applicable.

(문헌 6 수정)

티딜 세린 나트륨 막으로, 이것은 초음파 내성이 우수하고, 수축과 확장에 의한 강한 초음파 신호를 발생하도록 설계되었다.[1]

제제는 동결건조 주사제로 공급되는데, 그 제조방법은 무균조작으로 H-EPSNa을 포함한 용액과 PFB 가스를 균질하게 혼합하여 PFB 마이크로 버블을 만들어 농도와 크기를 조정한 후 정제 백당을 매질로 동결건조한다. PFB 마이크로 버블은 비정질의 정제 백당과 섞어놓고, 사용시에는 첨부된 주사액수 2 mL에 현탁하여 정제 백당은 용해하고 PFB 마이크로 버블로 이루어진 현탁액이 얻는다. 여기서 현탁액은 낮은 점도, 등장, 그리고 중성의 pH를 보인다.

PFB 마이크로 버블의 입자 지름은 2.3~2.9 μm (median 분포)로 적혈구보다 작기 때문에, 정맥 내 투여 후 폐의 모세 혈관을 쉽게 통과하여 전신을 순환한다. 막의 두께를 투과 전자 현미경으로 검토한 결과 2~3 nm였다. 이 약의 입자분포는 그림 2에서 보이는 것처럼 7 μm 이상의 분획이 거의 없도록 조절된다. PFB 마이크로 버블의 내압성은 300 mmHg까지 가압하여도 압력을 되돌리면 본래의 입자분포를 보여 좌심실 압력에 노출되어 잘 파괴되지 않음을 알 수 있다.[1] 이 제제의 조영 효과(contrast effect)는 마이크로 버블의 총 부피와 잘 연관되어 있어서, 함량 단위는 마이크로 버블의 개수 농도가 아니라 체적 농도(μl microbubbles (MB)/mL suspension)를 사용한다. 현탁액은 1 mL 당 8 μl의 PFB 가스를 포함하며 현탁 후 안정성은 양호하고, 정지 후 2시간에서도 물리 화학적 매개 변수에 유의한 변화는 보이지 않았다. 또한 첨부 문서의 용량은 범용성을 고려하여 체중 1 kg 당 0.015 mL가 되도록 변경하여 표현하였다.

2. 체내 순환과 배설의 구조

소나조이드 주사 후 조직 분포에 대해서는 생체 내의 마이크로 버블 체적을 측정하는 것은 곤란하므로, 내포가스인 PFB의 무게 농도를 가스 크로마토그래프 질량 분석기로 측정한다(rat 실험).[2] 투여 2분 후 PFB 조

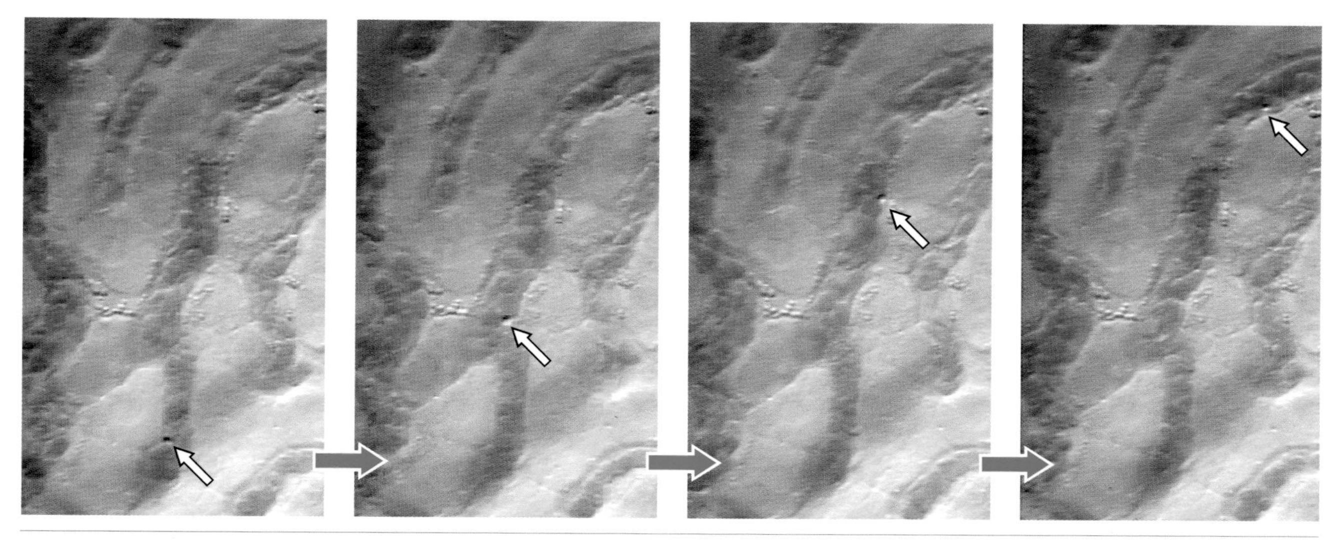

그림 3. Rat 간의 미세 순환 실시간 생체 현미경 관찰
소나조이드(임상 용량의 100 배)를 꼬리 정맥으로부터 투여한 결과, 유동 내를 흐르는 마이크로 버블(흰색 화살표)이 관찰되었다.

직 농도는 비장, 간, 폐에서 높고 간은 투여량의 50% 정도가 분포했다. 또한 투여 20분 후 혈중 PFB 농도는 측정 한계 이하까지 감소했지만, 간은 아직 투여량의 30% 정도가 잔존하고 쿠퍼(Kupffer) 세포 영상을 유지하였다(표 1). 배설은 PFB 투여 후 30분 이내에 투여량의 50% 이상 그리고 24시간까지 투여량의 96% 이상이 호기에서 발견되었으므로 배설의 주 경로는 호흡이었다. 또 PFB는 화학적으로 안정적이어서 변화없이 그대로 배설되었다.

건강한 성인에게 약 0.12 μl Microbubble (MB)/Kg (현탁액으로 0.015 mL/Kg)을 정맥 투여했을 때 PFB의 혈중 농도는 2단계에 걸쳐 감쇠되어, 투여 후 2~15분의 반감기는 2.7분, 투여 후 15~30분의 반감기는 7.3분이고 투여 후 60분에는 검출 한계 이하가 되었다.[3]

3. 쿠퍼(Kupffer) 세포의 흡수

소나조이드의 특징인 쿠퍼 이미징은 PFB 마이크로 버블이 간 유동(sinus) 내의 탐식 세포인 쿠퍼 세포에 탐식된 것에 기인한다고 생각되고 있다. 이 기전을 확인하기 위해 다양한 검토가 이루어졌는데, 여기에서는 동물 실험에서 검토한 결과를 소개한다.

생체 현미경으로 쥐(rat) 간(liver) 미세 순환에서 마이크로 버블의 움직임을 실시간으로 관찰했다.[4] 미리 쿠퍼 세포를 생체 염색한 쥐의 간을 노출하고 생체 현미경 관찰 하에 본 제제 0.015, 0.15 또는 1.5 mL/kg을 정맥 투여했다. 유동 내를 흐르는 마이크로 버블 또는 쿠퍼 세포와 동일한 부위에 존재하는 마이크로 버블이 관찰되었다(그림 3). 또한 마이크로 버블의 응집 또는 색전증은 보이지 않았으며, 따라서 이러한 이유로 특이적 조영 효과를 낼 가능성은 매우 낮은 것으로 생각되었다.

다음으로 공초점 레이저 현미경으로 쥐 간에서의 마이크로 버블의 이해와 그 비율을 고려했다.[5] 생리 식염수(대조군) 약 0.015, 0.15 또는 1.5 mL/kg을 정맥 투여하고, 9분 후 형광 덱스트란을 정맥 투여하여 혈장을 표시하고 1분 후에 간을 적출했다. 소나조이드 투여군 쥐 간에서 미리 염색된 쿠퍼 세포에서 마이크로 버블 유래의 반사광이 관찰되었다(그림 4). 마이크로 버블을 흡수한 쿠퍼 세포의 비율은 투여량의 증가에 따라 통계학적으로 유의하게 증가하여, 본 제제는 용량에 비례해서

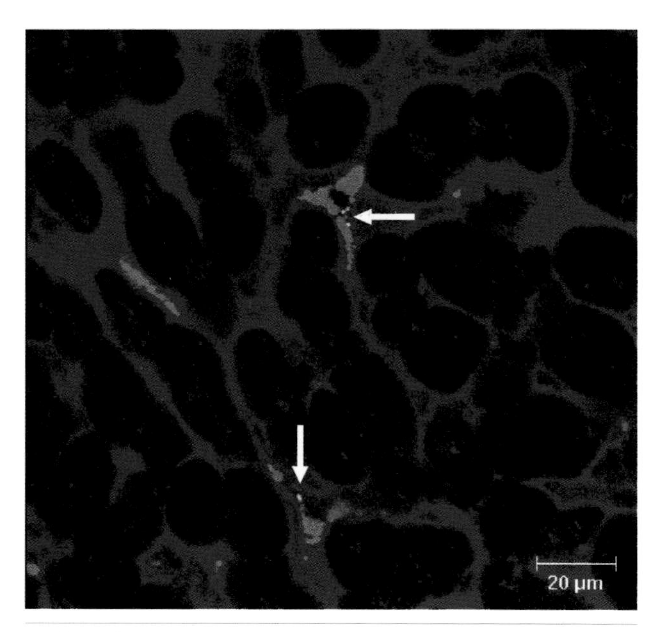

그림 4. 쥐 간에서 PFB 마이크로 버블 지방화(공 초점 현미경)
녹색 : 마이크로 버블(화살표 반사광), 빨강 : 쿠퍼 세포(형광 표식 리포좀), 파랑 : 유동(형광 덱스트란). 소나조이드 투여 량 1.5 mL/kg, iv.(문헌 5 수정)

간 쿠퍼 세포에 흡수되는 것으로 나타났다. 쥐와 인간은 임상 용량(저용량)에서 강하고 균일한 실질 특이적 조영 효과가 나타났으나, 이 용량에서 흡수 비율은 1% 정도로 낮았다. 이는 본 제제의 투여량, PFB 조직 분포량(rat)[2] 및 간에서의 쿠퍼 세포수(rat)[6]에서 구한 추정량 0.6~0.9%와 거의 일치했다.

이로써 쿠퍼 이미징 조영 메커니즘이 쿠퍼 세포의 PFB 마이크로 버블 탐식에 기인함을 확인하였다.

4. 용법·용량

2상 임상 시험의 용량 비교 시험에서 혈관 이미징(투여 후 1분까지) 및 쿠퍼 이미징(투여 후 10분 이상)의 두 영상에 최적의 용량으로 0.12µl MB/kg(현탁액으로 0.015 mL/kg)가 선택되었다. 그때의 유효성은 각각 87.3%(48/55명), 75.9%(41/54명)이었다.

3상 임상 시험에서는 앞서 서술한 용법·용량으로 실시하였을 때, 혈관 이미징의 조영초음파 검사의 정진율(correct diagnosis rate) 88.9%(169/190례)은 조영 전 초음파 검사의 정진율 68.4%(130/190례)보다도 통계학적으로 유의하게 높아서 감별 진단능의 향상이 검증되었다.

한편 쿠퍼 이미징에서는 조영 전과 조영 후 초음파 검사에서 발견된 병변의 수와 확정 병변 개수의 차이를 분석하였다. 확인된 병변 개수보다 증가했을 경우를 2, 동수인 경우를 1, 감소했을 경우를 0으로 분류하고 점수화하였다. 또한 조영 전 초음파 이미지의 평가도 마찬가지로 점수화하였다. 그 결과 조영 전과 비교하여 조영 후를 합한 경우 점수 증가의 비율은 30.9%, 점수 감소 비율은 7.3%이며, 이 제제(sonazoid)에 의한 조영초음파 검사에서 병변 검출 기능이 향상될 수 있음이 입증되었다.[7]

이상의 결과로부터 초음파 검사에서 간 종괴성 병변의 조영에 대한 용법 용량은 "PFB 마이크로버블 16 µL(1병)을 첨부된 주사액 2 mL에 현탁하여, 일반적인 성인 1회, 현탁액으로 0.015 mL/kg을 정맥 주사한다"로 승인되었다.

5. 배합의 변화

환자에게 투여할 때는 소나조이드 현탁액을 3 way를 통해 라인에 주입하고, 약 10 mL의 생리 식염 주사액에 의해 플러싱하는 방법이 일반적이다. 그러나 임상에서는 다양한 수액으로 혈관으로 주입하는 라인을 확보하고 있는 경우가 있기 때문에 12종의 수액(표 2)과 배합 변화 시험을 실시했다.[8] 배합 변화 시험은 소나조이드 현탁액 주입 혼합액의 외관 관찰을 실시했다. 그리고 그 혼합액 속에서 응집이 관찰되지 않았다. 수액에서 일련의 투여 방법을 모방하여 얻은 액체의 마이크로 버블 체적 농도(함량)의 회수율을 평가했다. 그 결과 외관에는 변화가 없었다. 주입은 생리식염수 주사액 "후소" 및 "소리타-T 1호", "소리타-T 2호", "소리타-T 3호", "아미노레반", "헤파플러시" 등 6종류의 수액들이었다.

표 2. 소나조이드 주사 및 각종 수액의 외관 관찰 및 첨부 문서 기재의 pH 및 전해질 농도

소나조이드 주사제 및 수액	재현탁액과의 배합 후 외관 관찰 결과 (24hr)	첨부 문서 게재				
		pH 규격치 (제조직후 pH)	전해질 농도(mEq/l)			
			NA+	K+	Mg^{2+}	Ca^{2+}
소나조이드 주사제 재현탁액		5.7~7.0				
생리식염액 '후소'	○	4.5~8.0	154			
소리타-T1호	○	3.5~6.5	90			
소리타-T2호	○	3.5~6.5	84	20		
소리타-T3호	○	3.5~6.5	35	20		
아미노레반	○	5.5~6.5(5.9)	14~15			
헤파플러시	○	5.5~8.0	156			
KN보충액2호 수액	X	4.5~7.0(4.8)	60	25	2	
Veen-3G	X	4.3~6.3	45	17	5	
Trifluid	X	4.5~5.5(5.0)	35	20	5	5
링거액	X	5.0~7.5(6.4)	147	4		4.5
Lactec Injection	X	6.0~8.5(6.7)	130	4		3
Veen-D	X	4.0~6.5	130	4		3

그 중 아미노레반을 제외한 5종의 수액에서 다시 현탁액의 혼합액의 함량에서 얻은 각각의 회수율은 90% 이상이며, 충분한 회수율이었다. 또한 6종류의 수액에서 마이크로 버블은 개수 농도 비율은 규격을 충분히 만족했다.

아미노레반은 체적농도(함량)의 회수율이 80% 정도였기 때문에 조영 효과에 미치는 영향을 부정할 수 없어서 사용 시 유의해야 한다. 혼합액에서 외관 변화(응집)가 확인된 수액의 공통성분은 전부 2가 양이온이며, 2가 양이온이 음전하 막을 가진 소나조이드를 연결하여 응집한 것으로 추정된다. 이번에 검토하지 않은 수액에 대해서도 2가 양이온을 포함한 수액을 사용할 때는 주의가 필요하다. 투여할 때 투여 경로 안에 생리식염액 이외의 수액이 포함된 경우에는 우선 투여 경로 안을 생리식염액으로 치환한 후 투여해야 한다.

6. 안정성에 관하여

이 약의 승인 시 부작용 발현율은 총 증례 397례 중 25례(6.3%)로, 주요 부작용은 설사 1.0%(4건), 두통 1.0%(4건), 단백뇨 0.8%(3건), 호중구 감소증 0.5%(2건), 발진 0.5%(2건), 구갈 0.5%(2건), 주사부위 통증 0.5%(2건)였다.[3]

본 제제 발매 후 사용환자 수가 해마다 증가하고 있지만, 다양한 기초 질환 및 합병증을 가진 환자가 많이 포함된 다기관에서의 안전성, 유효성에 관한 데이터는 없었다. 따라서 본 제제의 사용 중 안전성, 유효성의 새로운 문제점의 파악을 목적으로 수집 목표 3,000명으로 사용 성적 조사를 실시했고, 그 결과는 다음과 같다.[9] 전국 257개 시설에서 안전성 평가 대상으로 3,418명을 집계 분석했다. 또한 한 환자가 여러 번 투여한 경우에 대해서는 별도로 검토하였다.

부작용은 16명(21건)에서 발현하고 발현율은 0.5%(16/3,418명)였다. 부작용의 내역은 설사, 구토, 습진, 소양증, 두드러기, 권태감이 각 2건, 두통, 눈의 이상 감각, 혈관 장애, 복통, 구역질, 주사 부위 홍반, 주사 부위 통증, 발열, 주사 부위 붓기가 각 1건이었다. 결과를 알 수 없는 1명을 제외하고 모두 회복했다. 심각한 부작용은 나타나지 않았다. 또한 이 제제의 사용 경험이 있는 경우 및 여러 번 투여로 투여 횟수가 늘어남에 따른 부작용 발현 빈도의 증가 경향은 나타나지 않았다.

마치며

소나조이드는 정맥 내 투여 후 안정성과 조영 효과의 지속성을 고려하여 설계된 마이크로 버블이다. 또한 탐식세포인 쿠퍼 세포에 흡수된 후에도 마이크로 버블로 존재하고 초음파를 반사 조영하는 효과를 발휘한다. 혈관 이미징과 쿠퍼 이미징을 특징으로 하는 조영 효과로 진단, 치료 가이드 및 치료 효과 판정 등에 기여할 것으로 기대된다. 아울러 소나조이드 사용 시의 첨부 문서를 충분히 읽고 사용하기를 부탁드린다.

참고문헌

1. Sontum, P.C. : Physicochemical characteristics of Sonazoid™, a new contrast agent for ultrasound imaging. *Ultrasound Med. Biol.*, 34 : 824~833, 2008.
2. Toft, K.G., Hustvedt, S.O., Hals, P.A., et al. : Disposition of perfluorobutane in rats after intravenous injection of Sonazoid™. *Ultrasound Med. Biol.*, 32 : 107~114, 2006.
3. ソナゾイド注射用16μl添付文書 .
4. Watanabe, R., Matsumura, M., Chen, C.J., et al. : Characterization of tumor imaging with microbubble-based ultrasound contrast agent, Sonazoid, in rabbit liver. *Biol. Pharm. Bull.*, 28 : 972~977, 2005.
5. Watanabe, R., Matsumura, M., Munemasa, T., et al. : Mechanism of hepatic parenchyma-specific contrast of microbubble-based contrast agent for ultrasonography—Microscopic studies in rat liver. *Invest. Radiol.*, 42 : 643~651, 2007.
6. Wake, K., et al. : Cell biology and kinetics of Kupffer cells in the liver. *Int. Rev. Cytol.*, 118 : 173~229, 1989.
7. Moriyasu, F., et al. : Efficacy of perflubutane microbubble-enhanced ultrasound in the characterization and detection of focal liver lesions: Phase 3 multicenter clinical trial. *AJR*, 193 : 86~95, 2009.
8. 社内研究報告書.
9. 森 義弘, 他 : 超音波造影剤ペルフルブタンの臨床上の安全性ならびに有用性の検討. 超音波医学, 38(5) : 541~548, 2011.

조영초음파 검사의 실제 – 검사 방법과 포인트

2-1. 도시바(TOSHIBA) 장비를 중심으로

야마모토 코지 | 사이세이카이 마쓰사카 종합병원 검사과 초음파 검사실

시작하며

최근 초음파 기술이 두드러지게 발전하여 간질환 진단은 일상 진료에서 필수 검사가 되었다. 특히 조영초음파의 진단 능력은 CT, MRI와 어깨를 나란히 한다.[1] 간종양의 정밀 진단으로서 1980년대에 시작된 CO_2 동맥내주사 혈관 조영검사(angiography)가 각광을 받아 혈류 진단 발전에 크게 기여하였다.

더욱이 1999년에는 경정맥성 초음파 조영제 레보비스트(Levovist)®, 2007년부터는 소나조이드(Sonazoid)®의 사용으로, 종양의 혈류 움직임을 더욱 가까이 관찰할 수 있어서 진단에 기여할 수 있는 시대가 되었다. 레보비스트는 유용하였으나 초음파 진단 장치의 조영 원리 특수성과 까다로운 최적 조건 때문에 일부 시설과 연구자들에게 제한적으로 사용되는 경우가 많았다. 레보비스트의 유용성은 명확하였지만, 일반 진료까지 널리 활용되지는 못하였다.

한편 소나조이드는 초음파 중저음압(low mechanical index)에서 마이크로 버블을 공진시켰을 때 발생하는 고주파 신호로 조영 효과를 얻기 때문에 끊이지 않고 실시간으로 조영 효과(contrast effect)를 비교적 쉽게 관찰할 수 있으며, 다방면에서 여러 번 관찰이 가능하다. 또한 조영제가 간의 쿠퍼 세포로 유입되기 때문에 종양 부분을 선명하게 파악할 수 있다는 점 등을 이유로 조영초음파 검사에 의한 간종양 진단이 더욱 일반화되었다. 또한 치료나 RFA (radiofrequency ablation, 고주파 소작술)의 보조에도 조영초음파 검사를 이용하면 성적이 향상되기 때문에 꼭 필요하다.

본장에서는 조영초음파 검사의 스캔 방법과 촬영 조건 등에 대하여 간략하게 설명한다.

1. 소나조이드 조영초음파의 특징

제2세대 초음파 조영제 소나조이드는 PFB 가스로 만든 마이크로 버블[2.3~2.9 μm (median 분포)]이다. 화학적으로 안정하고 물에 대하여 난용성이며, 난황으로 제작된 인지질막이다. 성인의 통상 투여량은 0.015 mL/kg 체중으로 극히 소량이다. 그러나 고감도 고성능 초음파 장치에서는 조영제의 양이 많으면 동맥상(arterial phase)의 조영 효과가 지나치게 커져서 섬세한 혈관 구축을 그려낼 수 없는 경우가 있다. 게다가 후혈관상(post vascular phase)에서는 간세포암의 조영 결손(defect)을 인식하기 어려워지기 때문에 사이세이카이 마쓰사카 종합병원에서는 0.0075 mL/kg을 적당량으로 사용하고 있다. 부작용이 적어서 신기능저하(decreased renal function) 증례에도 사용 가능하며, 레보비스트보다 사용 범위가 넓어서 일반 진료에 사용하기 쉬운 조영제이다. 중저음압에서 마이크로 버블을 공진시켰을 때 발생하는 고주파 신호로 조영 효과를 얻을 수 있기 때문에 실시간으로 조영 효과를 관찰할 수 있다. 게다가 간 쿠퍼 세포에 유입되어 오랜 시간 조영된 채로 보이기 때문에 종양 부분을 다각도로 관찰할 수 있다. 외피(shell)는 난용성 가스여서 혈중에 장시간 존재하므로 단면 내에서 관찰할 수 있는 버블 성분을 강한 음압으로 전부 없애고, 그 후 재관류하는 버블 궤적을 피크홀드하여 미세한 종양 혈관을 그려내는 방법(Micro Flow Imaging, MFI)으로 종양 혈관의 혈관 구축을 여러 방향에서 관찰할 수 있다. 후혈관상에서는 장시간 관찰이 가능하기 때문에 간 전체를 자세히 살펴보는 데 효과적이며, 쿠퍼 세포가 없는 종양도 골라낼 수 있어서 유용하다.

2. 검사의 실제와 촬영 포인트

일반적으로 소나조이드의 사용 목적은 간종양의 감별진단과 새로운 병변의 검색, 간암 국소요법의 치료지원(치료효과판정이나 실시간 조영가이드 하에 천자)에도 응용된다. 본 시설에서 사용하는 Aplio XG(도시바 장비)의 촬영조건을 설명하고자 한다(**표 1**).

조영 모드는 'Pulse Subtraction Harmonic Imaging'과 'Differential THI' 2종류이며, 모두 회색조(gray scale) 고주파 이미징이다. 촬영을 하기 전 중요한 포인트는 MI 값(mechanical index)과 포커스 포인트 설정이다. 소나조이드로 좋은 이미지를 얻기 위해 필요한 MI 값은 0.2~0.4이며, MI 값은 포커스 포인트에 의존한다. 따라서 촬영 전 종양 심부 바로 밑 가장자리에 포커스를 맞출 필요가 있다. 단, 아래 가장자리보다 더욱 심부로 설

표 1. 조영초음파의 촬영 조건

사용 장비	Aplio XG [SSA-790A(도시바 메디컬 시스템즈 제품)]
조영 모드	Pulse Subtraction Harmonic Imaging Pulse Subtraction Harmonic Imaging (PS-Low)
촬영 모드	Flash Replenishment Imaging, Micro Flow Imaging (MFI) Defect Re-perfusion Imaging
(초음파)탐촉자	Convex 형 PVT-375BT Mmicro convex형 PVT-382BT
송수신 주파수	Convex 형 PVT-375BT : h3.5 MHz Mmicro convex형 PVT-382BT : h4.0 MHz
다이나믹레인지 (dynamic range)	Pulse Subtraction Harmonic Imaging (PS-Low) : 45 dB Micro Flow Imaging (MFI) : 35 dB
게인	혈관상 : 60~65 dB, 후혈관상(쿠퍼 이미지) : 65~70 dB
프레임 속도 (frame rate)	연속 송신 10~15 fps
MI 값	0.2~0.4
포커스 포인트	혈관상 : 종양 심부보다 1 cm 정도 아래 가장자리 후혈관상(쿠퍼 이미지) : 간의 맨 아래 가장자리
소나조이드 주입 조건	투여량 : 0.0075 mL/kg 투여방법 : 볼러스로 정맥주사 후 생리식염수로 점적 관류

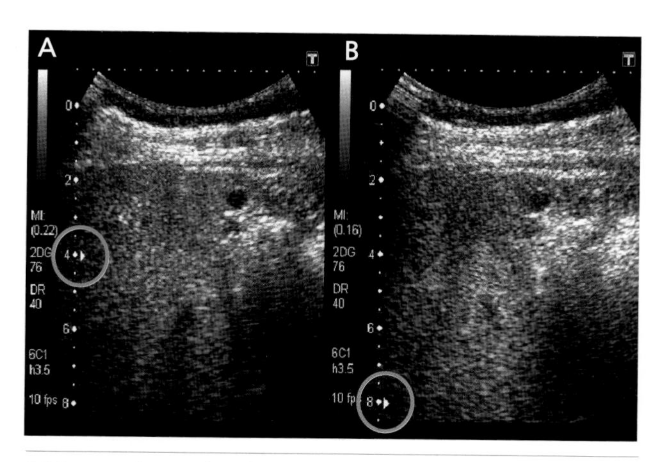

그림 1. 포커스 포인트와 MI 값

A : 포커스 포인트 4 cm, MI 값 0.22. 종양의 아래 가장자리보다 약간 심부에 포커스 포인트가 설정되어서 양호한 영상을 얻었다.

B : 포커스 포인트 8 cm, MI 값 0.16. 간 아래 가장자리에 포커스 포인트가 설정되어서 종양부가 불분명하다.

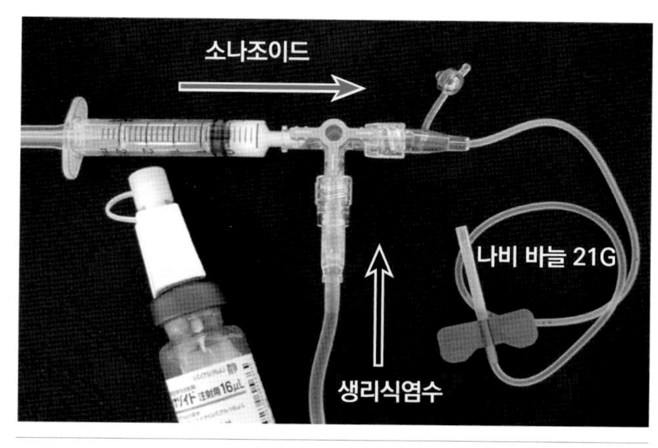

그림 2. 조영제 주입 방법

정하면 다소 해상도는 떨어지지만, 전체적으로 균일하게 조영된 상을 얻을 수 있으므로 상황에 따라 설정하는 것이 좋다. 후혈관상에서는 포커스 포인트를 간 바로 아래 가장자리로 설정하여 간 전체를 검색한다(그림 1).

게인(gain)은 일반적으로 혈관상(vascular phase) 60~65 dB, 후혈관상 65~70 dB이 이상적이지만 고에코성 종양은 약간 낮은 값으로 설정하여 혈관상의 유입혈관이나 조영된 부분을 평가하는 것이 이상적이다. 소나조이드는 0.0075 mL/kg로 조제한 혼탁액을 정맥 내로 급속(bolus) 주입한다. 그때 혼탁액이 뿌옇게 흐려졌는지 확인할 필요가 있다. 조제 직후에는 뿌옇게 흐려져 있지만, 그대로 방치하면 두 층으로 분리된다. 그러한 경우, 양호한 조영 효과를 얻을 수 없기 때문에 다시 섞어서 백탁 시킨 후에 사용해야 한다. 또한 조영제를 주입할 때 3 way를 이용하는 경우, 나비 바늘(21 G)과 주사기(2 mL)를 평행하게 하는 것이 중요하며 가능한 한 버블이 파괴되지 않도록 해야 한다(그림 2). 그 후 조영제를 투여하고 3 way를 전부 열어서 생리식염수를 점적으로 떨어뜨린다.

'그림 3'은 실제 본원의 촬영 프로토콜이다.

먼저 간 종괴의 위치 결정이 가장 중요한 포인트이다. B모드 영상에서 반드시 화면 중앙부에 종양을 위치시킨 후 페이즈(phase)를 적절하게 확대하여 촬영에 들어간다. Aplio XG는 촬영할 때 B모드 모니터 화상으로 확인하면서 조영 모드를 시행할 수 있는 Dual Screen Mode (Monitor View)가 장점이다. 소나조이드 투여 시작 후 10~60초까지 Pulse Subtraction Imaging에서 연속으로 조영 효과를 관찰하고 종양의 혈류 분포(vascularity), 동맥상(arterial phase)을 평가한다. 그 후 MFI로 종양 혈

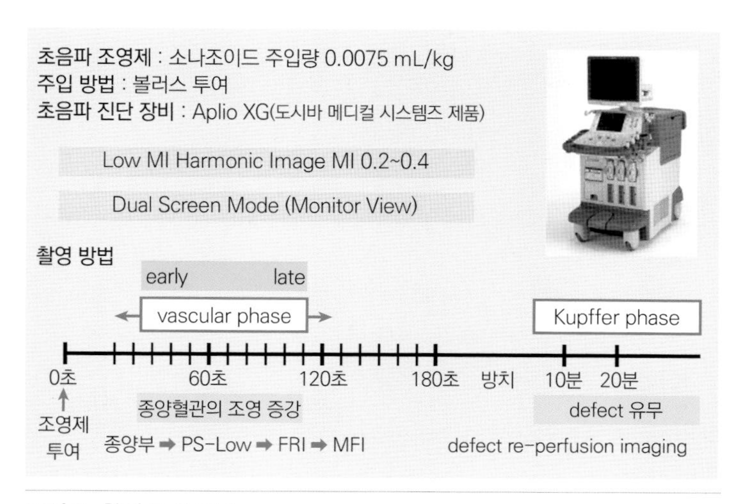

그림 3. 촬영 프로토콜

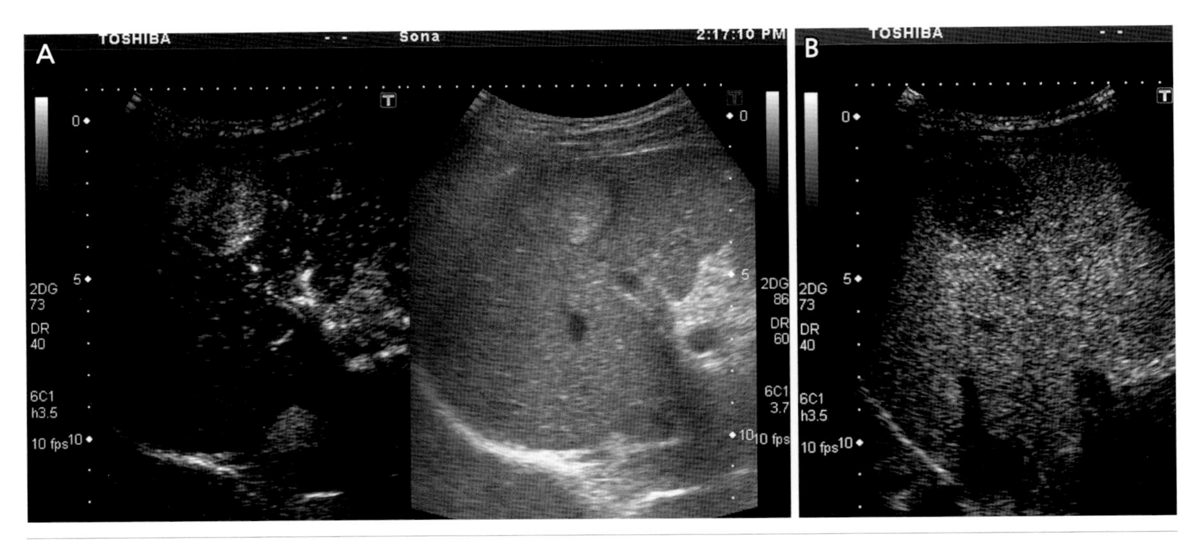

그림 4. 조영초음파상

A : arterial phase정맥 주사 후 20초. 간세포암 증례에서 종양부는 농도 짙은 조영 증강을 확인한다.

B : 후혈관상(쿠퍼 이미지) 정맥 주사 후 10분. 종양부는 조영 결손을 나타낸다.

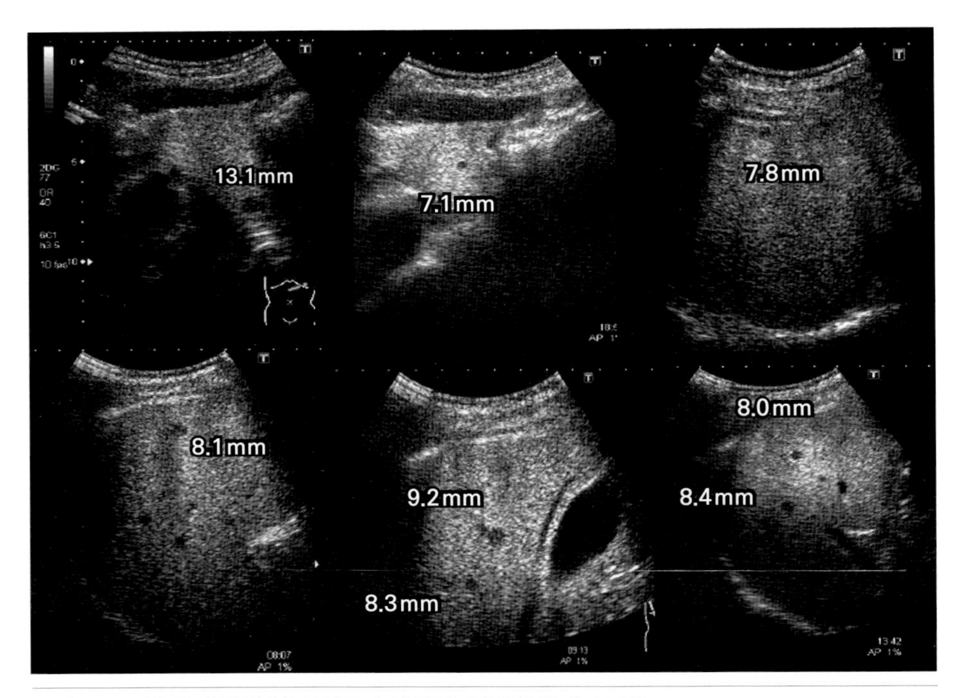

그림 5. 조영초음파상[후혈관상(쿠퍼 이미지) 정맥 주사 후 10분]

위암 전이성 간암 증례에서 조영 결손상이 8개 결절로 확인되었다. B모드에서 전이성 종양은 확인할 수 없었던 사례이다.

관의 혈관 구축을 여러 각도에서 관찰한다. MFI는 운동 인공 음영(motion artifact)이 쉽게 출현하므로 환자가 호흡을 멈추는 때와 검사자의 (초음파)탐촉자 위치에 충분히 주의를 기울여야 한다. 탐촉자를 확실하게 고정하는 것이 선명한 혈관 구축을 그려내는 요령이다. 조영제를 투여하고 10~20분 뒤에 후혈관상을 촬영한다. 후혈관상에서는 장시간 관찰이 가능하기 때문에 간 전체를 자세히 살펴보는 데 효과적이며, 쿠퍼 세포가 없는 종양도 골라낼 수 있어서 유용하다. 그때 포커스 포인트는 간 바로 아래 가장자리로 설정하여 간 전체를 스캔하고, 게인은 약간 높은 값으로 설정하여 선명한 이미지를 얻을 수 있다(그림 4, 5).

B모드에서 종양 검출이 어려운 증례는 쿠도 교수가 보고한 defect re-perfusion imaging이 매우 유용하다.[2] 후혈관상에서 defect를 검출한 뒤에 조영제를 다시 투여하여 유입 혈관의 유무를 확인할 수 있는 방법이다.

3. 검사의 실제와 흐름

조영초음파가 일상 진료에서 차지하는 위치를 말하고자 한다(그림 6).

초음파 검사를 할 때 B모드에서 종양을 확인할 수 있는 것이 가장 중요하다. 일상 검사에서는 확인하기 곤란한 증례도 적지 않게 경험한다. 가스상(free air)이 많은 증례, 간 표면, 횡격막 돔(dome)의 바로 아래, 간경변의 내부 조조(crude) 증례 등에서는 종양성 병변을 확인하기 어렵다. 대응책으로 Micro 컨벡스형 초음파 탐촉자(micro convex)를 사용하면 횡격막 돔 바로 아래나 좁은 늑간을 그려내기가 수월하다. 고도의 간 위축 등 특수한 경우를 제외하면 간 전체를 관찰하는 것이 가능하다. 한편 암이 아닌 부위의 간실질 경변으로 인하여

4. defect re-perfusion imaging법

후혈관상에서 결손이 나타난 부분에 주목하여 조영제를 다시 투여하고 결손 내에 동맥성 혈류가 유입되는지 관찰한다. 결손 내부에서 동맥성 혈류 분포가 확인되는 것을 defect re-perfusion sign(양성)이라고 하면 전형적 간암은 거의 100% 검출된다(그림 7). 또한 B모드에서 종양을 확인할 수 없는 증례라도 후혈관상에서 결손상(defect image)이 검출되는 경우가 있으며, 거기에 re-injection test를 시행하면 동맥 혈류의 유무를 확인하고 악성도를 파악할 수 있다(그림 8). 따라서 defect re-perfusion imaging법은 임상적으로 간 실질이 거친 간경변에 대한 간세포암의 스크리닝, 치료 후 국소 재발 부위의 동정(identification), 조영 천자 가이드 등 다방면에

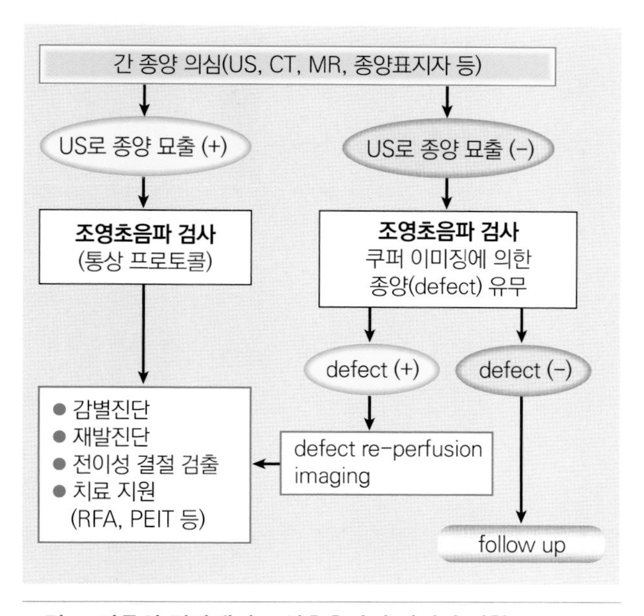

그림 6. 간종양 검사에서 조영초음파의 위치와 역할

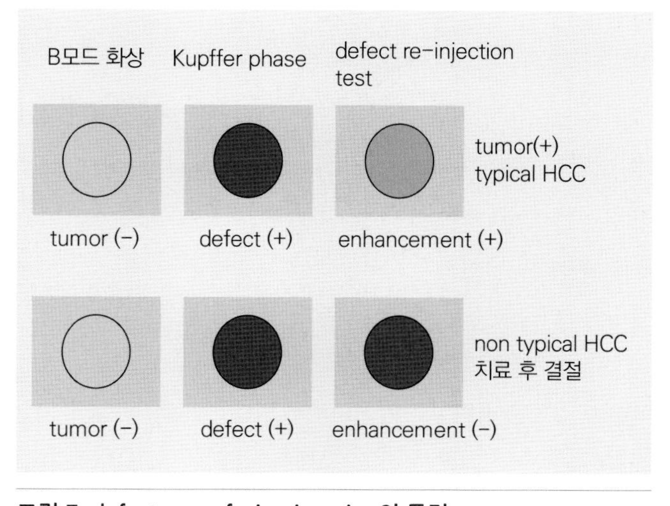

그림 7. defect re-perfusion imaging의 특징
상단처럼 B모드에서 결절을 확인할 수 없는 경우에도 Kupffer phase에서 defect를 확인하였을 때, 조영제를 투여하여 조영된 상이 보이면 전형적인 간암이다. (참고문헌 2)

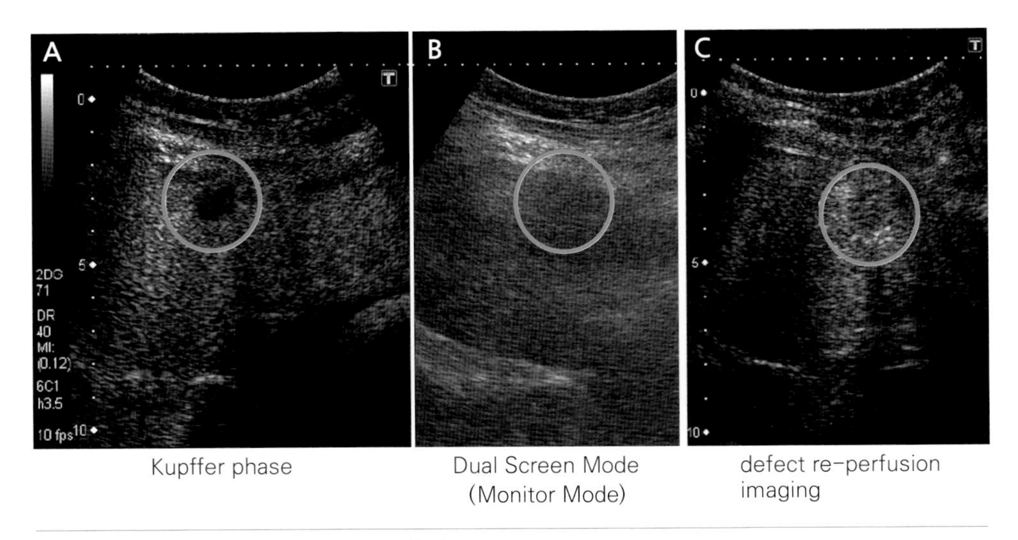

그림 8. defect re-perfusion imaging의 비교

A, B : B모드에서 종양의 존재는 분명하지 않지만, Kupffer phase에서는 선명한 defect로 종양이 분명하게 보인다.
C : re-injection하면 결손 부위가 선명하게 조영되어 동맥 혈류를 가진 종양성 병변임을 알 수 있다.

걸친 응용이 가능하며 매우 효과적인 방법이다.

마치며

조영초음파 검사는 간종양을 포함하여 다른 장기의 종양성 병변에도 매우 유용하며 일상 진료의 영상 진단 체계에서 중요한 역할을 한다고 생각한다.

특히 조기 간세포암 진단에서도 종양 내의 미미한 혈류 변화를 파악할 수 있어서 빈혈성(hypovascular) 결절의 감별에도 위력을 발휘한다. 게다가 후혈관상에서 조영 효과의 저하는 악성도를 반영하기 때문에 진단에 기여한다. 간종양을 진단할 때 후혈관상에서 조영 결손상이 조금이라도 보이면 반드시 악성을 의심하여 종양 생검을 실시하고 진단할 필요가 있다. 또한 다른 영상 진단에서 종양 내의 악성 변화를 확인할 수 없어도 고감도 조영초음파로만 확인할 수 있는 증례도 있으므로, 조기 진단 및 조기 간세포암의 경과 관찰에 매우 유용하다. 진행암 등에서 간 전이 유무를 평가할 때 CT검사 등에서 간 전이 병소(metastatic lesion)가 검출되지 않은 증례에서도 조영초음파 검사의 후혈관상에서 소결절의 전이종양을 검출할 수 있는 것은 매우 유용하고 효과적이다.

고령 사회가 진행되는 가운데 신기능 저하 증례에서도 영향을 받지 않고 검사를 시행할 수 있어서 높은 안전성이 입증되었으며 일상 진료에도 필수 검사항목이다. 간종양 생검이나 고주파 열치료에도 조영초음파를 이용하면 정확하게 시술할 수 있어서 성적이 향상된다.

마지막으로 소나조이드 조영초음파 검사는 실시간으로 혈류의 움직임(혈관 구축)을 파악할 수 있으며, 쿠퍼 이미징에서의 간세포 기능 평가와 새로운 병변의 검출이 가능한 획기적인 검사 방법이다. 검사 방법을 최대한으로 활용하기 위하여 조영제의 적절한 조제와 투여방법, 최첨단 기술을 가진 초음파 진단장치의 촬영조건·설정 등을 구축할 수 있다면 사회에 기여할 수 있다고 확신한다. 앞으로는 현재보다 더욱 간종양의 진단과 치료에 기여할 수 있는 조영초음파 검사이며 중요한 검사법의 하나가 될 것이다.

참고문헌

1 飯島尋子：肝疾患の造影超音波診断. その変遷と新しい展開. 肝臓, 50：105～121, 2009.

2 工藤正俊, 他：肝細胞癌治療支援におけるSonazoid造影エコー法の新技術の提唱；Defect Re-perfusion Imagingの有用性. 肝臓, 48：299～301, 2007.

조영초음파 검사의 실제 – 검사 방법과 포인트

2-2. GE사의 장치를 중심으로

마에가와 기요시 | 긴키대학 의학부 부속병원 중앙 초음파 진단·치료실

LOGIQ 시리즈에는 여러 종류의 초음파 진단장치(GE헬스케어재팬(주), 이하 GE)가 있다. 본장에서는 조영 전용 모드 기능이 있는 대표적인 초음파 진단장치를 소개한다.

1. 초음파 장치와 조영 모드 및 탐촉자의 설정

GE장치 가운데 조영초음파에 주로 사용하는 탐촉자는 컨벡스형(C 1–5및 4C), 리니어형(9L), 치료용 마이크로 컨벡스형(3CRF)이다. 표 1A에 LOGIQ 시리즈 기종명과 탐촉자 및 조영 방법을 열거하였다. 초음파 조영제를 영상화하기 위한 기술인 CPI(펄스역전)가 이용되었고, 최신장치 LOGIQ S8, E9에는 AM(위상변조)도 탑재되었다. 표 1B에는 각각의 탐촉자와 대표적인 조영 파라미터를 정리하였다(표 안의 파란 글씨는 긴키대학에서 사용하는 조영 파라미터이다). 표 1A, B에 기술한 파라미터는 검사 대상의 위치에 따라 변경이 필요하며, CPI를 이용하여 촬영하면 탐촉자에 따라 MI 값(mechanical index)의 차이가 생긴다. C 1–5–D는 4C 타입보다 중심주파수가 낮기 때문에 MI 값을 높게 설정해야 한다. 포커스 위치도 관찰 대상보다 1~2 cm 깊게 설정한다. 그러나 검사 대상이 얕은 위치 특히 간 표면과 가까이 있을 때는 포커스를 약 5 cm로 설정하고 MI는 0.18~0.20 (C1–5–D) 또는 0.16~0.18 (4C)로 변경하면, 탐촉자 근처의 조영제 파괴를 방지하면서 깨끗한 영상을 쉽게 확보할 수 있다. 고주파 탐촉자(9L)가 장착되어 있으면 얕은 위치(체표에서 5~6 cm 정도)의 촬영은 9L를 권장한다. 특히 컨벡스와 비교하여 고주파 탐촉자(9L)는 간 표면 이미지를 표현할 수 있는 공간분해능이 뛰어나며 탐촉자 가까이에 있는 구조물을 선명하게 영상화 할 수 있다. AM이 장비되어 있으면 CPI는 필요하지 않다. AM은 대상의 위치에 따라 주파수를 변경할 수 있어서 9L–D를 사용할 때는 Res (AM)로 촬영하는 것이 표준이다. 특히 B모드에서 고에코로 보이는 결절은 AM에서 B모드 이미지를 대부분 제거할 수 있으므로, 조영제의 움직임만을 영상화하여 혈류의 많고 적음을 평가할 수 있다.

GE의 조영 모드에는 높은 MI 값(high MI) 파라미터(corded harmonic angio, CHA)도 있다.[1] CHA는 제1세대 초음파 조영제 레보비스트®의 전용 모드이며, CHA

표 1. 초음파 장치와 탐촉자 및 조영 모드 파라미터

A. 초음파 장치와 탐촉자 및 조영술

LOGIQ E9 LOGIQ S8	C1-5-D	9L-D	3CRF-D	RAB2-5-D	CPI : corded phase inversion AM : amplitude modulation
LOGIQ 7 LOGIQ S6	4C	9L	3CRF	4D3C-L	CPI : corded phase inversion
LOGIQ P6	4C				CPI : corded phase inversion

B. 초음파 장치와 탐촉자 및 대표적인 조영 파라미터

장치명	탐촉자	조영모드	frequency	포커스(cm)	뎁스(cm)	MI	DR
LOGIQ E9 LOGIQ S8	C1-5-D	CPI	H Res	10	15	0.24	60
		AM	Res	10	15	0.22	60
		AM	Gen	13	18	0.24	60
		AM	Pen	16	20	0.26	60
	9L-D	CPI	H Res	5	7	0.20	60
		AM	Res	5	7	0.20	60
		AM	Gen	7	10	0.22	60
		AM	Pen	10	15	0.24	60
LOGIQ 7	4C	CPI	CPI 4	10	15	0.20	60
LOGIQ S6	9L	CPI	CPI 4	4	6	0.18	60
LOGIQ P6	4C	CPI	CPI	8	13	0.22	60

파란 글씨는 긴키대학 의학부의 설정. Res>Gen>Pen : 중심 주파수 설정.

(자료 제공 : GE 헬스 케어 재팬 (주))

로 소나조이드®를 촬영하면 마이크로 버블이 파괴되고 조영제가 사라지면서 영상화된다. 즉 영상을 얻기 위해서는 연속 전송에서 간헐적 전송으로 전환해야 한다. 시간 상으로 조영제 주입 초기에는 느린 연속 전송(프레임 속도 FR:10 이하)으로 영상화하고, 후혈관상(post vascular phase)에서는 간헐적 전송으로 sweep scan(탐촉자를 부채 모양으로 천천히 움직임)해야 한다. 후혈관상에서 조영제를 보유하고 주위 간 실질과 동등한 조영을 보이는 결절 등은 CHA의 간헐적 전송을 이용하면 조영제의 분포를 영상화할 수 있다.

2. 데이터 저장 및 hybrid contrast imaging

GE의 데이터 저장 방법은 Raw Data 저장(그림 1A)이다. 다시 구성할 때 게인, TGC, DR 및 추가 이미지(capture, accumulation) 등을 자유롭게 조작할 수 있어서 동영상 저장을 하면 이미지를 재구성할 때 여러 가지 파라미터 사용이 가능하다. 조영 모드에는 hybrid contrast imaging(그림 1B)이 내장되어 있으므로 간실질과 조영제를 따로 분리하여 컬러화가 가능하다. 보고서 작성에 필요한 영상화이다.

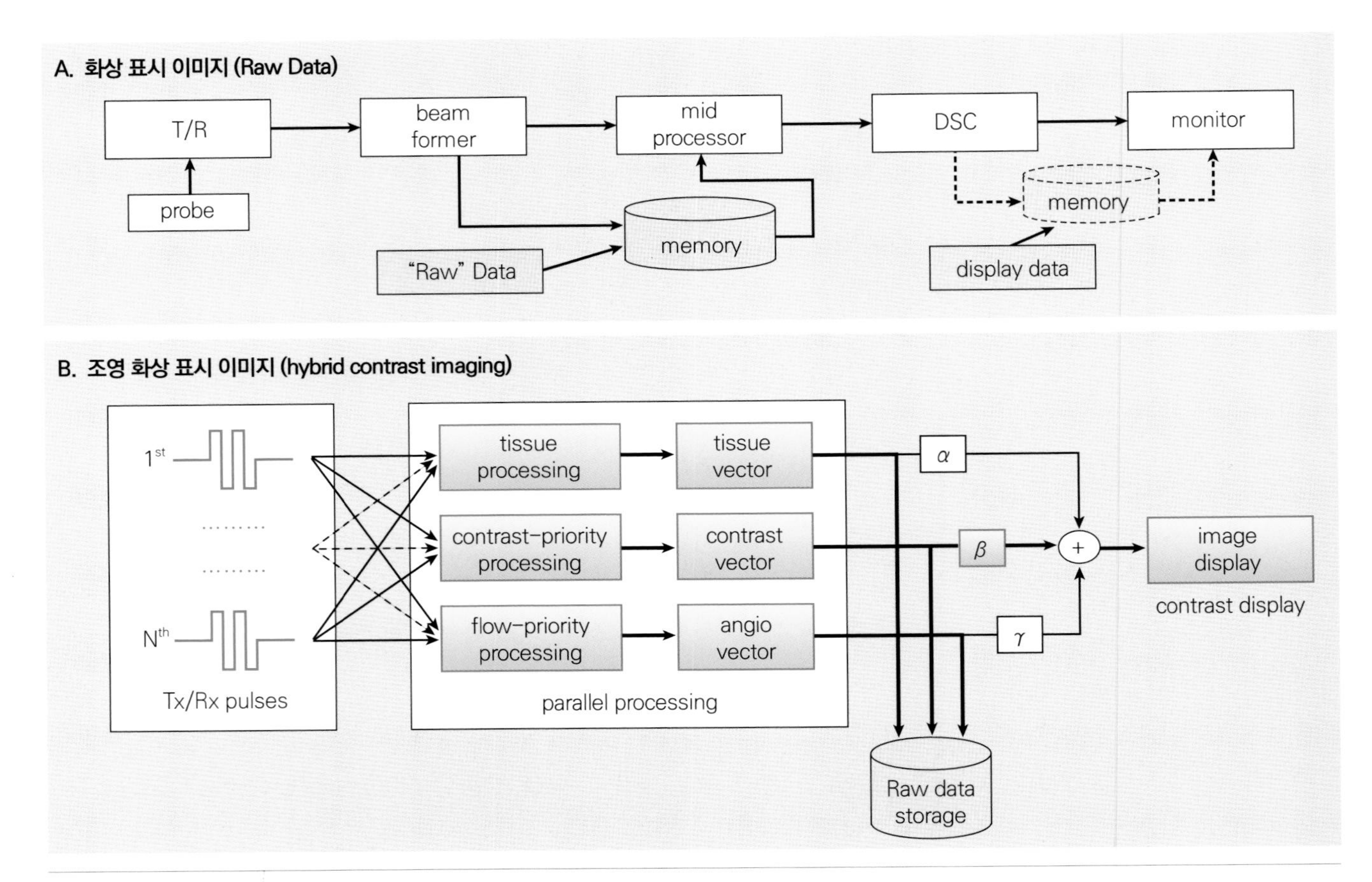

그림 1. Raw Data 저장과 hybrid contrast imaging

A : LOGIQ 시리즈는 이미지를 저장할 때 Raw Data 저장이 가능하기 때문에, 재구성 이미지에서 파라미터의 변경이나 밝기 측정, 3D 구축도 가능하다.

B : contrast 모드 가운데 hybrid contrast imaging은 조영제에 칼라를 입혀서 간실질과 구별할 수 있다. Raw Data로 저장하면 재구성할 수 있다.

(자료 제공: GE 헬스 케어 재팬 (주))

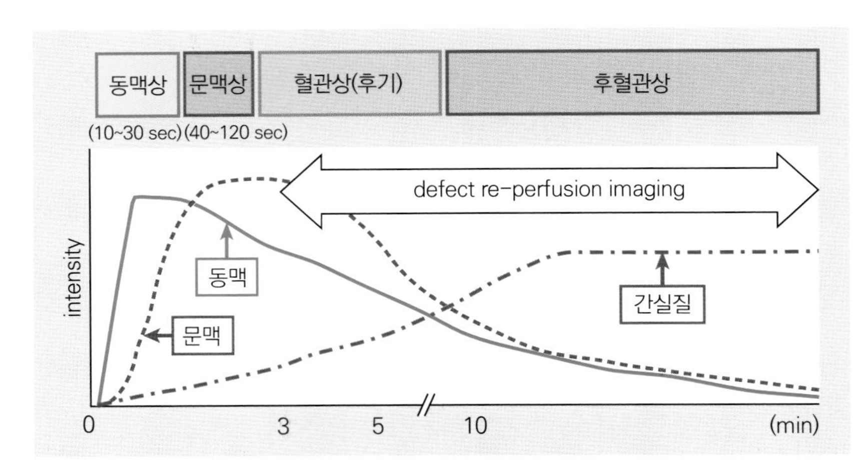

그림 2. 측정 페이즈(phase)와 re-perfusion imaging 촬영 타이밍

조영제로 인한 에코 변화 이미지를 그래프로 만들고 측정 페이즈 단계로 표시하였다*. 조영제를 다시 주입하는 타이밍은 목적에 따라 다르다. 후혈관상의 간 전체 스캔에서 새로운 결절(조영 결손)을 발견한 경우나 RFA 효과 판정 등은 조영제가 wash out하는 타이밍(혈관상(후기))에 실시한다. (*간 종괴의 초음파 진단기준(안)을 참고로 수정: 초음파 의학, 37(2), 2010))

3. defect re-perfusion imaging (defect re-injection test : D-RIT)

소나조이드의 가장 큰 특징은 낮은 MI 값(low MI) transmission에서 마이크로 버블의 공명을 영상화하기 위하여 조영제의 움직임을 실시간으로 관찰할 수 있다는 점이다. 시각 단계(time phase)에 맞추어 이미지에 조영제를 다시 주입한 이중 이미지를 이용하여, 넓은 범위의 관찰, 재현, 치료효과 판정 등에 이용할 수 있다. 2007년 소나조이드 발매 초기부터[2,3] 현재까지 많은 기관에서 이용된다. **그림 2**에서 D-RIT의 일반적 타이밍 4을 확인할 수 있다. 일반적으로 국소 결절성 과증식(focal nodular hyper plasia, FNH)이나 혈관종(hemangioma) 등의 양성 종양에는 조영 씻김(wash out)이나 후혈관상에서의 조영 결손 이미지가 나타나지 않는 것으로 알려져 있다. 각종 종양에서의 조영제 움직임을 종양 내부와 주변 간 실질에서 시간 경과(**그림 3**)에 따라 비교하였다. 전형적 간세포암(hepatocellular carcinoma, HCC)이나 전이성 간암(metastatic liver cancer, Meta)에서는 초기부터, 즉 Meta는 2분 전후, 전형적 간세포암에서는 3분 전후에서 조영 씻김(wash out)이 보이며 변화량은 약 5 dB 정도이다. 후혈관상에서도 perfusion defect(조영 결손)를 나타내는데 변화량은 Meta에서 약 8~15 dB, 전형적 간세포암에서 약 5~7 dB로, Meta의 조영 차이가 뚜렷하다. 그 이유는 증례군의 배경 간(肝)의 차이(간조직 섬유화나 간 기능)가 있기 때문이다.

4. D-RIT의 실제[5, 6]

그림 4에 D-RIT를 포함한 촬영 프로토콜을 제시하였다. **그림 4A**는 종양성 병변의 감별진단이나 만성간염·간경변에서 알 수 없는 종양을 검출하기 위한 방법이다. 특히 후혈관상에서 간 전체를 스캔하여 조영 결손을 찾아내고 D-RIT①(**그림 4B**)로 평가하여 확정 진단이 가능하다. 특히 수 mm 이하의 작은 조영 결손은 B모드에서 판별이 어려운 낭포(조영모드에서 낭포는 후방의 에코 증강이 강하다)도 뒤섞여있기 때문에 D-RIT이 필요하다.

그러나 Meta에서 5 mm 이하의 판정은 D-RIT를 사용하여도 판단할 수 없는 경우가 있으므로 주의해야 한다. **그림 5**는 D-RIT① 방법으로 재발부위를 진단한 이미지로, RFA를 실시하고 2년 뒤에 경과를 관찰한 조영 검사이다. 후혈관상(**그림 5A**)시점에서 다시 조영제를

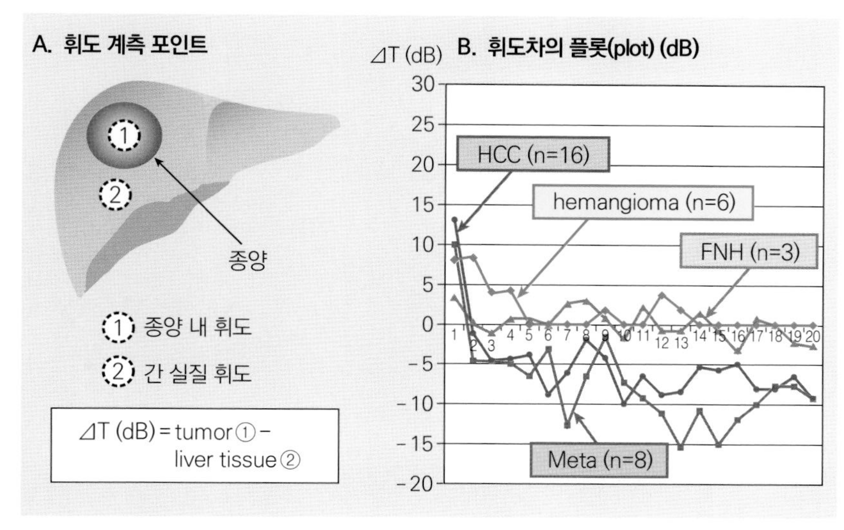

그림 3. 각종 간 종양의 후혈관상 에코 변화 비교
A : 에코 비교를 위한 관심 영역, 에코 차이(⊿T)를 구하는 방법
B : 각종 간 종양의 에코 차이를 측정 시간마다 표시하였다 (self-test example). 조영 결손을 판단할 수 있는 것은 에코 차이가 5 dB 이상이다.

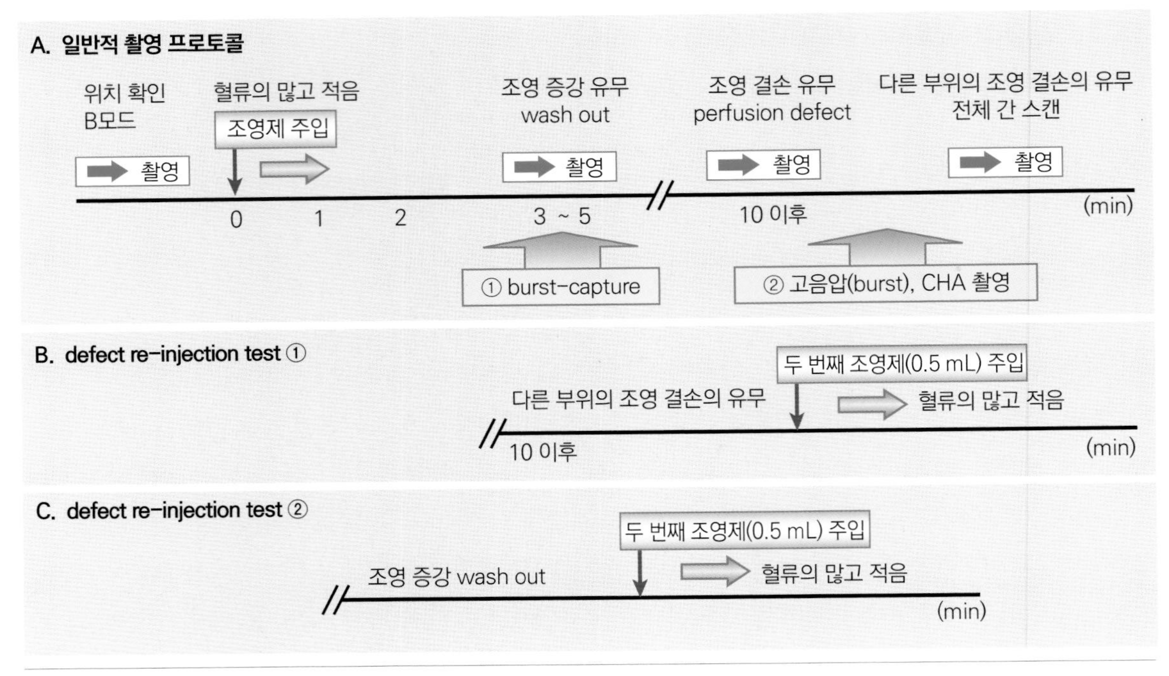

그림 4. 각종 간 종양의 촬영 프로토콜 (1차 조영제는 0.010 mL/kg)

A : 종양의 vascularization을 보기 위하여 High MI으로 조영제를 파괴하고 추가 이미지를 이용하여 재관류를 관찰한다. ①과 종양 혈관이 강조되어 선명해진다. ②는 후혈관상에서 종양과 주변 간 실질의 에코에 차이가 없는 경우, 고음압을 송신(burst)하면 간 실질과의 차이가 선명해진다.

B : 결절의 조영 결손에 조영제를 다시 주입하여 viability(혈관 구축의 유무)를 관찰한다.

C : wash out을 할 때 다시 조영제를 주입하여 결손 영역의 viability를 관찰한다.

주입하였는데 조영 결손(치료 후 영역) 내에 조영이 관찰되어 재발(그림 5B)로 진단하였다.

GE 장치로 종양 내 혈관 구축을 보려면 burst-capture를 실시한다. 먼저 숨을 멈추고 탐촉자를 고정한 상태에서 burst 스위치를 누른다. 몇 초 동안 그 상태로 동영상을 기록한다. 다시 구성할 때 캡쳐 스위치를 누르면 추가 이미지가 표시된다. 밝기가 강하고 중첩이 많으면 게인을 낮춘다. 게인으로 조정할 수 없으면 TGC로 조정한다. 게인과 TGC로도 조정이 되지 않으면 DR을 변경하는 것이 좋다. DR을 낮추면 밝기가 증가하여 견고한 이미지가 된다. 캡쳐 스위치가 아닌 accumulation을 이용하여 추가 이미지를 만들면 지연 시간 간격을 미세하게 조정할 수 있고, 그 자리에서 실시간으로 시간 강도 곡선(TIC)도 분석할 수 있다. 그림 6은 조영초음파 멀티 스크린이다. 그림 4A의 프로토콜에 따라 촬영한

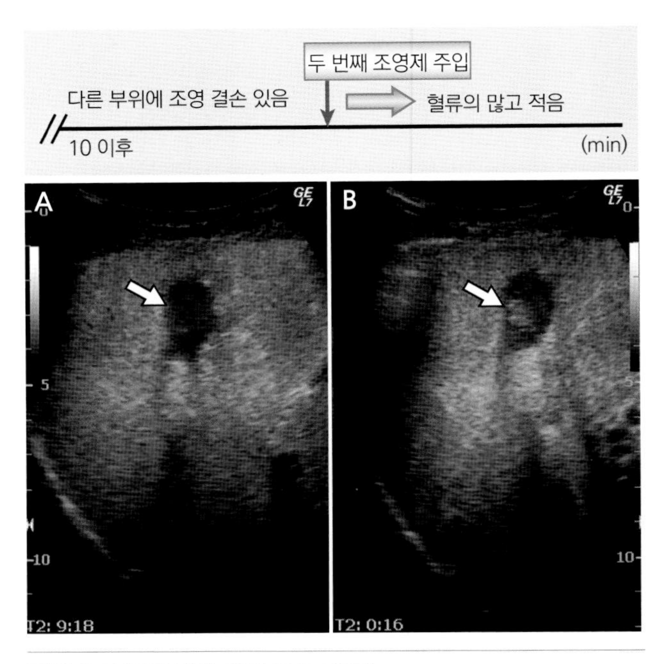

그림 5. HCC의 RFA 치료 후 D-RIT상

A : 후혈관상의 이미지에서 RFA영역이 조영 결손으로 확인된다.

B : D-RIT, 16초. 화살표가 가리키는 부분에 조영이 보여서 재발한 것으로 진단할 수 있다.

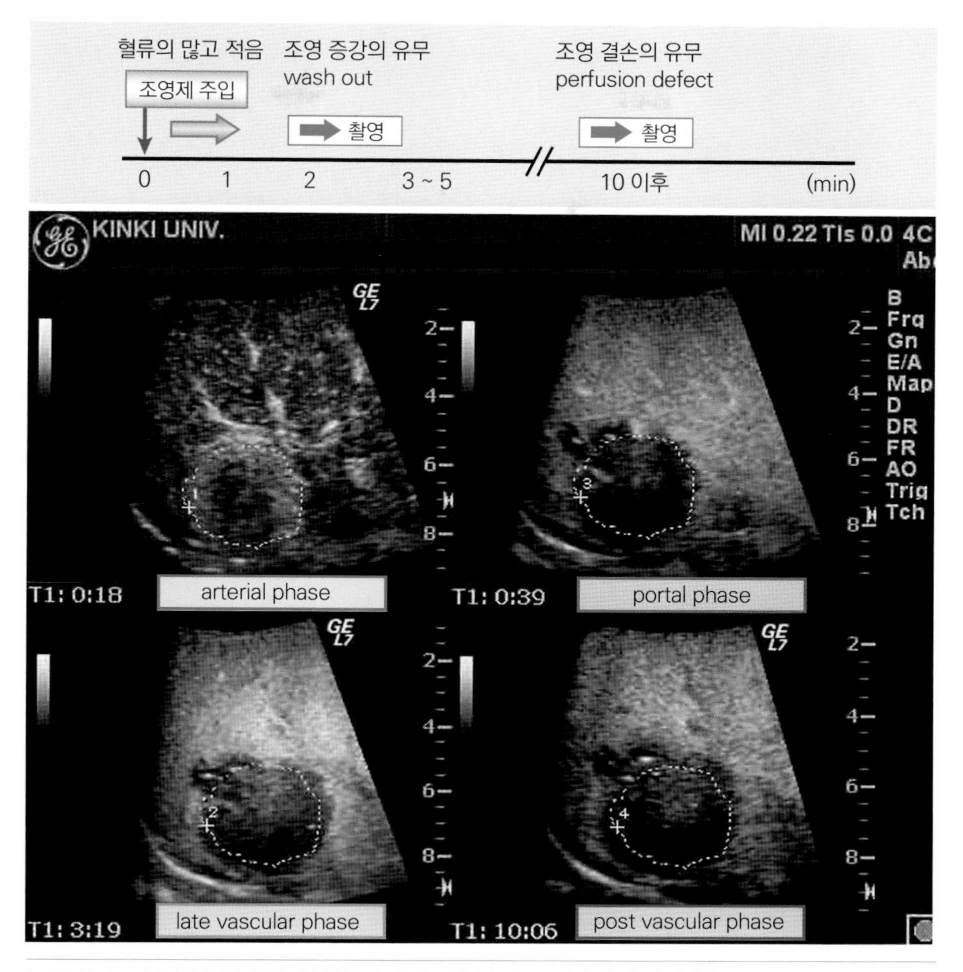

그림 6. 조영초음파 이미지의 멀티 스크린 디스플레이(전이성 간암증례)
장치 내 멀티 스크린을 이용하여 각 페이즈(phase)의 조영 이미지를 표시하고 보고함으로써 진단이 편리해진다. 동맥상(arterial phase)에서 조영한 종양부를 추적하여(점선 부분) 각 페이즈 단계에 전송하면 조영의 범위와 조영 결손 영역의 비교가 쉬워진다.

조영 결과를 보여준다. Arterial phase는 링 모양의 조영, portal phase는 조영 결손(wash out)이 보이고 late vascular phase(후기 혈관기)에서는 조영 결손이 약간 넓어졌다. 후혈관상(post vascular phase)에서도 조영 결손이 유지되었다. Arterial phase 화면에서 링 모양의 조영을 추적하고(점선부분) 시각 단계마다 같은 부위에 전송하여 조영 결손 영역의 변화를 관찰하였다. 쿠퍼 기능이 결손되었거나 주위보다 낮아졌다고 판단할 수 있다. 바꿔 말하면 주변의 침윤 영역을 명확하게 볼 수 있다. 다음으로 arterial phase의 동영상을 재구성하고 TIC(**그림 7**)를 이용하여 링 모양의 조영을 분석한다. 기존 동맥 분지(하늘색), 기존 문맥지(노란색), 링 모양 조영(종양의 조영부, 적색) 및 종양에 유입되는 혈관 조영(녹색)으로 샘플 영역을 설정한다. 기존 동맥에 조영제가 도달한 시점을 0초라고 하면 기존 문맥에는 약 3.8초 후 조영제가 도달한 것이 된다. 링 모양의 짙은 조영 영역(적색)은 기존 동맥에 조영제가 도달한 직후부터 조영이 관찰되어서 동맥의 유입을 증명할 수 있다. 녹색 샘플 영역도 기존 동맥과 같은 시각 단계로 조영된다. 조영 속도는 기존 동맥(하늘색)보다 느리고 링 모양의 조영보다 빠르기 때문에 종양의 영양 혈관으로 진단할 수 있다.

조영 초기 동영상에서 진단·치료에 응용할 수 있는

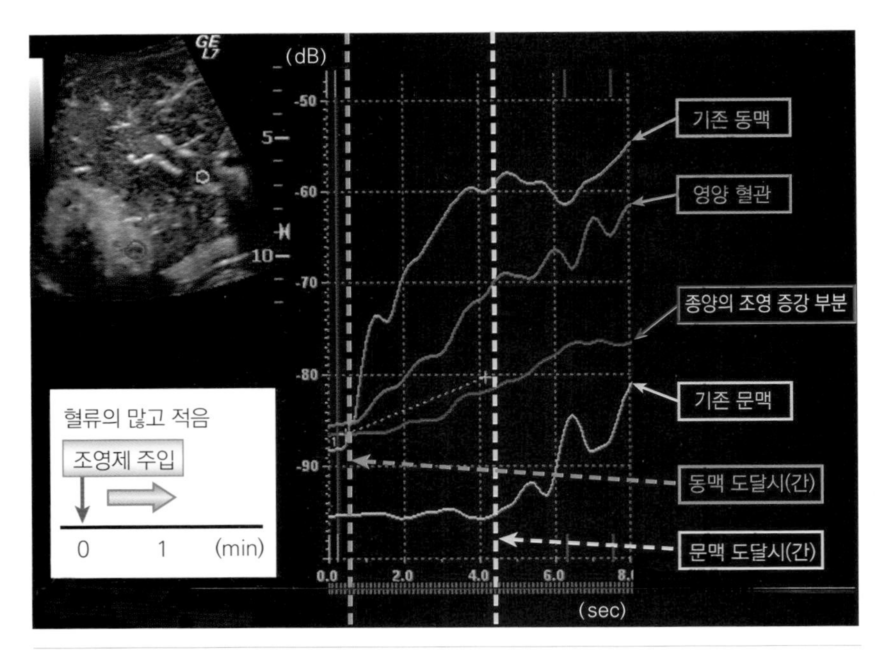

그림 7. 전이성 간암 증례의 초기 단계 TIC 분석

결과를 얻을 수 있기 때문에 혈관 조영검사(DSA)나 혈관 조영하의 CT[간동맥 조영 CT (CTHA), 경동맥성 문맥 조영 CT (CTAP)]에 필적하는 기법이다. 그림 4C는 RFA를 실시하고 치료 효과 판정이나 재발 확인의 경과 관찰 평가에 이용하는 프로토콜이다. 그림 8에서 간세포암의 RFA 직후 실시한 ablation 부위의 조영을 확인할 수 있다. RFA 직후에는 가스상이나 주변 간 실질의 ablation 변화가 크고, B모드에서는 소작 경계(ablation margin)가 불분명한 경우가 많다. Ablation 직후 그림 4C에 따라 조영제를 주입하고 혈관상(후기)에서 wash out(그림 8A)을 기다려서 D-RIT(그림 8B)를 실시한다. Ablation 부위 주변은 RFA의 영향으로 다른 간 실질보다 강한 조영 영역을 확인할 수 있다. 화살표로 표시한 부분도 같은 시각 단계에서 조영이 보이며, RFA ablation 범위 내에 간세포암 잔존이 의심된다. 다시 말하면 ablation이 불완전하기 때문에 RFA를 추가로 실시해야 한다.

그림 9는 RFA를 추가로 실시하고 이튿날에 촬영한 치료 효과 판정 조영이다. 그림 9A는 치료 전의 초기 조영이고, 그림 9B는 D-RIT 이미지이다. 치료 전 크기에 비

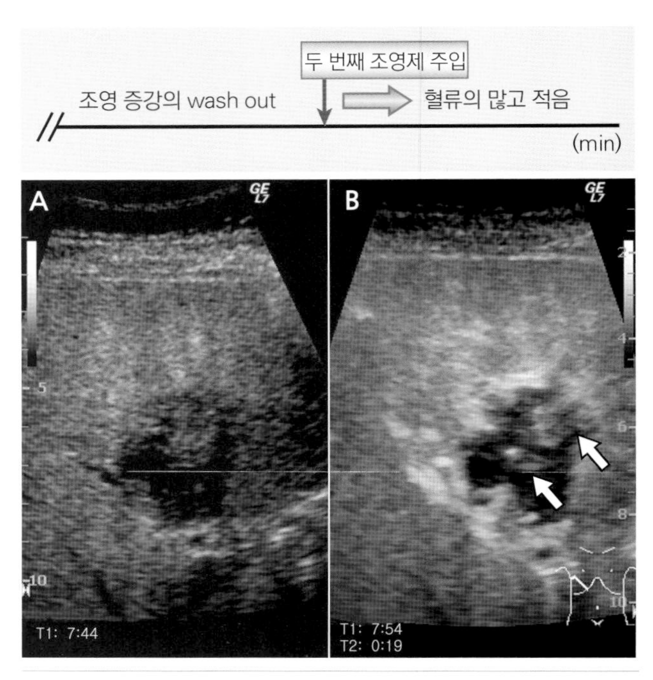

그림 8. HCC의 RFA 직후 D-RIT 이미지

A : wash out[혈관상(후기)].

B : D-RIT, 19초. 화살표가 가리키는 부분에 잔존이 발견되어 추가 치료가 필요하다는 진단을 할 수 있다.

하여 충분한 ablation 영역이 확인되어 치료 효과가 양호하다. GE 장치에서는 저장 데이터를 이용하여 합성

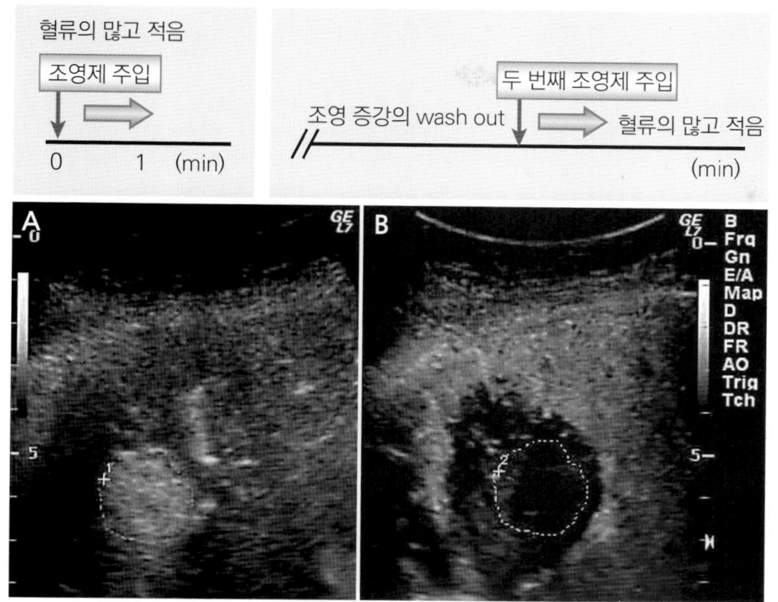

그림 9. HCC 의 RFA 직후 D-RIT 이미지

A : 치료 전 초기 조영 이미지

B : 치료 후 D-RIT 이미지. ablation영역은 초기 짙은 조영 부분보다 커서 치료 효과가 양호하다고 판단할 수 있다.

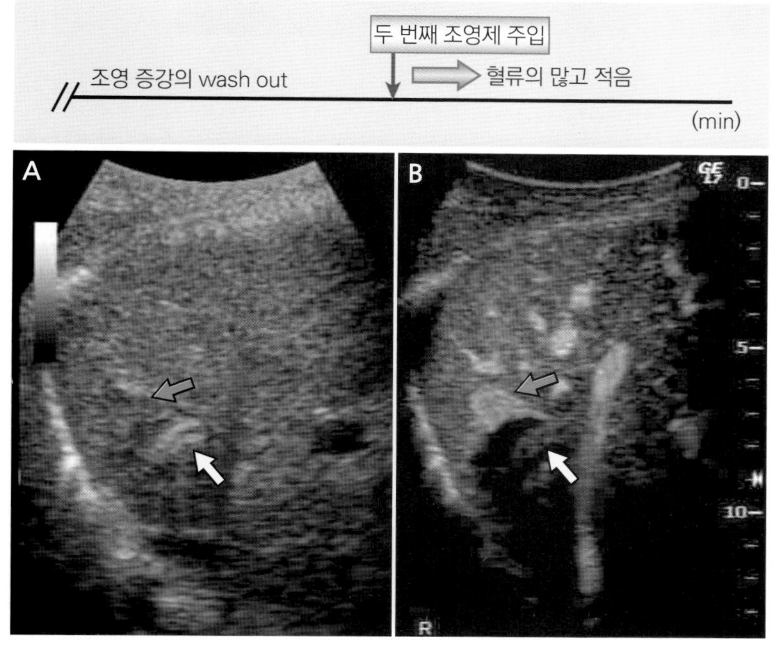

그림 10. HCC의 RFA 치료 후, 2년 뒤의 D-RIT 이미지

A : 모니터 화면

B : D-RIT (CPI) 화면. 파란색 화살표가 가리키는 부분에 변연 재발을 확인할 수 있다.

디스플레이를 쉽게 구성할 수 있다. 치료 효과를 판정할 때는 크기를 판단해야 하기 때문에 치료 전후 같은 스케일, 같은 프로토콜에서의 조영 기법이 요구된다. 초음파로 진단할 수 있는 화면은 2D(단층상)가 중심적이지만, 종양은 입체이며 RFA 치료 범위도 3D(입체상)이기 때문에 치료 후의 D-RIT 동영상은 조금씩 탐촉자를 이동시켜서 다단면의 동영상을 얻어야 한다. 비교적 early vascular phase이면 반복 촬영이 가능하고 탐촉자의 방향을 바꾸어서 정밀도 높은 치료 효과 판정이 가능하다.

그림 10은 간세포암의 RFA를 실시하고 2년 뒤에 촬영한 경과 관찰 조영이다. **그림 10A**는 모니터 화면이고 **그림 10B**는 CPI 화면이다. 흰색 화살표는 RFA 후의 고에코 변화 영역(tract)을 가리킨다. CPI의 조영에서는 고에

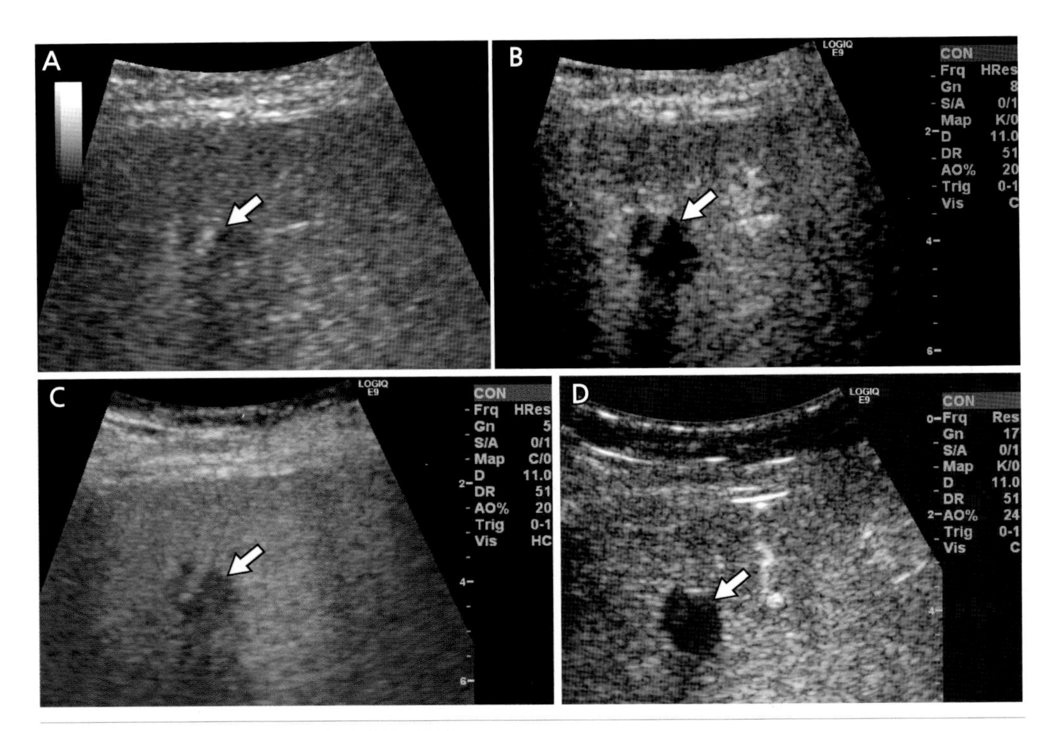

그림11. RFA 치료 후의 조영 이미지(문맥상)
A : 모니터 화면(tissue). B : 조영 화면. CPI (H Res) 모드 표시(Map K).
C : hybrid contrast에서 조영제의 컬러화.
D : AM (Res) 모드.
(소나조이드 0.5 mL 정맥 주사, 장치: LOGIQ E9, 탐촉자: C1-5, MI = 0.24)

코 부분의 조영제 유입 판단이 어렵기 때문에 그림 4에 따라 조영을 실시하고 tract이 CPI에서 보이지 않을 정도로 게인을 낮추었다. 게인을 낮추고 D-RIT을 실시하여도 파란색 화살표로 표시한 변연 재발 부위가 명확하게 보인다. 조영제를 다시 주입하면 밝기 변화가 크기 때문에 치료 후 고에코 변화가 있을 때 필요한 기법이다. 또한 D-RIT의 밝기 변화가 적을 때는 조영제 양을 늘리는 편이 좋다.

GE의 최신 장치에서는 CPI이나 AM의 원리와는 다른 조영 모드를 이용할 수 있다. 그림 11은 LOGIQ E9를 이용한 간세포암의 RFA 후 효과 판정의 조영 결과를 보여준다. 그림 11A의 모니터 화면에서 화살표가 가리키는 부분은 RFA 후의 고에코 변화를 나타낸다. 그림 11B는 CPI (H Res) 모드에서의 D-RIT 이미지이다. 화살표의 고에코 부분이 조영 화면에 남아 있기 때문에 조영되어 있을 가능성을 배제할 수 없다. 그림 11C는 조영제에 칼라를 입힌 hybrid contrast image이다. 그림 11B와 비교하여 화살표가 가리키는 고에코 부분은 감소하였지만, 매우 옅은 조영이 있다고도 판단할 수 있다. 그림 11D는 AM 모드로 변경하여 실시한 D-RIT이다. AM 모드에서는 간 실질의 이미지를 지울 수 있어서 내부에 조영이 없다고 진단할 수 있다. 앞으로 AM은 새로운 소나조이드 조영초음파 검사 방법으로 주목받을 것이다.

마지막으로 장치나 제조사에 따라 조영 모드의 용도가 다르다는 것은 잘 알려진 사실이다. 탐촉자와 조영 모드의 조합에서도 차이가 생기는 것을 고려해야 한다.

실제 임상 현장에서 오해가 생기지 않도록 사용하는 장치의 조영 모드를 충분하게 학습하고, 대상이 되는 종양 특히 간세포암을 대상으로 하는 경우는 분화도까지 숙지하면 소나조이드 조영초음파의 진단 기능을 비약적으로 향상시킬 것이다.

참고문헌

1. Kudo, M. : Contrast Harmonic Imaging in the Diagnosis and Treatment of Hepatic Tumors. Springer-Verlag, Tokyo, 2003.
2. Kudo, M., Hatanaka, K., Maekawa, K. : Sonazoid-enhanced ultrasound and treatment of hepatic tumors. *J. Med. Ultrasound*, 16(2) : 130~139, 2008.
3. 工藤正俊, 畑中絹世, 鄭 浩柄, 南 康範, 前川 清 : 肝細胞癌治療支援におけるSonazoid造影エコー法の新技術の提唱, Defect Re-perfusion Imagingの有用性. 肝臓, 48 : 299~301, 2007.
4. 熊田 卓, 松田康夫, 飯島尋子, 他 : 肝腫瘤の超音波診断基準(案) . 超音波医学, 37(2) : 157~166, 2010.
5. 前川 清 , 工藤正俊 , 上硲俊法 : 造影超音波検査による肝腫瘍の質的診断. 近畿大医誌, 35(1) : 47~53, 2010.
6. Hatanaka, K., Kudo, M., Minami, Y., et al. : Differential of hepatic tumors: value of contrast-enhanced harmonic sonography using the newly developed contrast agent, Sonazoid. *Intervirology*, 51(suppl 1) : 61~69, 2008.

3. 각 페이즈(phase)의 판독 방법과 포인트

이시이 유이 | 도카이 대학 의학부 부속 하치오지 병원 임상 검사 기술과,
다카나시 노보루 | 도카이 대학 의학부 부속 병원 임상 검사 기술과,
히로세 슌지 | 도카이 대학 의학부 내과학계 소화기내과학

시작하며

현재 간 종양 평가의 일상적인 검사는 간(쿠퍼 세포) 특이성 조영제인 소나조이드®를 이용한 조영초음파 검사와 EOB-MRI가 주류를 이루고 있으며, 임상 현장에서는 각각의 장점을 살리면서 상보적 진단이 이루어지고 있다.

2008년에 인가·발매된 EOB-MRI는 상자성(paramagnetism)의 gadoxetic acid disodium (Gd-EOB-DTPA)를 유효 성분으로 하는 조영제로, 일반적으로 사용되는 '마그네비스트(Magnevist)' 등의 조영제와는 달리 투여된 조영제가 간세포에 흡수되는 특징을 가진다. EOB-MRI의 촬영 페이즈(phase)는 arterial phase, portal phase, delayed phase(정맥 지연기) 등 dynamic phase(역동적 혈관상)와 간세포 조영상(hepatocyte specific phase)으로 나뉜다. Dynamic phase에서는 소나조이드 조영초음파 검사의 혈관상(vascular phase)과 마찬가지로 종양 혈류 평가를 실시하는데, 이와 더불어 조영제 투여 10~20분 후의 간세포 조영상으로 다른 영상 진단에서는 화상 확인이 어려운 초기 간세포암의 진단이 가능해졌다.

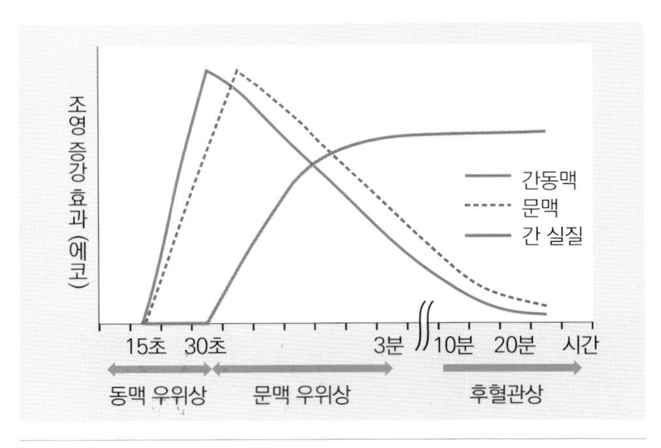

그림 1. 각 혈관의 조영(contrast) 효과와 상(phase image)

한편 소나조이드 초음파 조영제는 2007년 앞서 인가·발매된 이후 프로토콜 및 촬영 페이즈 표현 방법 등에 대한 검토가 거듭되었다. 현재는 종양의 존재 유무에 대한 진단뿐만 아니라 질적 진단, 치료 지원 및 치료 효과 판정 등에도 유용성이 높게 평가되었다.

이 글에서는 소나조이드 조영초음파 검사를 실시함에 있어서 이해해야 할 촬영 페이즈와 각 페이즈에서 얻은 조영 효과(contrast effect)의 해석에 대하여 개략적으로 설명한다.

1. 조영초음파의 페이즈(phase)

1) 간의 혈액 순환 시스템(blood circulation system)과 소나조이드의 체내 순환

소나조이드는 정맥으로(transvenous) 다량 정맥 주입하면 심장에서 폐를 경유하여, 폐에 영향을 주지 않고 동맥을 거쳐서 심장을 돌아 온몸을 순환한다.

간은 간동맥 혈류와 문맥 혈류의 이중 혈액 순환 지배를 받고 있으며, 그 비율은 간 동맥 혈류가 약 20~30%, 문맥 혈류가 약 70~80%로 알려져 있다. 간동맥에서 간으로 흘러 들어간 소나조이드 마이크로 버블은 간을 관류하고 간 정맥을 통해 하대정맥(inferior vena cava, IVC)으로 유입된다. 한편 동맥을 통하여 장관에 도달한 혈중의 소나조이드 마이크로 버블은 문맥을 통해 간에 도달하여 간동맥뿐만 아니라 간을 관류하고, 간정맥을 통해 하대정맥으로 유입되어 심장으로 돌아온다. 따라서 문맥은 동맥보다 조금 늦은 시기에 조영된다.

또한 소나조이드 마이크로 버블은 간을 관류할 때, 유동(sinus) 안에 존재하는 쿠퍼(Kupffer) 세포에 탐식되기 때문에 간 실질이 문맥보다 더 늦은 시기에 조영된다. 이처럼 소나조이드를 정맥으로 투여하면 **그림 1**처럼 3개의 오버랩되는 페이즈가 관찰된다.

소나조이드 마이크로 버블은 체내를 재순환 하면서 몇 시간 후에는 호기를 통하여 체외로 배출된다.

2) 촬영 페이즈(phase)

소나조이드 조영초음파 검사의 촬영 페이즈는 혈관상(vascular phase)과 후혈관상(post vascular phase)의 두 가지로 크게 나눌 수 있다. 혈관상은 소나조이드 정맥 투여 초기부터 120초까지, 혈관 내 조영제가 존재하는 페이즈를 나타낸다. 한편 후혈관상은 소나조이드를 정맥 투여하고 약 10분 후 조영제에 의한 혈관 조영 효과가 사라지고, 소나조이드가 쿠퍼 세포에 탐식 되었을 때의 페이즈를 말한다. 후혈관상에서 얻은 이미지를 '후혈관 이미지(post vascular image)' 또는 '쿠퍼 이미징(Kupffer imaging)'이라고 부른다.

또한 혈관상은 '동맥 우위상(arterial predominant phase)'과 '문맥 우위상(portal predominant phase)'의 두 개의 페이즈로 구분할 수 있다. '동맥 우위상'은 종양과 장기의 실질이 동맥 유래의 조영제에 의해 조영되는 페이즈를 말하며, '문맥 우위상'은 간내 문맥 혈관이 조영된 후, 간 실질이 조영된 혈관과 간 실질의 에코(brightness)가 평형이 되는 페이즈를 말한다. 다만 소나조이드를 정맥 투여하고 2~3분 후에는 혈액 재관류에 의한 조영 효과와 유동 내의 쿠퍼 세포에 탐식된 소나조이드의 조영 효과 잔존 때문에 실제로 동맥 혈류와 문맥 혈류(내의 조영제)가 점차 줄어들고 있음에도 불구하고, 종양과 주변 간 실질이 동일한 정도의 조영 효과를 초래하여 페이즈의 판별이 힘들어질 수 있다(**그림 2**).

일반적으로 '동맥 우위상'은 소나조이드 정맥 투여 후부터 약 30초 정도까지이고, '문맥 우위상'은 문맥의 조영 효과가 최고 에코에 도달하고 나서 약 2분 정도까지로 되어있지만, 간 기능이나 종양의 상태 등에 따라 개인차가 있다.

2. 각 페이즈(phase)에서 얻은 조영 효과의 해석

1) 혈관상(vascular phase) (동맥 우위상, 문맥 우위상)

혈관상에서는 종양에 소나조이드를 정맥 투여한 직후부터 약 3분 정도를 연속적으로 관찰한다. 먼저 소나조이드 정맥 투여 후 30초 정도까지는 조영 효과의 유무 등 혈류 분포(vascularity, 혈류의 많고 적음)를 중심으로 평가한 후, 종양에 대하여 소나조이드 조영제의 wash out 정도와 조영 된 간실질의 에코를 비교하여 질적 진단을 실시한다.

소나조이드 정맥 투여 직후부터 종양 내부에 혈류 분포가 관찰되면 60초 정도 경과 한 시점에서 MIP 법

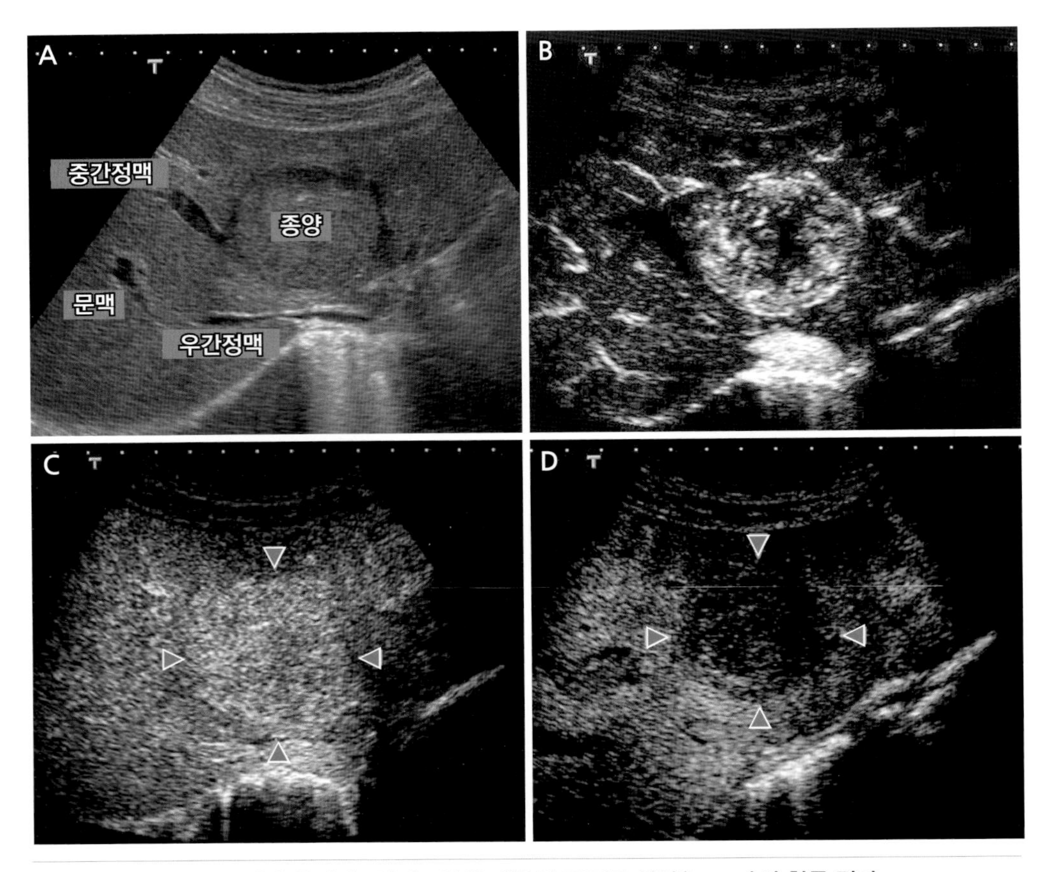

그림 2. 소나조이드 조영제 투여 후, 간세포암에 대한 각 페이즈 영상(image)의 혈류 평가

A : B모드 이미지. 간 좌엽 S4에 발생한 marginal hypoechoic zone을 수반한 전형적인 간세포암의 증례. 종양과 동일한 화면에 portal vein과 hepatic vein을 동시에 확인할 수 있다.

B : 동맥 우위상. 소나조이드 정맥 투여 19초 후 동맥 우위상에 종양은 선명하게 조영되어 있으며 hypervascular tumor임을 알 수 있다.

C : 문맥 우위상. 소나조이드 정맥 투여 54초 후 문맥 우위상에 종양과 주변 간 실질 및 문맥과 간정맥 등의 혈관이 비슷한 정도의 에코를 나타내고 있다.

D : 후혈관상. 소나조이드 정맥 투여 12분 후의 쿠퍼 이미징에서 종양의 조영 효과는 주변 간 실질에 비해 낮아지고 있다.

Point 문맥과 간정맥 등의 혈관을 종양과 같은 화면에서 확인하는 것은 각 페이즈를 판별하는 데 중요한 판단 요소가 된다.

(maximum intensity projection)에 의한 종양내부의 혈관 구축을 시행한다. MIP 법은 영상 픽셀마다 최대 에코에 도달한 이미지를 저장해 나가는 방법으로, 각 프레임을 중첩시킴으로써 종양 내로 분지하는 혈관 주행을 명확하게 관찰할 수 있다. 혈관 형태와 혈관 구축을 관찰하는 방법으로는 MIP 법 외에도 저음압 실시간(real time) 관류 이미지(perfusion image)와 replenish 법 등이 있다.

도카이 대학에서는 MIP 법을 응용한 MFI (micro flow imaging)라는 기술을 사용하여 얻을 수 있는 혈관 형태와 혈관 구축 등의 혈류 패턴을 중요한 평가 항목 중 하나로 꼽는다(그림 3). 그러나 MIP 법이나 MFI 법은 심부에 존재하는 병변이나 체격에 따라 좋은 이미지를 얻지 못할 수도 있으며 호흡 조절이 반드시 필요한 경우 등과 같이 평가가 어려운 증례도 있다.

2) 후혈관상(post vascular phase) (쿠퍼 이미징)

후혈관상에서는 소나조이드를 정맥 투여하고 약

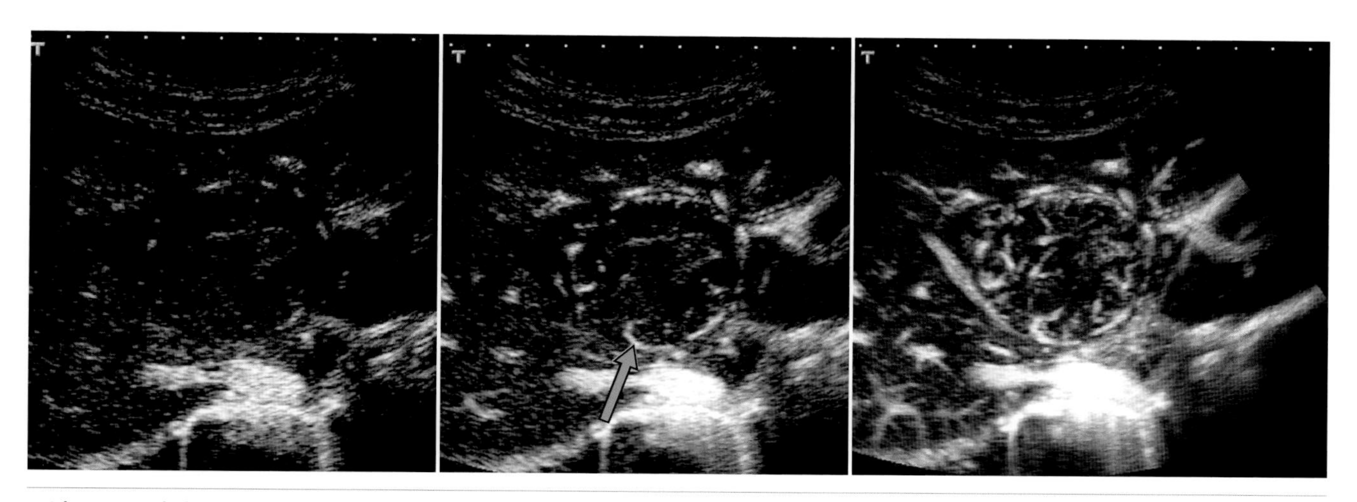

그림 3. MFI 법에 의한 혈관 구축(vessel construction)
MFI 법의 초기 프레임에서 화살표가 가리키는 부분을 보면, 종양 내로 유입되는 미세한 혈류상을 관찰할 수 있다. 추가로 여러 프레임을 중첩하여 종양 내부의 혈관 구축을 명확하게 확인할 수 있다.

Point MFI 법은 움직임에 의한 artifact에 민감하기 때문에 (초음파)탐촉자는 움직이지 않도록 단단히 고정하고, 환자에게 호흡을 멈출 수 있도록 확실하게 이야기하는 것이 매우 중요하다.

10~20분 경과한 후에 종양에 대한 소나조이드 조영제의 흡수(uptake) 정도를 평가하고 혈관상과 함께 질적 진단을 실시한다. 또한 해당 페이즈로 간 전체 검사(scan)를 시행하여 종양의 존재 유무를 진단할 수 있다.

일반적으로 소나조이드를 정맥 투여하고 10분에서 20분 후에는 조영제에 의한 혈관 조영 효과는 낮아지고, 유동 내에 존재하는 쿠퍼 세포에 소나조이드 마이크로 버블이 탐식됨으로써 간 실질의 조영 효과를 얻을 수 있다. 따라서 간세포암 등의 쿠퍼 세포가 감소 또는 소실되어 있는 종양의 경우, 해당 페이즈에서는 주변 간 실질에 비해 조영 효과가 떨어지거나 결손상(defect image)이 관찰된다.

그러나 실제로는 소나조이드 정맥 투여 후 10분 정도, 문맥 내에는 체내를 재관류하는 소나조이드 마이크로 버블이 잔존하고 있는 경우도 많다. 또한 문맥 혈류가 어느 정도 유지되고 있는 고분화형 간세포암 등의 경우, 10분 정도에서는 명백한 결손상으로 나타나지 않는 증례가 존재한다. 그리하여 도카이 대학에서는 먼저 소나조이드 정맥 투여 후 10분 정도까지 종양의 관찰을 실시하여 조영 효과의 저하와 결손상이 확인되면 검사를 종료하지만, 조영 효과가 간 실질과 같은 정도인 경우에는 추가로 15~20분 후 정도까지 관찰하여 평가를 실시하고 있다.

이 밖에 소나조이드 조영초음파 검사에서는 B모드 화상으로 명확하게 식별할 수 없는 경계가 불분명한 종양과 확인이 어려운 미세한 병변도 후혈관상에서 종양 부분의 조영 효과가 간 실질에 비해 저하되었거나 결손상으로 보이기 때문에 종양의 존재 부위를 정확하게 파악할 수 있다. 이와 같이 후혈관상에서 조영 효과의 저하 혹은 결손(defect)이 있는 상(image)으로 검출이 가능하면, defect re-perfusion imaging이라는 방법(**그림 4**)에 따라 소나조이드를 재정주(re-injection)하여 혈관상에서 종양의 혈류 분포를 재평가하는 것이 가능하며 질적 진단으로 연결할 수 있다.

또한 고주파 소작술(radiofrequency ablation, RFA)과 간동맥 색전술(transcatheteric hepatic arterial embolization, TAE) 등으로 치료 후 간세포암에 대한 치료 효과 판정 및 초음파 가이드 하의 치료 지원 등에도 소나조이드

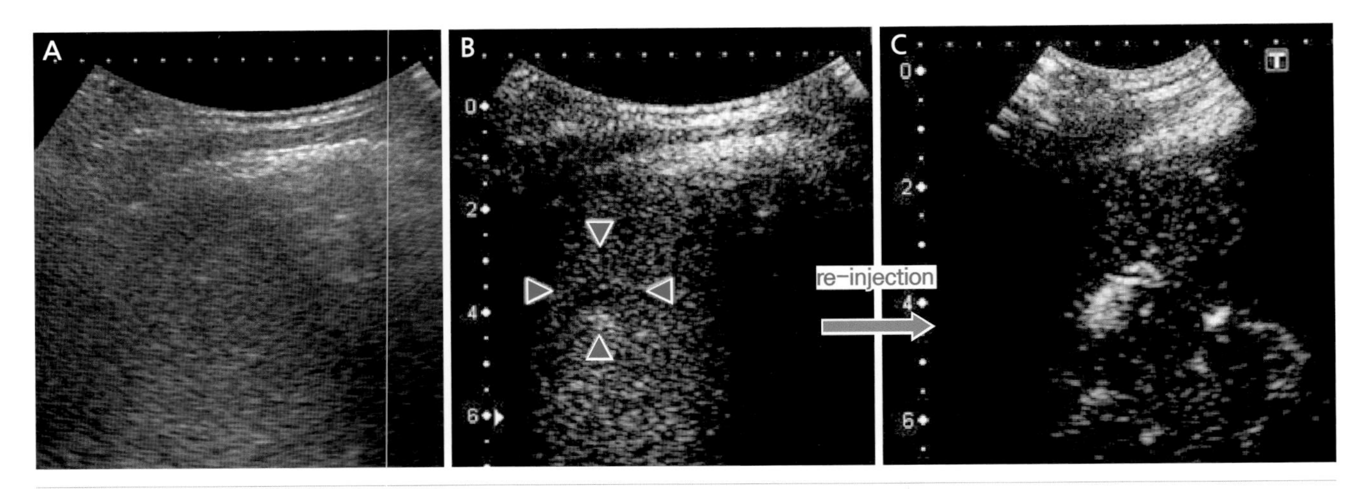

그림 4. defect re-perfusion imaging에 의한 혈류 평가

A : B모드 이미지. CT 검사에서 간 우엽 S8에 간세포암 의심 종양을 확인하였지만, B모드 이미지에서는 해당 종양의 경계가 분명하지 않다.

B : 후혈관상에서 주변 간 실질에 비해 조영 효과가 떨어지는 이미지가 관찰됨으로써 종양 부분이 정확하게 확인되었다.

C : 재정주 후의 혈관상. defect re-perfusion imaging을 실시하여 혈관상에서 해당 종양 부분의 조영 효과를 확인하였다.

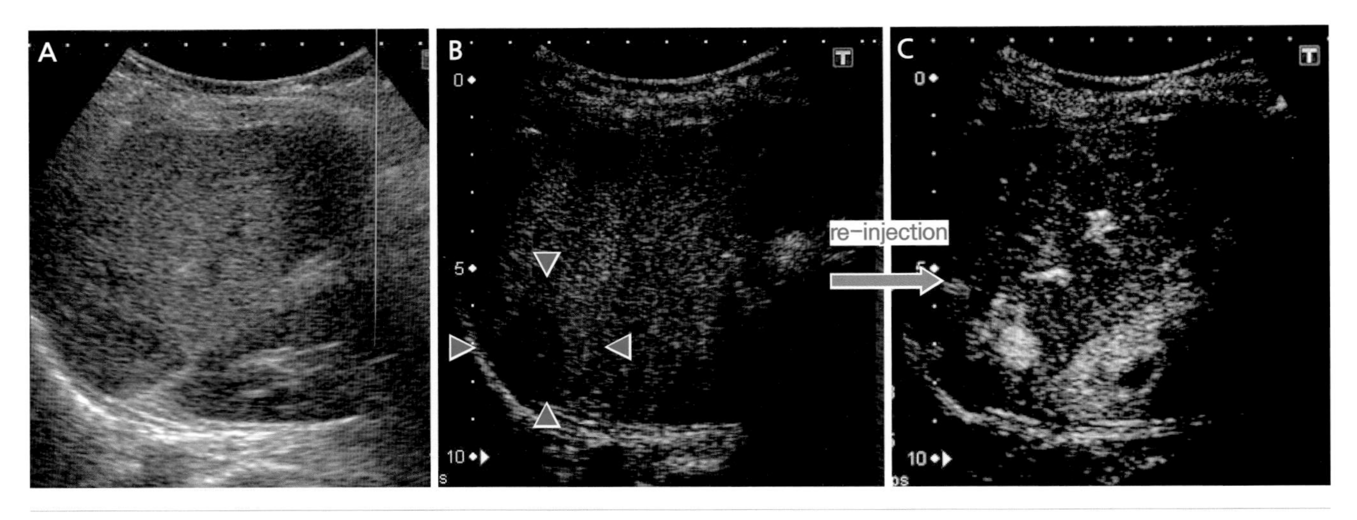

그림 5. TAE 후의 간세포암에 대한 재발 평가

A : B모드 이미지. TAE 이후 간세포암은 종양 부분의 경계가 일부 불분명해졌다.

B : 후혈관상에서 종양 부분이 명확한 결손상으로 나타나 종양 부분의 경계를 파악할 수 있었다.

C : 재정주 후의 혈관상. defect re-perfusion imaging을 실시하여 혈관상에서 결손상으로 확인된 부분의 일부에 조영 효과가 확인되어 TAE 후 재발로 진단되었다.

조영초음파 검사는 많이 이용되고 있다. 고주파 소작술과 간동맥 색전술 등의 치료를 여러 번 시행하여 간경변이 심한 증례에서는 치료 후 종양의 경계가 불명확해지고 B모드에서의 평가가 어려운 경우도 많다. 소나조이드 조영초음파에서는 치료 후의 종양에 쿠퍼 세포가 존재하지 않는 것을 이용하여 후혈관상에서 명백한 결손상이 나타나는 것을 통해 종양의 경계를 정확하게 파악할 수 있다. 후혈관상에 명백한 결손상이 확인되면 defect re-perfusion imaging에 따라 소나조이드를 재정주하여 혈관상에서 치료 후의 종양에 대한 혈류 분포의 유무를 확인하고 재발 여부를 평가할 수 있다(**그림 5**).

마치며

이상 소나조이드 조영초음파 검사의 촬영 페이즈와 각 페이즈에 따른 조영 효과의 해석에 대하여 일본 초음파 의학회에서 발표한 진단 기준의 합의에 따라 기재하였다. 이 글이 소나조이드 조영초음파 검사를 시작하시는 분들에게 많은 도움이 되기를 바란다.

참고문헌

1 田中弘数, 他 : 肝腫瘍診断および治療支援における造影超音波の基礎—投与法, 装置条件, 時相—. 肝胆膵, 60(3) : 355~362, 2010.

2 飯島尋子 : Bモード超音波・造影超音波診断による画像診断. *The Liver Cancer Journal*, 1(3) : 7~13, 2009.

3 工藤正俊 , 他 : 肝細胞癌治療支援におけるSonazoid造影エコー法の新技術の提唱 : Defect Re-perfusion Imagingの有用性. 肝臓, 48 : 299~301, 2007.

4 土谷 薫, 他 : 肝細胞癌の診断. 肝胆膵, 60(3) : 363~371, 2010.

5 貴田岡正史 , 熊田 卓, 他 : 肝腫瘤の超音波診断基準(案). 超音波医学, 37(2) : 157~166, 2010.

6 前川 清, 他 : 造影超音波検査による肝腫瘍の質的診断. 近畿大医誌, 35(1) : 47~53, 2010.

조영초음파 진단(증례 편)

4-1. 간세포암(HCC)

고레나가 게이코[1) 2)], 하타케 지로[3)], 가와이 료스케[3)], 다니구치 마유미[4)], 후모토 유키코[4)],
이와이 미키[4)], 나카타케 게이코[4)], 다케노우치 요코[4)] |
1) JCHO 후나바시 중앙병원 건강관리센터 2) 가와사키 의과대학 간담췌내과학
3) 가와사키 의과대학 검사진단학 4) 가와사키 의과대학 부속병원 중앙검사부

시작하며

2007년 1월 인가된 초음파 조영제 소나조이드®를 이용하면 실시간으로 선명한 혈류 이미지를 얻을 수 있으며, 간종양의 질적 진단에 유력한 정보를 준다. 또한 쿠퍼(Kupffer)세포로의 탐식을 이용한 후혈관 이미지(post vascular image 또는 Kupffer imaging)는 일반적인 B모드 초음파로 인식하기 어려운 간세포암의 인식도 가능하였으며, 소나조이드의 등장은 HCC의 진단·치료에 있어서 중대한 발견이 되었다. 한편 2008년 1월에 인가된 Gd-EOB-DTPA-MRI (EOB-MRI)는 기존의 영상 검사로는 인식할 수 없는 조기 HCC의 존재 진단을 가능하게 하였다. EOB-MRI에서는 명료하게 인식되지만 조영초음파로는 확인할 수 없는 조기 HCC 증례가 적지 않아서, 조영초음파의 존재 의미가 다소 희미해지고 있는 느낌도 있다. 이 글에서는 바쁜 일상 진료 가운데, 굳이 조영초음파를 시행할 필요가 있는지에 대한 의문을 불식할 수 있도록 다른 화상과 비교하면서 HCC의 조영초음파상을 제시하려 한다.

1. HCC 진료에서 조영초음파의 역할

HCC 진료 시 조영초음파의 역할을 **그림 1**로 나타내었다.

1) HCC의 악성도 진단

소나조이드를 이용한 조영초음파에서는 혈관상(vascular phase)·후혈관상(post vascular phase)의 소견으로 종양의 감별 진단뿐 아니라 HCC의 악성도·분화도 추측까지 가능하다. 다이나믹 조영 CT·MRI에는 없는 장점이다. HCC가 다른 고형암과 구분되는 특징으로는 증례의 대부분이 만성 간질환을 가지고 있어 간예비능이 저하되는 점, 간내 전이·재발률이 높은 점을 들 수 있다. 가능한 한 종양 주변 정상간의 잔여 능력을 감소시키지 않으면서 재발을 막을 수 있는 치료법을 적절히 선택하기 위해서는 종양의 크기와 개수뿐만 아니라 종양의 악성도도 고려할 필요가 있다. 생검 없이 HCC의 악성도 정보를 입수할 수 있는 것은 치료 방침 결정에 큰 의미가 있다.

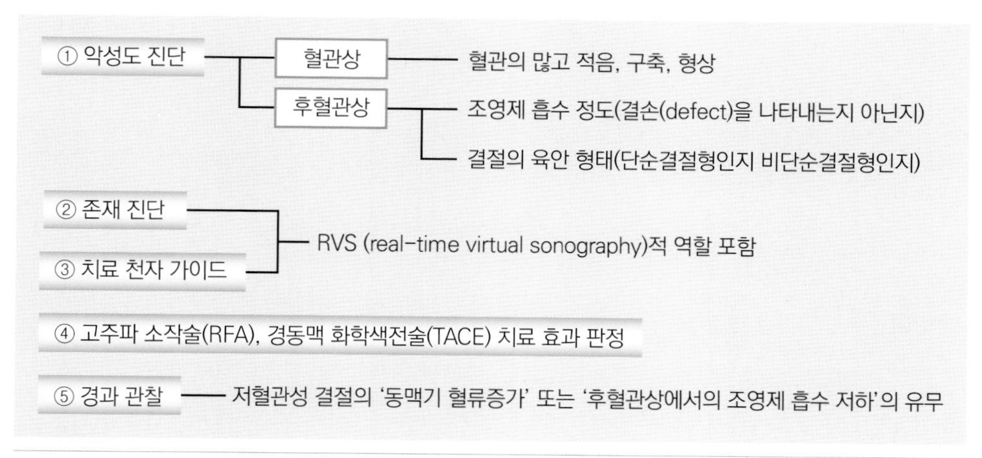

그림 1. HCC 진료에서 조영초음파의 역할

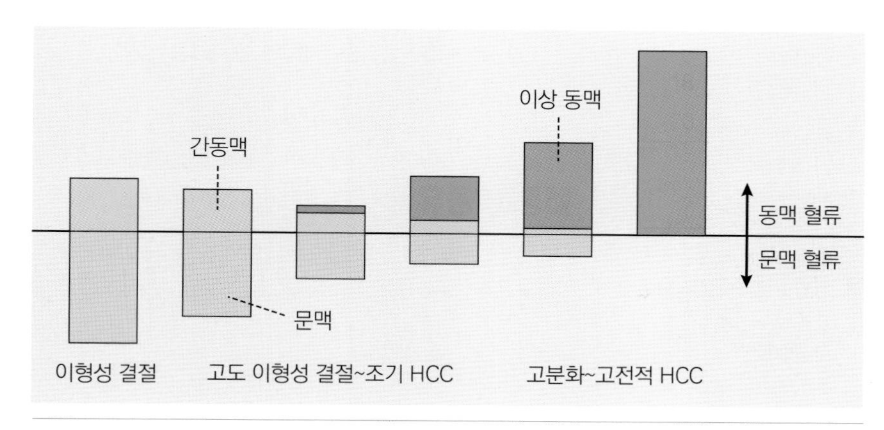

그림 2. HCC의 다단계 발암과 결절 내 혈행 지배 개념도 (문헌 3에서 일부 변경)

(1) 혈관상(vascular phase) 관찰 포인트

조영초음파는 미리 B모드로 검출된 결절의 결절 내 혈류 정밀 조사를 목적으로 실시하는 것이 기본이다. 그 때문에 조영초음파의 결절 내 혈류 감도는 매우 높고, 그 감도는 조영 CT·MRI를 능가한다.[1] 조영 CT·MRI로 저혈관성 결절이라고 판단되어도 조영초음파로 과혈관성(hypervascular) 종양이라고 진단되는 경우가 적지 않다.

일본 초음파의학회의 '간종양의 초음파 진단기준'[2]에서 혈관상(vascular phase)은 동맥 우위상(장기실질 및 종양이 동맥유래 조영제에 의해 조영되는 시상)과 문맥 우위상(간내 문맥혈관이 조영된 후 간 실질이 조영되는 시상)으로 구분된다. 동맥 우위상(arterial predominant phase)은 혈관 이미지(vascular image) 및 관류 이미지(perfusion image)로 분류되며 혈관 이미지에서는 종양 내 혈류의 많고 적음과 혈관 구축상의 정보를, 관류 이미지에서는 종양 내부(tumor inside)의 관류상을 얻을 수 있다. 문맥 우위상에서는 종양(tumor) 자체의 조영제 wash out과 간 실질 조영의 에코를 비교한다.

HCC의 조직형에 따른 혈류 패턴은 **그림 2**에 나타낸 결절 내 혈행 상태[3]를 반영한 것이다. 결절로 유입되는 문맥 영역(portal area)에 존재하는 문맥과 간동맥은 이형성 결절(dysplastic nodule), 고도 이형성 결절(high-grade dysplastic nodule), 임상적인 조기 HCC, 고분화형(well differentiated)에서 중분화형(moderate differentiated) HCC와 악성도의 상승에 따라 점차 감소하고, 저분화

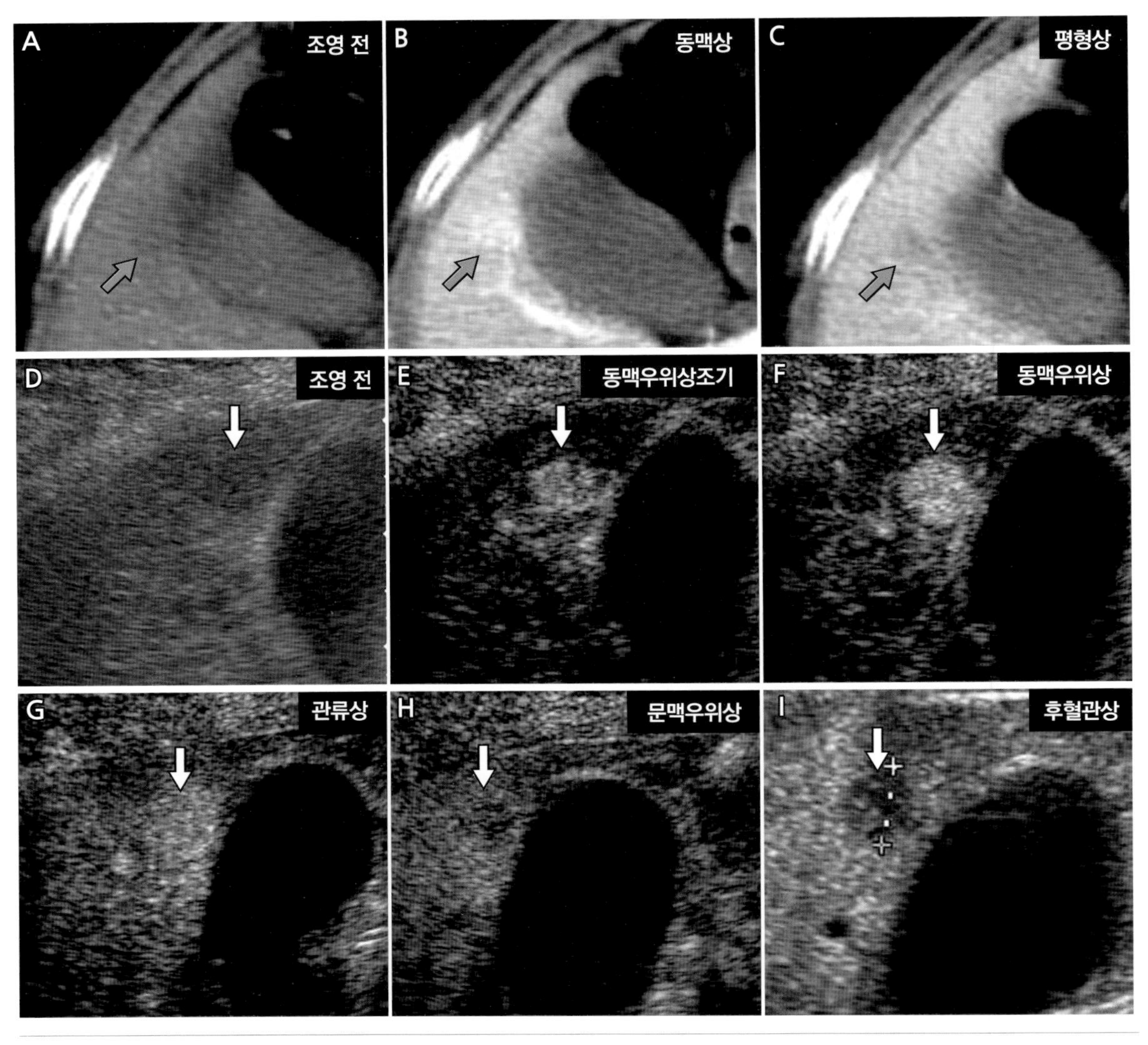

그림 3. 증례1: 소결절성 간세포암(중분화형 간세포암)

70대 여성. C형 간경변의 경과 관찰 중에 간 S5에 13 mm 크기의 저에코 종양을 확인하였고 외과절제에 의한 조직학적 검색에서 중분화형 HCC로 진단되었다. 조영CT (**A~C**), 조영초음파(**D~I**) 어느 검사에서도 동맥 우위상에서 짙은 염색(조영증강)과 문맥 우위상에서의 wash out을 나타내었다. 후혈관상(**I**)에서 종양부는 결손상(defect)을 보이고 쿠퍼 세포가 결여된 점을 시사하였다. 전형적인 과혈관성 HCC이었다.

형(poorly differentiated) HCC에서는 종양 전체에서 소실한다. 한편 신생혈관은 고도 이형성 결절(high-grade dysplastic nodule)에서 출현하기 시작하며 악성도에 따라 급증하여 중분화형 HCC에서 현저하게 증가한다. 따라서 고전적 HCC인 경우(대부분 중분화형 HCC)는 동맥 우위상에서 조기에 진하게 조영되고 문맥 우위상에서 저에코 즉 wash out의 소견을 나타낸다(**그림 3, 4**). 이에 반해 조기 HCC(대부분 고분화형 HCC)는 동맥 우위상에서 hypovascular에서 isovascular(일부 hypervascular이기도 하다)의 소견을 나타내며, 문맥 우위상에서도 등에코성(iso-echoic)에서 저에코성을 나타내는 경우가 많다(**그림 6**).[4]

또한 혈관상에서는 혈관 패턴만큼 중요한 평가 항목으로 혈관 형태와 혈관 구조가 있다. 다나카 등[5, 14]은 MIP 법(maximum intensity projection)을 응용한 MFI (micro flow imaging)를 이용하여 종양 내의 미세한 혈관 구축을 분류하고 조직형과 비교하여 검토하고 있다. MIP 법 소견으로 종양 내의 혈관 구축을 미세한 균일

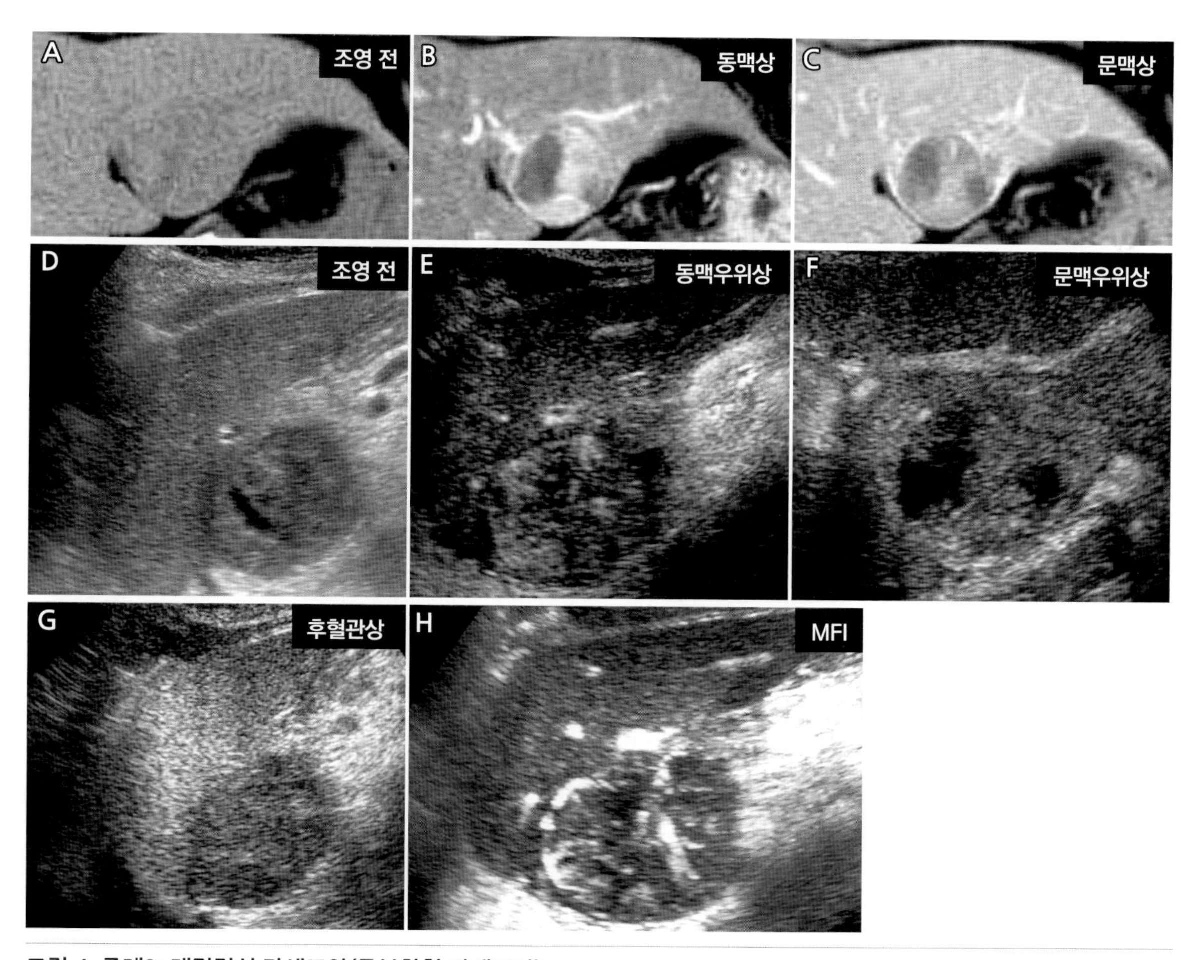

그림 4. 증례2: 대결절성 간세포암(중분화형 간세포암)

70대 남성. C형 간경변의 치료를 위해 진찰 받았을 때 간 S2 뒷면에 돌출된 50 mm 크기의 종양이 확인되어, 외과 절제에 의한 조직학적 검색에서 중분화형 HCC로 진단되었다. 조영 전 B모드 초음파에서는 halo를 가지고, 종양 내부는 모자이크 패턴을 나타내는 전형적인 HCC이었다 (D). 조영초음파 동맥 우위상에서는 풍부한 종양 혈관을 확인하였으며 (E), MFI에서는 종양 내에 직경이 다른 혈관이 다수 유입되는 basket pattern의 혈관 구축으로 밝혀졌다 (H). 문맥 우위상에서는 종양의 perfusion이 강하기 때문에 wash out의 소견이 불분명했으나 (F), 후혈관상에서는 종양 전체가 defect로 나타났다 (G).

혈관만 보이는 “Fine”(**그림 9D**), 종양 혈관이 분명히 인식 가능한 “Vascular”(**그림 4H**), 굵은 종양 혈관을 포함하고 불규칙한 형태를 띠는 “Irregular”(**그림 5B**)로 구분하여 총 42례의 HCC 사례를 병리조직 소견과 비교해 보았다.

고분화형 HCC 15결절 중 9결절(60%)이 Fine, 6결절(40%)이 Vascular로 나타났고, Irregular는 확인되지 않았다. 중분화형 HCC 23결절에서는 Fine이 4례(17%), Vascular가 18례(78%), Irregular가 1례(4%)로 Vascular가 대부분을 차지하였다. 저분화형 4례는 Vascular와 Irregular가 2결절(50%)씩이었으며 Fine의 패턴은 없었다.[5] MFI의 소견은 과혈관성 종양 감별에 유력한 정보를 주는 것은 말할 것도 없으나, 종양 혈관의 불규칙한 형태 유무에 대한 HCC 분화도까지 추측할 수 있는 방법이라는 점도 염두에 두고 관찰하기 바란다.

(2) 후혈관상(post vascular phase) 관찰 포인트

쿠퍼 세포의 수를 반영하는 후혈관상의 관찰이 매우 중요하다. 중분화형 혹은 저분화형 HCC에서는 쿠퍼 세포가 감소 혹은 결손되어 있기 때문에 암 부위는

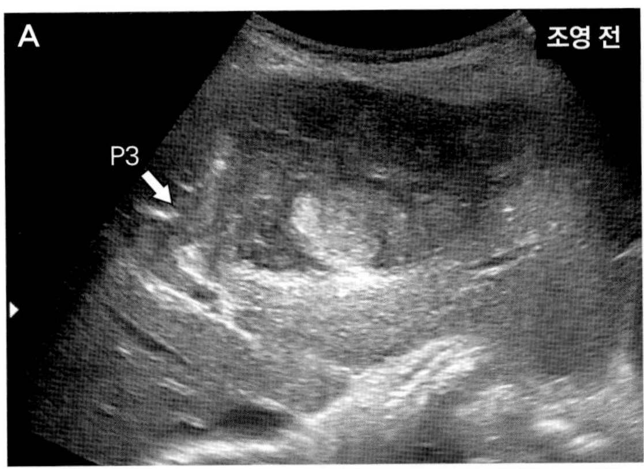

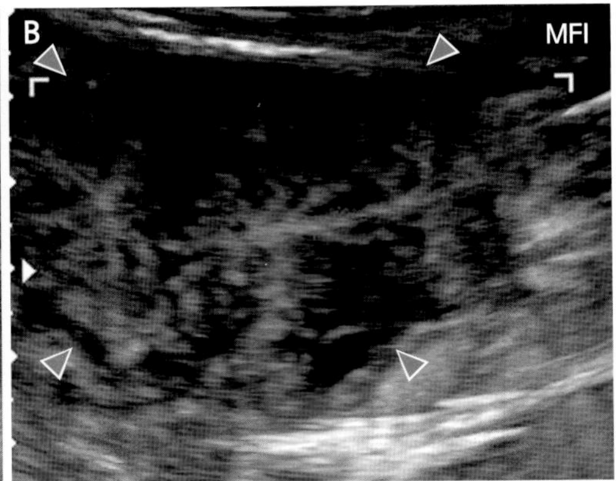

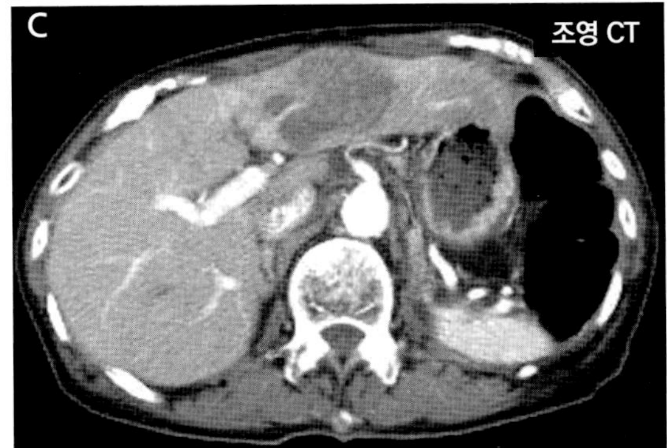

그림 5. 증례3: 괴상형 간세포암(저분화형 간세포암)

80대 여성. C형 간염 간경변의 경과 관찰 중에 간 좌엽 외측 영역에 10 cm 크기의 거대한 종양이 확인되어 조직검사에서 저분화형 HCC로 진단되었다. 조영 전 B모드 초음파 이미지에서 큰 종괴성의 종양에는 portal umbilical region에서 P3에 걸쳐 문맥 종양색전(portal vein tumor thrombus)을 동반하고 있었다 (A). MFI에 의한 관찰에서는 종양 혈관의 단절과 균일하지 않은 혈관 분포(괴사 부분도 수반)가 저분화형 HCC를 시사하고 있었다 (B, 화살표는 종양 경계). 조영 CT에서는 촬영 시기를 놓쳐 종양의 혈관상을 판단할 수 없었다 (C). 조영초음파는 실시간으로 혈관상을 관찰할 수 있고 시간 분해능력이 좋은 것도 장점이다.

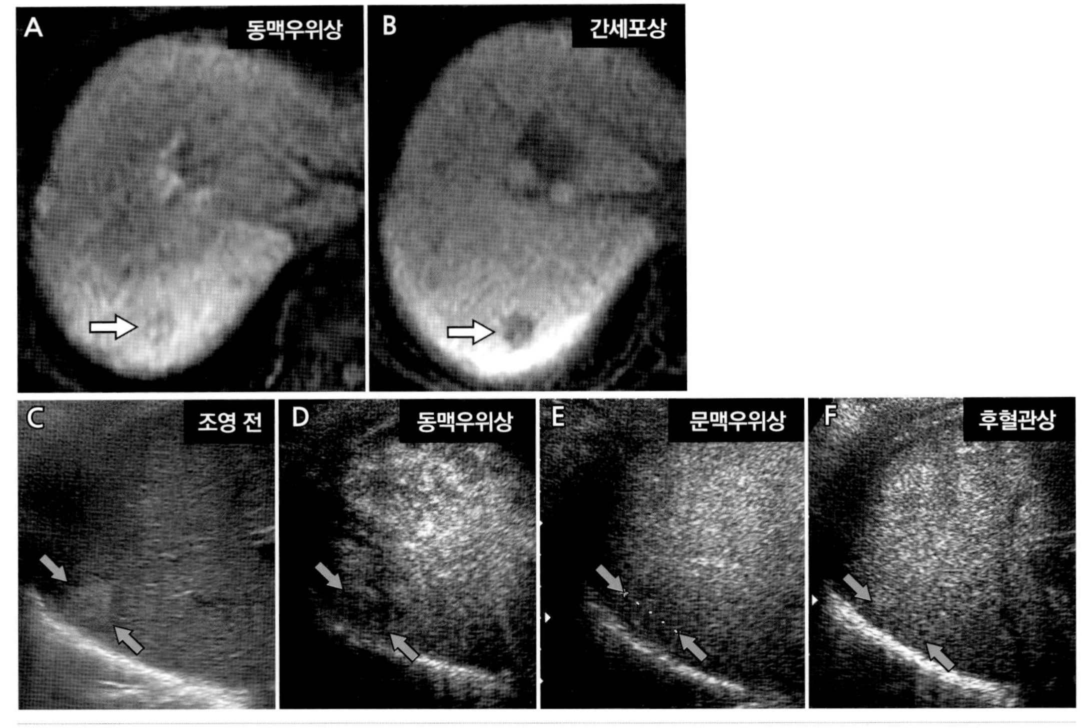

그림 6. 증례4: 소결절성 간세포암(고분화형 간세포암)

80대 여성. C형 간염 간경변의 경과 관찰 중에 EOB-MRI에서 간 S7에 저혈관성 (A)의, 간세포상 (B)에서 저에코성 defect의 결절을 확인하였다. B모드 초음파에서는 13 mm 크기의 고에코 종양으로 확인되었고 (C), 조영초음파에서는 동맥 우위상 (D), 문맥 우위상 (E) 모두 주위보다 저에코로 나타났다. 후혈관상에서는 배경의 고에코가 완전히 제거되지 않아서 다소 알기 어렵지만, 조영제 흡수 저하는 없다고 판단된다 (F). 생검에서 고분화형 HCC로 진단되었다.

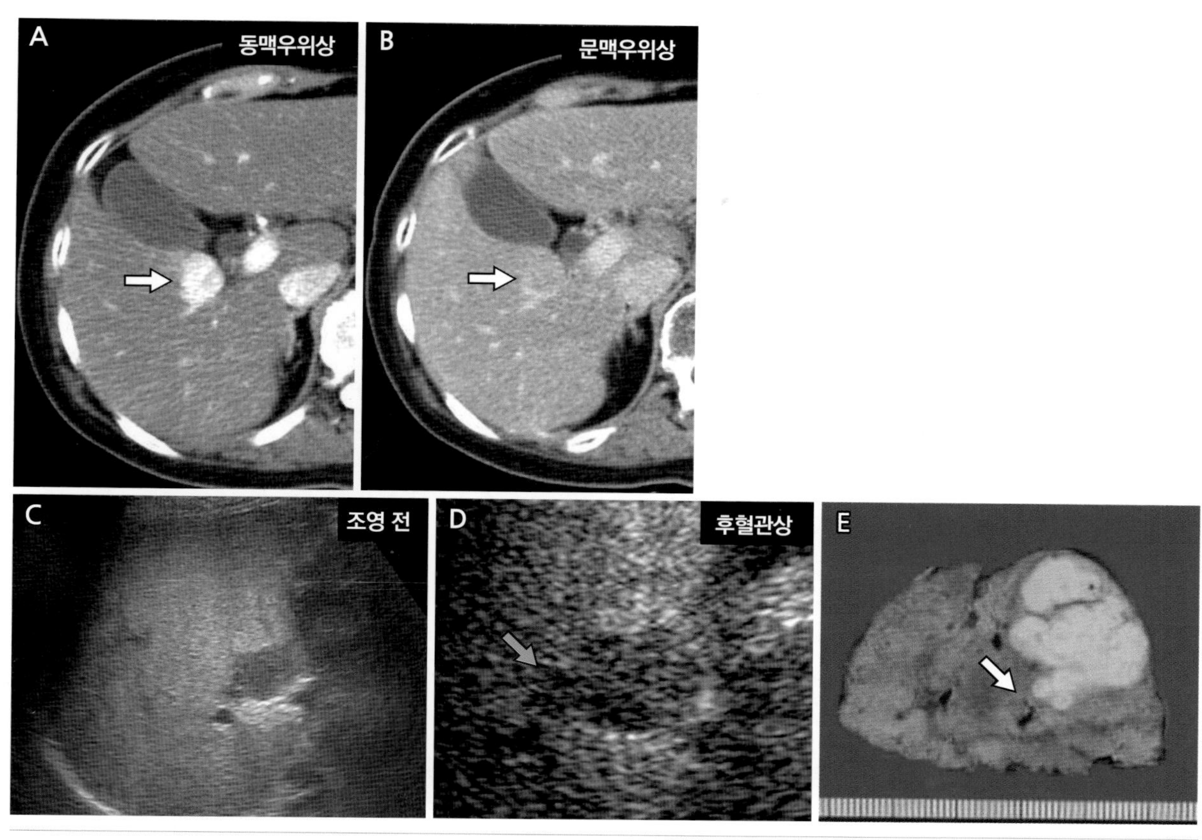

그림 7. 증례5: 후혈관상의 결손상(defect)이 육안적 형상을 반영한 HCC

70대 여성. C형 간염 간경변의 경과 관찰 중 간 S5에 20 mm 크기의 종양이 확인되었다. 조영 CT 동맥 우위상에서 조기 조영 증강 (A), 문맥 우위상에서 wash out (B)하는 과혈관성(hypervascular) HCC 영상이었다. 조영 전 B모드에서 종양의 윤곽은 일부 고르지 않게 나타났으나 (C), 조영초음파 후혈관상에서의 결손상은 결절의 일부가 돌출된 것이 조영으로 명료해졌다 (D). 악성도가 높은 비단순결절형으로, 내과적 국소 요법보다 외과 절제가 타당하다고 판단하여 절제를 선택하였다. 절제 표본에서는 결절의 일부가 돌출되어 증식하였으며 (E, 화살표), 육안적으로 단순결절 주위증식형의 양상으로, 조직학적으로는 중분화형 HCC로 진단되었다. 조영 CT에서 흐릿한 종양의 윤곽을 조영초음파로 자세히 관찰할 수 있었고 그것이 치료 방침 결정에 기여하였다.

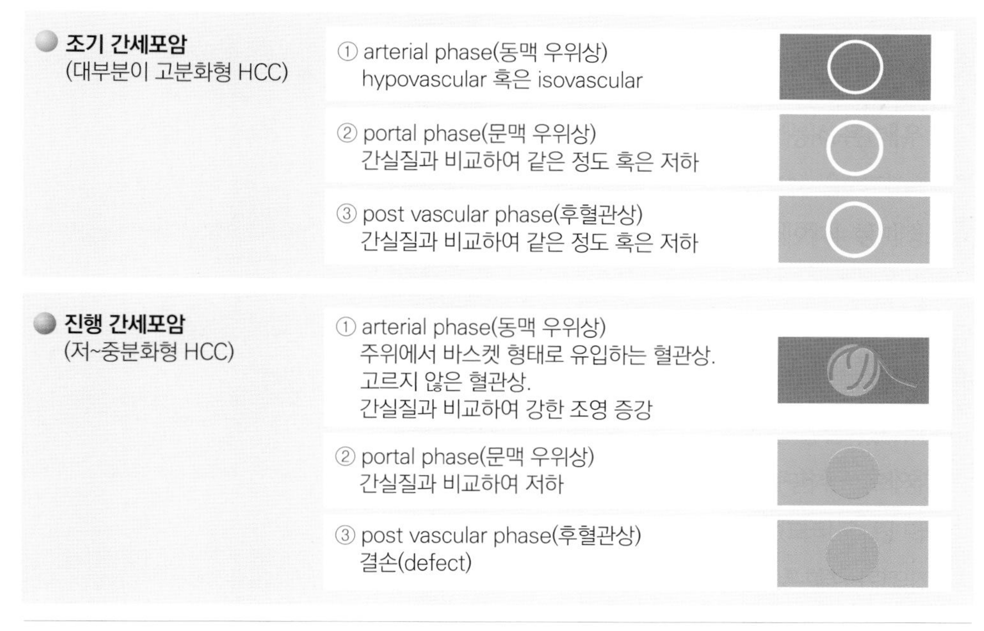

그림 8. HCC의 조영초음파상

저에코 혹은 결손(defect)으로서 나타나는 반면(**그림 3I, 그림 4G**), 고분화형 HCC는 쿠퍼 세포가 비교적 유지되고 있기 때문에 종양 주변 정상간과 동등한 등에코성(iso-echoic)으로 나타나는 경우가 많다(**그림 6F**). 저자는 후혈관상의 소견을 HCC 35례의 병리조직과 대비하여 검토하였다.[6] 그 결과 중분화 혹은 저분화형 HCC 30례

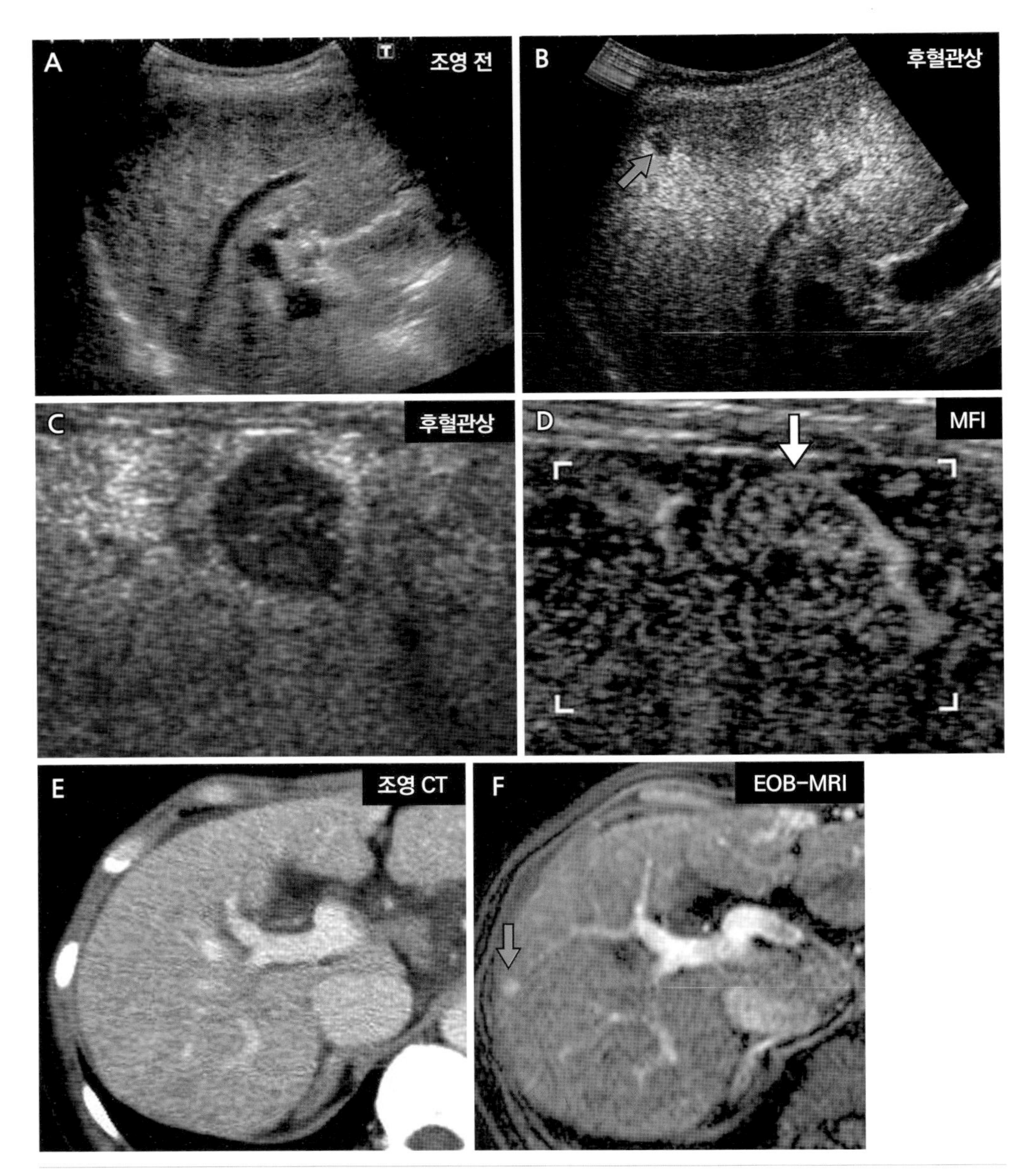

그림 9. 증례6: 간경화에서 HCC 스크리닝에 후혈관상의 관찰이 유효했던 일례

60대 여성. 자궁체암(Stage ⅢA) 수술을 위해 본원 부인과에 입원. HBs 항원 양성이며 본과에서 진찰을 받았다. B모드 초음파에서는 전형적인 간경화 소견으로, 내부 에코가 매우 거친 양상이었다 (**A**).

간 내에 종양성 병변은 뚜렷하지 않았으나 내부 에코의 거친(coarse) 소견 때문에 만약을 위해 조영초음파를 시행하였다. 후혈관상으로 간 전체를 스캔한 결과 S8/5에 7 mm 크기의 결손상(defect image)을 확인하였다(**B**: 3.5 MHz 컨벡스 프로브, **C**: 7.0 MHz 리니어 프로브). 조영제를 재주입하면 defect는 조영 증강이 되고, MFI에 의한 관찰로는 미세한 종양혈관은 basket pattern을 나타내고 있어 자궁체암의 전이가 아닌 HCC일 가능성이 높다고 진단하였다. 같은 시기에 촬영한 조영 CT에서는 동일한 종양은 검출되지 않고 (**E**), EOB-MRI에서는 과혈관성 종양의 양상은 나타났으나 (**F**), 혈관의 성상은 판독할 수 없었다. 최종적으로는 후혈관상(post vascular image) 하에 실시한 생검에서 중분화형 HCC로 진단되었다. 조영초음파 후혈관상의 악성 병변 식별 능력의 우수함과 혈관상의 분해능력의 양호함이 인식된 예였다.

는 전례(全例)가 후혈관상에서 결손으로서 인식되는 반면 고분화형 HCC 13례 중 10례(77%)와 그 대부분은 종양 주변 정상간과 같은 등에코성 소견이었다. 따라서 '후혈관상에서 결손을 보이는 HCC는 악성도가 높고 치료 필연성이 높다'는 것을 의미하며, 조영 결손의 유무는 HCC의 치료 방침을 고려하는 데 중요한 소견이다. 고분화형 HCC는 후혈관상에서의 조영제가 비교적 잘 유지되기 때문에 후혈관상에서의 고분화형 HCC 검출 능력은 낮다. 그러나 조영초음파는 후혈관상에 나타나는 조영 결손 소견으로, 명확하게 생물학적 악성도가 높은 종양을 식별할 수 있다는 점에서 임상적으로 의미가 크다.

또한 결절의 육안 형태는 HCC의 악성도를 잘 반영하기 때문에 치료 방침 결정에 중요한 정보이다. 소나조이드를 이용한 조영초음파는 현존하는 진단검사 기법 중 가장 병리학적인 육안 형태를 정확하게 나타낼 수 있다.[7] 단순결절주위 증식형이나 다결절 융합형(multinodular confluent) HCC의 대부분은 중분화형 또는 저분화형 된 간암조직으로 구성되어 단순결절형(simple nodular)에 비해 높은 빈도로 문맥 침윤이나 간내 전이를 동반하는 것으로 알려져 있다. 단순결절형 이외의 것은 악성도가 높기 때문에 고주파 소작술 등의 국소 치료보다는 가급적 외과 절제를 선택하는 것이 권장된다. 따라서 후혈관상에서 조영 결손을 확인한 경우에는 그 형태(단순결절형 혹은 비단순결절형)에도 주의를 기울이는 것이 중요하다(**그림 7**).

마지막으로 **그림 8**에 HCC의 전형적인 조영초음파상을 정리하였다. 또한 앞에서 서술한 다나카 등의 연구는 혈관상의 소견과 더불어 후혈관상의 소견을 더한 HCC의 악성도 분류를 제창하고 있음을 덧붙여 둔다.[5, 14]

2) HCC의 존재 진단

앞서 말한 바와 같이 저자들의 검토에서 중분화형 또는 저분화형 HCC는 예외 없이 후혈관상에서 결손상으로 확인되었다. 즉 CT 동맥상에서 조영이 증강되고, 문맥상·평형상에서 wash out을 나타내는 전형적 HCC는 초음파의 사각에 존재하지 않는 한, 후혈관상에서 100% 조영 결손을 확인할 수 있다.[1] 소나조이드 후혈관상의 특징과 실시간 혈류 이미지를 살린 'Defect Re-perfusion imaging법'이 마사토시 쿠도의 연구[8]로 개발되었다. 이 기법은 후혈관상에서 악성도가 높은 결절을 결손상으로 검출한 후 소나조이드를 재정주하여 결절이 동맥 혈류를 가지는지에 대한 여부를 판정하는 것이다.

이 방법은 B모드 초음파에서 간실질 에코가 조잡하여 HCC의 소견을 판단하기 어려운 간경변의 HCC 스크리닝에도 매우 유용하다(**그림 9**). 후혈관상에서 전체 간을 스캔하여 치료가 필요한 병변을 흰색 백그라운드에서 결손상으로서 추출하는 것은 기술적으로 비교적 용이하며, B모드 초음파 특유의 시술자 의존성 또한 줄일 수 있다. 한편 고분화형 HCC는 대부분 후혈관상에서 결손으로 보이지 않고 주위 간과 동등한 에코를 보이기 때문에 그러한 HCC 진단을 후혈관상에만 의지하면 HCC 진단을 놓칠 가능성이 있다는 점도 염두에 두어야 한다.

3) 치료 천자 가이드(그림 10, 11)

국소 치료 가이드는 HCC 치료에 대해 조영초음파가 가장 효력을 발휘하며, CT·MRI로는 대체할 수 없는 분야이다. B모드의 관찰에서 육안으로 확인이 불량한 종양도 후혈관상에서 비종양부와의 경계가 명확해지기 때문에 보다 안전하고 확실한 치료가 가능해진다.[9] 어디까지가 종양의 범위인지 정확히 파악하는 것은 소작 경계(ablation margin)를 어디까지 필요로 하는 가의 치료 계획에도 필요 불가결하다.

4) 고주파 소작술(RFA), 경동맥 화학색전술(TACE)의 치료 효과 판정

고주파 소작술이나 경동맥 화학색전술(TACE) 치료 후의 효과 판정·재발 감시에 관해서는 3~4개월마다 검

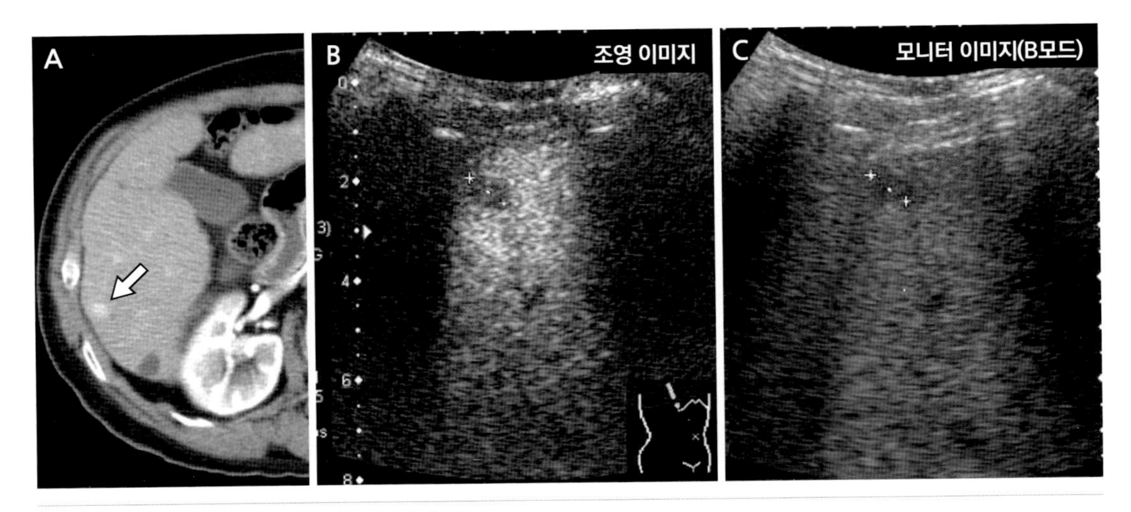

그림 10. 증례7: 조영초음파하의 RFA 시행 례

70대 남성. C형 간염 간경변 경과 중 조영 CT에서 처음으로 간 S6에 조기에 조영 증강 된 8 mm 크기의 HCC를 확인 하였다 (A). B모드 초음파에서는 종양이 간표면 가까이에 존재하고 늑골 허상(artifacts)의 영향도 있어서 병변의 가시도(visibility)는 불량하였으나 (C), 후혈관상(post vascular image)에서는 종양이 경계 명료한 defect로서 인식할 수 있었고 (B), 이 부분에 RFA 전극침을 천자 하였다.

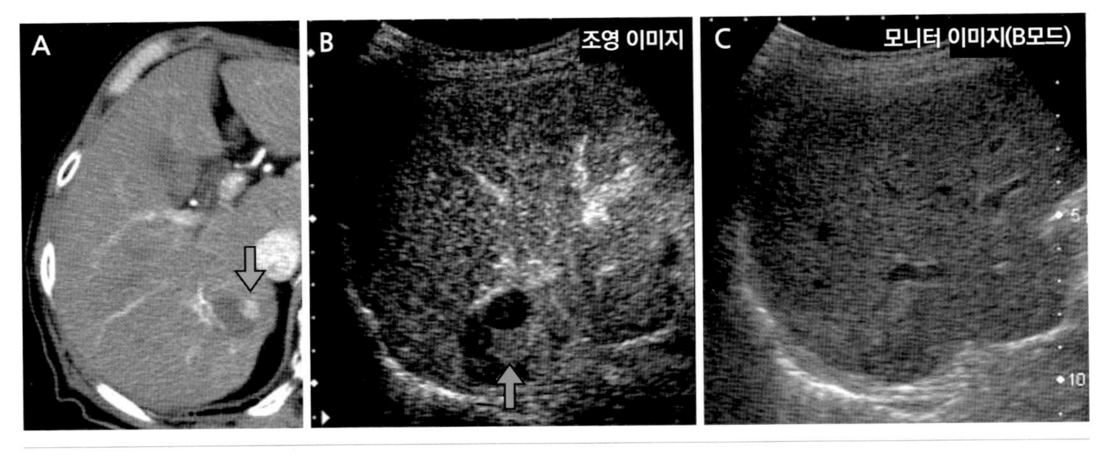

그림 11. 증례8: RFA 후의 재발 례

70대 남성. C형 만성간염 경과 중 발생한 간 S6에 위치한 9 mm 크기의 초발 HCC에 RFA를 시행하였다. 치료 1개월 후 조영 CT에서는 소작(ablation)부 변연에 조기 조영 증강이 확인되었으며, 치료 후 잔존 암의 소견이었다 (A). B모드 초음파에서는 소작 후의 잔존 암이 불명료하였으나 (C), 조영초음파의 후혈관상(post vascular image)에서 defect로서 나타나는 소작부에 주목하여 조영제를 재주입하였더니, defect 변연에 조기 조영 증강이 나타나서 잔존 병변이 확인되었다 (B). 계속해서 조영 증강된 부위에 핀포인트로 RFA 전극침을 천자하여 치료를 시행하였다. 치료 후 경과는 양호하고 재발은 없었다.

사를 반복 시행할 필요가 있다. 특히 고주파 소작술 치료 후의 재발 억제에는 종양 직경보다 5 mm 이상 큰 괴사영역(이른바 safety margin)을 전방위로 확보할 필요가 있지만, 원래 종양의 윤곽이 보이지 않는 경우가 대부분이어서 그 평가는 어렵다. 초음파 검사 특유의 시술자 의존성 문제와 한 번에 여러 결절을 관찰, 평가하는 것도 곤란하기 때문에 HCC 치료 후의 치료 판정은 조영 CT·MRI를 많이 사용한다.

CT에서 치료 후에도 종양의 잔존이 있다고 판정된 경우는 그 종양 잔존 영역을 초음파로 확인(identification)할 수 있다면 국소 치료를 할 수 있다. 그러나 HCC 국소 치료 후 잔존 병변을 조영 CT로 확인하여도 실제 B모드 초음파에서는 어떤 단면에 해당하는지 알 수 없는 경우가 많다. 그러한 경우는 CT 화상을 참조로 하는 RVS (real-time virtual sonography)가 이용되는 경우가 많았는데 설정과 조작이 번거로운 면도 있었다. 그러나 조영초음파가 가진 공간 분해능력의 우수함이 그 고민을 해결하였다. 국소 치료 후의 괴사 부분도 종양 잔존 부분도 모두 후혈관상에서는 결손으로 되지만, 조영제 재주입으로 종양 잔존 부위는 짙게 염색(조영 증강)된다(그림 11). 'Defect Re-perfusion imaging법'은 매우 간편하고 재현성이 높아서 현재에는 RVS의 대체로 이용되는 경우가 많다.

5) 결절의 경과 관찰(특히 EOB-MRI에서 확인된 저혈관성 결절에 대하여)(그림 12)

간세포 특이성 조영제인 Gd-EOB-DTPA [Gadoxetate sodium (JAN)]는 간실질 세포에서 수용되어 담즙

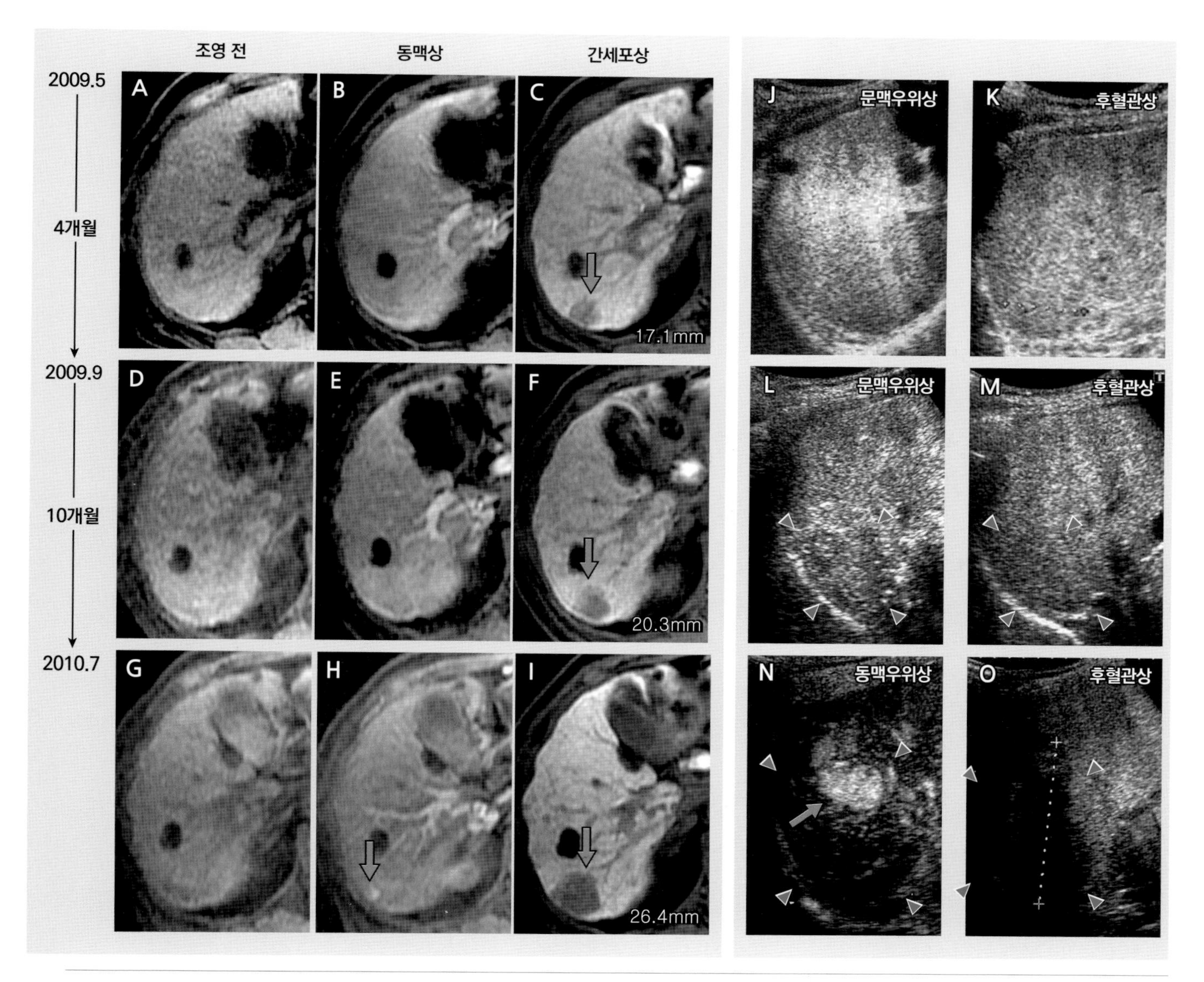

그림 12. 증례9: EOB-MRI 간세포상에서 나타나는 간 저혈관성 결절의 과혈관화(hypervascular) 례

80대 여성. B형 간염 간경변의 치료를 위해 의뢰를 받아 시행한 EOB-MRI 간세포상(hepato-biliary phase)에서 저신호(defect)를 보이는 저혈관성(hypovascular) 결절이 다수 관찰되었다. 특히 S6의 결절은 17.1 mm 크기로 나타났으나 (C), 이들 저혈관성 결절은 조영초음파에서 혈관상 (J) 후혈관상 (K)에서도 주위 간과 같은 조영 정도를 보였으며, 결절도 다발성이었으므로 경과를 관찰하기로 하였다. 초진으로부터 4개월 후 결절은 증가하였으며 (F), 문맥 우위상에서는 저에코화 소견을 확인하였으나 (L), 후혈관상(post vascular image)에서는 조영제 흡수 저하(defect)가 명확하지 않았다 (M). 초진으로부터 1년 2개월 후 더욱 증가하여 (I), 결절의 일부 과혈관성(hypervascular) (N)과 후혈관상에서의 결손 (O)이 나타났다.

으로 배설됨으로써 간장 및 신장에서 배설된다는 매우 특징적인 작용을 한다. 이 조영제를 세포 내에 이동시키는 트랜스포터의 발현이 저하된 조기 HCC는 EOB-MRI 간세포상에서 신호 저하(조영 결손)로 확인되어 조영초음파가 미치지 않는 조기 HCC와 이형성 결절의 감별도 가능하다. 현시점에서 시행할 수 있는 화상진단 중 가장 예민하게 초기 HCC를 파악할 수 있는 진단 치료법은 EOB-MRI이며, 이하 CTAP(경동맥성 문맥조영 CT), 조영초음파, CTHA(간동맥조영하의 CT), MDCT(멀티 슬라이스 CT)/다이나믹 MRI로 이어진다.[10]

현재 EOB-MRI 간세포영상(Hepatobiliary phase)에서 확인된 저혈관성 결절에 대해 조영초음파를 사용하여 경과 관찰한 보고에 관해서는 일본 내에 9개 기관에서 실시한 연구가 있다.[11] 이 연구에서는 2008년부터 3년간 EOB-MRI 간세포영상에서 확인된 저혈관성 결절 167병변(112병례)의 경과가 후향적으로 해석되었다. 저혈관성 결절의 과혈관성 누적 발생률은 1년 후 18%, 2년 후 37%, 3년 후 43%였다. 과혈관성과 관련된 유의한 인자로서는 다변량 분석에서 초진 시 결절 크기(Hazard Ratio:1.086, 95% confidence interval=1.027-1.148, P=0.004)와 더불어 초진 시 후혈관상에서의 결절 저에코 소견[즉, 조영 결손(defect)](HR: 3.684, 95%CI=1.798-7.546, P=0.0004)이었다. HCC 치료 이력 유무, 과혈관성 HCC 혼재, 초진 시 MRI 지방 억제 T2 강조상 소견, 종양 마커(AFP · PIVKA-II) 등은 과혈관성을 예지하는 유의한 인자가 아니었다. 그러므로 간의 저혈관성 결절의 경과 관찰에서는 우선 초진 시 결절의 크기, 후혈관상에서의 저에코 및 결손 유무 확인이 포인트이다. 또한 저혈관성 결절 경과 중에 실시하는 조영초음파에서는 결절 내 동맥 혈류의 출현이나 후혈관상에서 새로운 결손 소견 발생의 확인이 중요하다고 간암 진료 매뉴얼(제3판)[10]에서 강조하고 있다.

2. 조영초음파의 유의점

1) 고에코 병변에 대한 후혈관상(post vascular phase)의 관찰(그림 13)

B모드에서 고에코로 나타나는 결절은 조영초음파로 빈번하게 이용되는 PI 법(phase inversion)으로는 조직의 고신호가 감소되지 않고, 후혈관상의 결손 유무 판정에 영향을 줄 수 있다. 그 영향을 줄이는 방법으로는 ① MI 값(mechanical index)을 낮춘다, ② 조영 방법을 PI 법으로 바꾸어 진폭 변조(amplitude modulation: AM)법을 이용한다, ③ 고음압(High MI) 하에서의 유사 도플러법(advanced dynamic flow: ADF)을 이용하는 것을 들 수 있다.

우선 MI 값을 낮추는 방법이다. 조직으로부터의 하모닉 신호는 음압의 제곱에 비례하기 때문에 저음압을 사용하면 이론상 배경의 조직신호는 작아진다. 두 번째 PI 법, AM 법에 대한 상세한 원리는 다른 곳에서 자세히 설명되었으니 참조하기 바란다. 간결하게 말하면 PI 법은 180° 위상이 다른 두 펄스 웨이브(pulse wave)를 송수신함으로써 조직과 기포에서 흩어지는 비선형 성분을 추출하는 방법이다. 두 배의 고조파 성분을 이용하여 영상화하기 때문에 분해능력이 뛰어나지만, 장기 실질의 움직임으로 조직 신호가 제대로 취소되지 않아서 조직 신호가 조영제 신호에 영향을 주는 것이 결점이다. 이에 반해 AM 법은 위상이 같고 진폭이 다른 펄스 웨이브 두 개를 발생시킨다. 처음 발생시킨 진폭 반사파를 처리한 것에서 두 번째로 발생시킨 반사파를 빼고 얻은 파(wave)를 영상화한다. PI 법처럼 조직 신호가 제대로 취소되지 않는 문제도 없어서 감도가 뛰어나고, 기본파 주파수 대역으로부터도 추출할 수 있기 때문에 초음파의 심부 투과도(penetration)도 양호하다는 이점이 있으나 분해능이 떨어진다는 결점도 있다.

2) 심부 병변의 관찰

조영초음파로는 심부 병변에서 초음파 조영제로부터

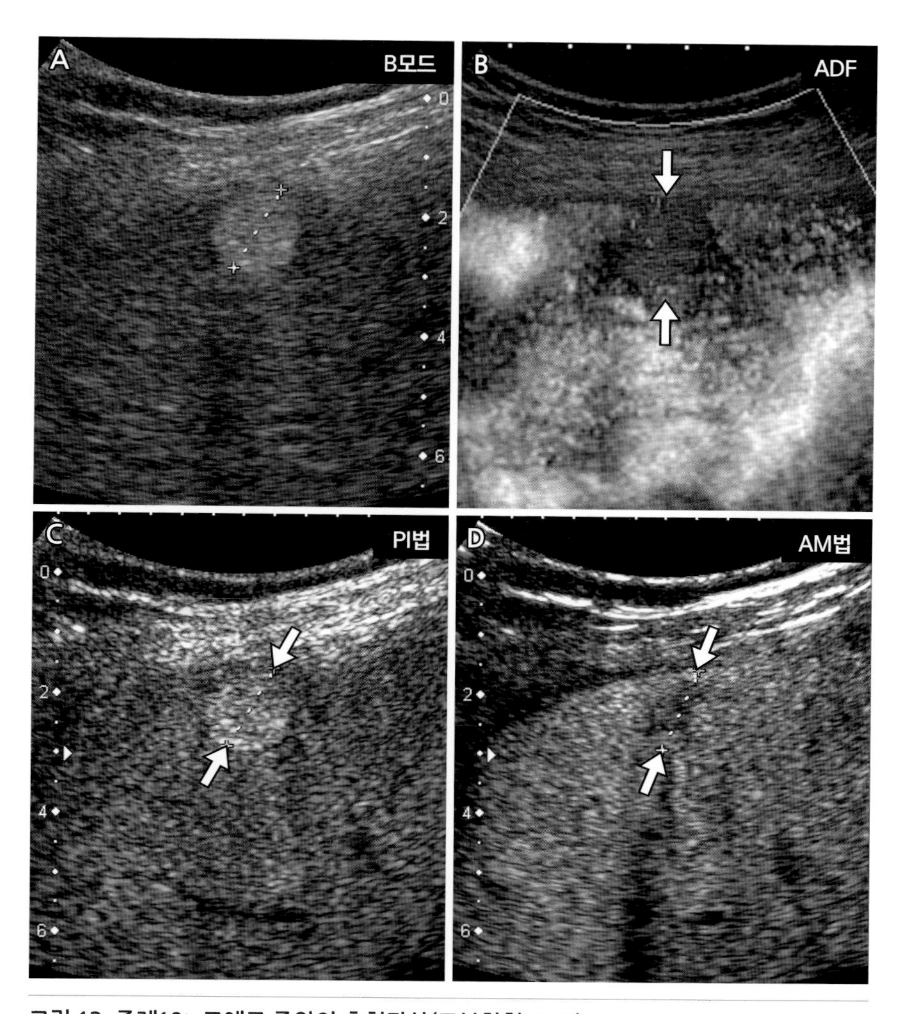

그림 13. 증례10: 고에코 종양의 후혈관상(고분화형 HCC)

60대 남성. C형 간염 간경변 치료 중 B모드 초음파로 15 mm 크기의 고에코 종양이 확인되었고 (A), 생검에서 고분화형 HCC로 진단되었다. PI법에서의 후혈관상 관찰에서는 조영제 흡수 저하는 나타나지 않았으나 (C), AM법으로 변경하여 배경의 조직 신호를 줄이자 종양의 일부에 defect가 관찰되었다 (D). 고음압(high MI) 하에 유사 도플러법(advanced dynamic flow: ADF)으로는 종양 전체가 defect로 나타났다 (B).

의 반사파 강도도 떨어지고 추출이 불량하다. 양호하고 안정된 초음파 이미지를 얻기 위해서는 가능한 한 병변부를 신체 표면에서 가까운 위치에서 관찰하는 것이 중요하다. 음압을 높여 심부를 관찰하는 방법도 있지만, 이때는 천부의 버블이 붕괴되어 천부의 관찰이 어려워지는 점에 유의한다.

간 전체를 후혈관상으로 스캔하는 경우, 먼저 높은 주파수로 천부를 관찰하고 나서 MI 값을 올려 천부의 거품을 붕괴시켜 빔이 들어가도록 한 후에 심부를 관찰한다. 또한 앞서 말한 AM 법은 투과도가 양호하므로 PI 법에서 AM 법으로 변경하여 사용하는 것도 하나의 방법이다. AM 법은 낮은 주파수를 사용할 수 있으며 그 경우에는 더욱 투과도가 좋아지지만, 화상이 거칠어져서 작은 병변의 검출이 어려워질 수도 있다는 우려도 있다. 그것에 대해서는 dynamic range를 떨어뜨리는 연구도 있다. 현재의 많은 초음파 진단 장치에서는 PI 법과 AM 법, 두 방법의 조합, 나아가 주파수를 선택할 수 있도록 되어 있으므로 증례에 따라 최적의 조건을 선택할 필요가 있다.

3) 후혈관상(post vascular phase) 관찰의 최적 시간

후혈관상의 관찰 타이밍은 혈관을 흐르는 조영제의 신호가 줄어들고 간실질 신호에 영향을 주지 않는 때가 적절하다. 만성 간질환 환자, 일반인 모두 소나조이드의 문맥 내 정체율은 10분 후 약 50%, 30분 후 20~30%, 60분 후 10%라는 보고가 있다.[13] 실제로 소나조이드를 투여하고 20분 이상 경과한 후 결손상이 관찰되기도 하며, 분화도가 그다지 낮지 않을 것으로 예상되는 HCC에서의 결손 유무 평가나 결손 윤곽을 정확하게 판정하는 경우 등은 소나조이드 투여 20분 이후로 충분한 시간을 들여서 관찰하는 것이 바람직하다. 한편 고전적 HCC나 전이성 간암 등 분명하게 쿠퍼 세포가 감소 또는 결여된 종양이 대상인 경우에는 소나조이드 투여 10분 후에 관찰해도 무방하다.

마치며

HCC 진단·치료에서 조영초음파의 의의를 중심으로 설명하였다. 조기 HCC 검출을 가능하게 하는 EOB-MRI가 HCC 진단에서는 전성을 누리고 있지만, 조영초음파는 HCC의 치료 가이드로서 필수적이며 그 존재 의의가 사라지지는 않는다. 조영초음파의 결절 내 혈류 감도는 CT·MRI보다 양호하며 후혈관상의 결손을 통하여 치료가 필요한 HCC를 간편하고 확실하게 추출할 수 있는 장점이 크다. 또한 조영초음파는 다른 영상기법에 비하여 침습도가 낮고 비용도 저렴하다. 조영초음파의 장점들을 살려서 HCC 진단·치료에 임하고 있다.

참고문헌

1 工藤正俊：どのような時に造影超音波を行うか. 肝癌診療マニュアル第2版. 日本肝臓学会編, 43~48, 医学書院, 2010.

2 貴田岡正史，熊田 卓, 松田康雄, 他：肝腫瘤の超音波診断基準. 超音波医学, 39：317~326, 2012.

3 松井 修：どのような時にCTAP, CTHAを行うか. 肝癌診療マニュアル第2版. 日本肝臓学会編, 41~43, 医学書院, 2010.

4 沼田和司, 福田浩之, 森本 学, 他：早期肝細胞癌の造影超音波. 肝臓, 52：429~440, 2011.

5 田中弘教, 飯島尋子, 齋藤正紀, 他：Sonazoid造影超音波による新しい肝癌悪性度分類法の試み. 肝臓, 50：397~399, 2009.

6 Korenaga, K., Korenaga, M., Furukawa, M., et al.：Usefulness of Sonazoid contrast-enhanced ultrasonography for hepatocellular carcinoma: comparison with pathological diagnosis and superparamagnetic iron oxide magnetic resonance images. *J. Gastroenterol.*, 44：733~741, 2009.

7 Hatanaka, K., Chung, H., Kudo, M., et al.：Usefulness of the post-vascular phase of contrast-enhanced ultrasonography with Sonazoid in the evaluation of gross types of hepatocellular carcinoma. *Oncology*, 78(Suppl. 1)：53~59, 2010.

8 工藤正俊, 畑中絹代, 鄭 浩柄, 他：肝細胞治療支援におけるSonazoid造影エコー法の新技術の提唱：Defect Re-perfusion Imagingの有用性. 肝臓, 48：299~301, 2007.

9 Minami, Y., Kudo, M., Hatanaka, K., et al.：Radiofrequency ablation guided by contrast harmonic sonography using perfluorocarbon microbubbles(Sonazoid) for hepatic malignances: an initial experience. *Liver Int.*, 30：759~764, 2010.

10 工藤正俊, 泉 並木, 角谷眞澄, 他：乏血性肝細胞性結節（境界病変，異型結節, 早期肝癌）はどのような場合に治療すべきか. 肝癌診断マニュアル第3版. 日本肝臓学会編, 65~66, 医学書院, 2015.

11 Inoue, T., Hyodo, T., Korenaga, K., et al.：Kupffer phase image of Sonazoid-enhanced US is useful in predicting a hypervascularization of non-hypervascular hypointense hepatic lesions detected on Gd-EOB-DTPA-enhanced MRI：a multicenter retrospective study. *J. Gastroenterol.*, 51：144~152, 2016.

12 東浦明子, 田中弘教, 山平正浩, 他：早期肝細胞癌の診断におけるSonazoid造影超音波門脈優位相の意義. 超音波医学, 38(Suppl.)：S374, 2011.

13 小来田幸世, 今井康陽, 関 康, 他：Sonazoid造影超音波検査における門脈内Sonazoid停滞時間に関する検討. 肝臓, 50：593~594, 2009.

14 Tanaka, H., Iijima, H., Nishiguchi, S., et al.：New malignant grading system for hepatocellular carcinoma using the Sonazoid contrast agent for ultrasonography. *J. Gastroenterol.*, 49：755~763, 2014.

조영초음파 진단(증례 편)

4-2. 간세포암 이외의 간종양의 전형적인 예

구마다 다카시[1)], 도요타 히데노리[1)], 다다 도시후미[1)], 가나모리 아키라[1)], 다케지마 겐지[2)], 오토베 가츠히코[2)] |
1) 오가키 시민병원 소화기내과 2) 오가키 시민병원 진료검사과

시작하며

제2세대 초음파 조영제 소나조이드®로 조영초음파 검사가 가능해져서 혈관상(vascular phase), 후혈관상(post vascular phase) 모두 안정된 화상을 얻을 수 있게 되었다. 간종괴의 초음파 진단 기준은 1988년 일본 초음파 의학회 의료용 초음파 진단 기준에 관한 위원회에서 작성된 이래 20년 이상 개정되지 않았다. 이번 제2세대 초음파 조영제 출현을 계기로 2005년에 '간종괴의 초음파 진단기준(1988/11/30) 개정' 소위원회가 구성되었다. 간종괴의 질적 진단을 위한 B모드 소견의 개정과 더불어 도플러(Doppler) 소견, 조영초음파 소견이 신설되었다. 2012년 '초음파 의학' Vol.39, No.3에 '간종괴의 초음파 진단기준'이 발표되었다(**표 1**).1

본 글에서는 이 진단기준의 내용에 따라 동맥 우위상(arterial predominant phase, 혈관 이미지와 관류 이미지), 문맥 우위상(portal predominant phase), 후혈관상의 화상 소견을 간세포암(hepatocellular carcinoma, HCC) 이외의 간종양, 간내담관암(cholangiocarcinoma), 전이성 간종양, 간선종(hepatic adenoma), 간 혈관종(hepatic hemangioma), 국소 결절성 과증식(focal nodular hyperplasia, FNH), 기타 간종양에 대하여 전형적인 예를 중심으로 초음파 소견을 제시하면서 기재한다. 또한 후혈관상은 쿠퍼 이미지(Kupffer image)라는 호칭으로 사용되는 경우가 많은데, 본 기준에서는 증거가 충분하지 않다는 견지에서 '주석'에만 기재되어 있다. 그러나 매우 자주 사용되는 호칭이어서, 본 글에서는 '후혈관상(쿠퍼 이미지 Kupffer image)'라는 표현을 사용하고 있음을 유의하기 바란다.

한편 2008년 EFSUMB(유럽 초음파 의학회)에서 나온 'Guidelines and Good Clinical Practice Recommendation for Contrast Enhanced Ultrasound (CEUS)-Update 2008'을 **표 2, 3**에 나타내었다.2 **표 2**는 양성 질환으로서 간 혈관종, 국소 결절성 과증식, 국소성 지방 결여(focal fatty sparing), 국소성 지방 변성(focal fatty change), 재생 결절(regenerating nodule), 단순 낭종(simple cyst), 간선종, 간 농양(abscess)의 8개 종괴에 대하여 전형적 소견과 부가 소견이 페이즈(phase) 별로 기재되어 있다. **표 3**은 악성 질환으로서 HCC(간경변 동반례와 비동반례), 혈관이 부족한 전이성 간종양, 혈관이 풍부한 전이성 간종양, 낭포성 전이성 간종양(cystic metastasis), 간내담관암의 5가지 종괴에 대하여 마찬가지로 전형적인 소견과

표 1. 조영초음파에 의한 간종괴 질적(감별) 진단

주분류	세분류	혈관상(vascular phase)		후혈관상 (post vascular phase)	부가 소견
		동맥(우위)상 (arterial [predominant] phase)	문맥(우위)상 (portal [predominant] phase)		
간세포암	결절형 (2 cm 이하)	조영제가 유입되는 경우도 있으나, 혈관으로 확인되는 수가 적다	간실질과 동일한 정도 혹은 저하되어 조영된다	간실질과 비교하여 낮은 저하 혹은 저하	동맥(우위)상에서 조영증강되지 않는 경우도 있다
	결절형 (2 cm 이상)	바스켓 패턴(basket pattern). 혈관증식. 부정유입혈관. 간실질에 비하여 강한 조영증강	간실질에 비해 저하되어 조영된다 조영되지 않는 부위가 존재한다	결손 혹은 불완전한 결손	후혈관상에서 점상의 시그널이 잔존하는 경우가 있다
	괴상형 (mass forming)	바스켓 패턴(basket pattern). 혈관증식. 부정유입혈관. 간실질에 비하여 강하고 불균일한 조영증강	간실질에 비해 저하되어 조영된다 조영되지 않는 부위가 존재한다	결손 혹은 불완전한 결손 종양의 윤곽이 부정확하다	조영된 종양색전이 나타나는 경우가 있다
간내담관암(담관세포암)		변연에 혈관조영 변연에 원형(ring) 조영증강	종양 변연의 원형(ring) 조영증강 간실질에 비해 저하되어 조영된다	명료한 결손 혹은 불완전한 결손	중앙을 관통하는 선형의 혈관이 나타나는 경우도 있다 전혀 조영되지 않는 부분도 있다
전이성 간종양		종양내 점상 혈관조영 변연의 원형(ring) 조영증강	종양 변연의 원형(ring) 조영증강 간실질에 비해 저하되어 조영된다	명료한 결손 종양의 윤곽은 부정확하다	혈관신생(vascular hyperplasia)이 있는 전이성 간종양은 동맥(우위)상의 소견은 간세포암과 유사하다
간선종		경계에서 중앙으로 향하는 미세한 혈관이 유입된다. 혈관증생. 간실질에 비하여 약하게 조영증강	간실질에 비해 밝게 조영된다	동등하거나 불완전한 결손	출혈, 괴사를 동반한 경우는 조영되지 않는 부위가 있다
간 혈관종		변연에서 중앙을 향하여 조영증강하기 시작한다. 변연이 점상 혹은 반점으로 조영증강된다	변연이 반점으로 조영증강된다 중앙으로 조영증강이 진행되어 중심부는 조영되지 않는 경우가 많다	간실질과 동등. 일부 조영되지 않는 경우가 있다(혈전, 섬유화 등)	대상이 작은 경우, 급속하게 중앙을 향하여 조영증강되는 경우도 있다
국소 결절성 과증식 (FNH)		spoke-wheel pattern. 중앙에서 외측으로 향하여 극히 단시간에 간실질보다 조영증강	간실질보다 조영증강 조영이 저하되는 부분도 있다 (중심반흔)	조영은 간실질과 동등. 조영이 저하되는 부분도 있다(중심반흔)	

(문헌 1에서 발췌)

부가 소견이 페이즈 별로 제시되어 있다.

여기서 주의해야 할 것은 EFSUMB에서는 SonoVue®, Optison®, Luminity® 등의 세포외액성 조영제[일부 쿠퍼 세포에 탐식(유입)된다는 보고도 있다]가 사용되고 있기 때문에 일본에서 사용되는 소나조이드와 페이즈 별 소견이 다르다는 점이다. EFSUMB에서는 페이즈로서 arterial phase(동맥상, 조영제 주입 후 10~20초부터 25~35초까지), 문맥-정맥상(portal-venous phase, 30~45초에서 120초까지), 후기상[late phase, 120초부터 버블이 소실되는 약 240~360초까지, 표3에서는 delayed (venous) phase라는 표현이 있지만, 문장 중에서는 그 사용 구분에 대한 설명이 없고 late phase와 동의어로 생각된다]으로 시간을 표시하여 분류하고 있다. 이에 대하여 일본의 진단 기준에서는 페이즈는 시간으로 규정하는 것이 아니라 버블의 주된 존재 부위에서 동맥 우위상, 문맥 우위상, 후혈관상으로 나누고 있다. 이러한 차이에 충분히 주의하여 소견을 읽을 필요가 있다. 특히 후혈관상은 혈관 내의 조영제 농도가 충분히 저하되어 조영제에 의한 혈관 조영 효과가 없어진 페이즈(조영제 주입 후 약 10분 이후로 되어 있다)로 정의되어 있어 EFSUMB의 late phase와는 전혀 다른 소견이다. 소나조이드는 현재 일본에서만 허용되고 있으며 후혈관상은

표 2. Enhancement (E) patterns of benign focal liver lesions

Tumor entity	Arterial phase	PV phase	Delayed phase
Haemangioma Typical features Additional features	peripheral-nodular E, no central E small lesion: complete, rapid centripetal E, rim enhancement	partial/complete centripetal filling	complete E non-enhancing areas
FNH Typical features Additional features	hyper-enhancing, complete, early spoke wheel arteries, centrifugal filling, feeding artery	hyper-enhancing hypo-enhancing central scar	iso/hyper-enhancing hypo-enhancing central scar
Focal fatty sparing Typical features	iso-enhancing	iso-enhancing	iso-enhancing
Focal fatty change Typical features	iso-enhancing	iso-enhancing	iso-enhancing
Regenerating nodule Typical features Other features	iso-enhancing hypo-enhancing	iso-enhancing	iso-enhancing
Simple cyst Typical features	non-enhancing	non-enhancing	non-enhancing
Adenoma Typical features Additional features	hyper-enhancing, complete non-enhancing areas	iso-enhancing hyper-enhancing non-enhancing areas	iso-enhancing non-enhancing areas
Abscess Typical features Additional features	rim E, no central E enhanced septa hyper-enhanced liver segment	hyper-iso-enhancing rim, no central E hypo-enhancing rim, enhanced septa hyper-enhanced liver segment	hypo-enhancing rim, no central E

(문헌 2에서 발췌)

표 3. Enhancement (E) patterns of malignant focal liver lesions

Tumor entity	Arterial phase	PV phase	Delayed phase
HCC Typical features (in cirrhosis) Additional features Atypical features HCC in non cirrhotic liver	hyper-enhancing, complete non-enhancing areas basket pattern/chaotic vessels enhancing tumor thrombus in PV and/or HV non-enhancing lesion hyper-enhancing	iso-, hypo-enhancing non-enhancing areas non-enhancing lesion hypo/non enhancing	hypo/iso-enhancing non-enhancing lesion hypo/non enhancing
Hypovascular Mets Typical features Additional features	rim E complete E, non-enhancing areas	hypo-enhancing non-enhancing areas	hypo/non enhancing
Hypervascular Mets Typical features Additional features	hyper-enhancing, complete chaotic vessels	hypo-enhancing	hypo/non enhancing
Cystic metastasis Typical features	hyper-enhancing nodular/rim component	hypo-enhancing	hypo-enhancing
Cholangiocarcinoma Typical features Additional features	rim E non-enhancing	hypo/non enhancing	hypo/non enhancing

(문헌 2에서 발췌)

일본에서만 얻을 수 있는 이미지라 할 수 있다. 향후 조영초음파의 활용에 대해 논하기 위해서는 페이즈의 호칭과 정의를 세계적으로 통일하는 것이 급선무라고 생각된다.

1. 간내담관암(cholangiocarcinoma)

간내담관암에는 육안 분류형으로서 종괴형성형(mass forming type), 담관주위 침윤형(periductal infiltrating type), 담관내 성장형(intraductal growth type)의 3가지 기본형이 있다. 원칙적으로 병소의 최대면에서의 성상(properties)으로 판단한다. 2종 이상의 육안 분류형이 있는 경우는 우세한(면적이 더 큰) 분류형을 먼저 기재하고 '+' 기호로 병기한다.[3]

그림 1은 간내담관암 종괴형성형의 증례이다. B모드에서는 경계가 불명료한 부정형의 저에코성 종괴를 확인하였다. 동맥 우위상에서는 변연에 혈관 음영을 확인하였고, 중앙을 관통하는 선 모양의 혈관 음영을 볼 수 있다. 문맥 우위상에서는 일부 조영이 지속되며 섬유성 결합 조직이 존재한다고 볼 수 있다. 후혈관상에서는 경계가 명료한 결손을 확인하였다. CT도 같은 소견으로 확산 평형(diffusion equilibrium)에서 종양에 정체된 조영제(diffusion restriction)를 확인하였다. 전형적인 소견으로 생각된다.

그림 2는 말초 담관의 확장을 수반한 예이다. B모드는 그림 1과 마찬가지로 경계가 불명료한 부정형 저에코성 종괴이다. 담관주위 침윤도 있는 것으로 추정된다. 종양의 중앙을 관통하는 선형의 혈관 음영도 확인된다. 저혈관성(Hypovascular)인 종양으로 간동맥 조영 CT (CTHA)에서도 확인할 수 있다. 후혈관상에서 경계가 명료한 결손상을 확인하였으며, 이것이 실제 종양이라고 생각된다. 경동맥성 문맥 조영 CT (CTAP)에서는 좌외측역(left lateral)에 문맥 혈류가 도달하지 않아서 동일 부위의 문맥혈관 내 종양 침윤의 가능성이 높아 보인다.

원발성 간암 진료 규약에서는 담관세포암(cholangiolocellular caricinoma)이 하나의 질환으로 기재되어 있다.[4] 육안적으로는 간내담관암과 유사하나 약 50%는 만성 간염 혹은 간경변을 합병한다. 조영초음파 소견의 보고는 적으나, 간내담관암 종괴형성형의 경우 링 형태(ring-shape)의 뚜렷한 음영을 나타내는 데 비해서 담관세포암에서는 종양 전체가 조영되는 경우가 많으며 wash out도 자주 지체되는 경우가 많다.[5] 또한 전이성 간종양과의 감별이 어려운 사례도 많으며 이 경우 원발 병소(primary lesion)의 확인을 통해 감별진단이 가능하다.

2. 전이성 간종양

간은 문맥과 동맥의 이중지배를 받으며 혈류가 풍부하기 때문에 폐 다음으로 전이성 암이 잘 발생하는 부위이다. 소화관으로부터의 선암(Adenocarcinoma)의 전이가 대부분을 차지하며 기본적으로 종양 변연에는 세포성분이, 중심부에는 응고·괴사가 주로 분포하는 층구조를 가지고 있다.

따라서 조영 소견은 종양의 변연만 조기에 조영 증강 소견을 보이는 이른바 ring-enhancement(반지형 조영증강)를 나타내기 쉽다(그림 3). ring-enhancement의 메커니즘으로서 ① 종양 자체의 변연부 세포 성분의 조영증강, ② 종양의 팽창에 기인하는 넓은 의미의 Arterio-portal Shunt (AP shunt, 간동맥-문맥 단락), 섬유간질의 증식(interstitial hyperplasia), 염증, 혈관 신생 등 종양 주변부 간조직의 조영 증강이 고려된다. 소화관의 선암으로부터의 전이는 저혈관성인 경우가 많으며 ②의 메커니즘에 의한 ring-enhancement가 주된 형태라고 생각된다.[6] 한편 카르시노이드(carcinoid), 위장관 기질종양(gastrointestinal stromal tumor, GIST)의 일부 등은 원래 과혈관성 종양(hypervascular tumor)이기 때문에 전이 병소에서도 대개 혈류가 풍부하지만 wash out은 빠른 편이다.

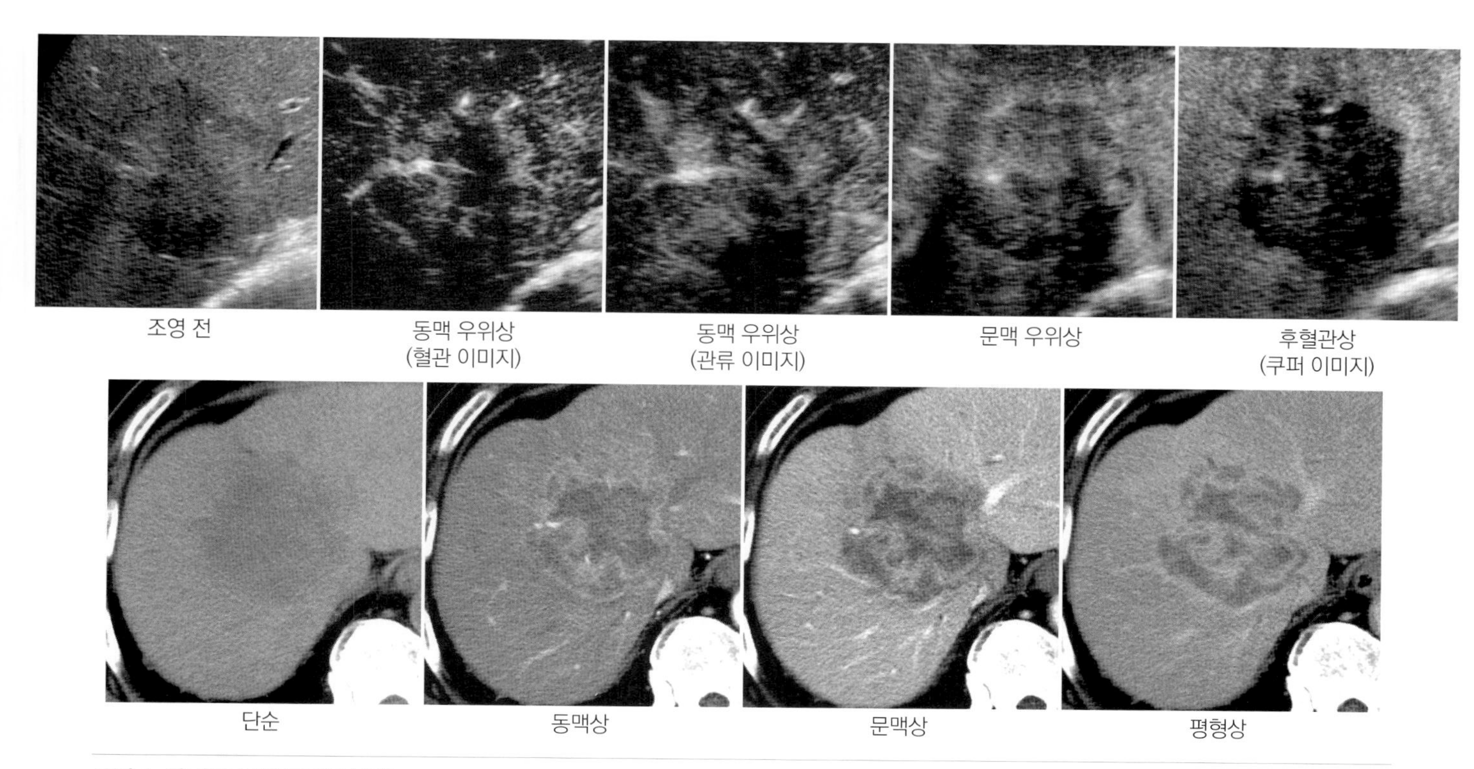

그림 1. 간내담관암(종괴형성형)
상단은 조영초음파, 하단은 dynamic CT를 표시한다.

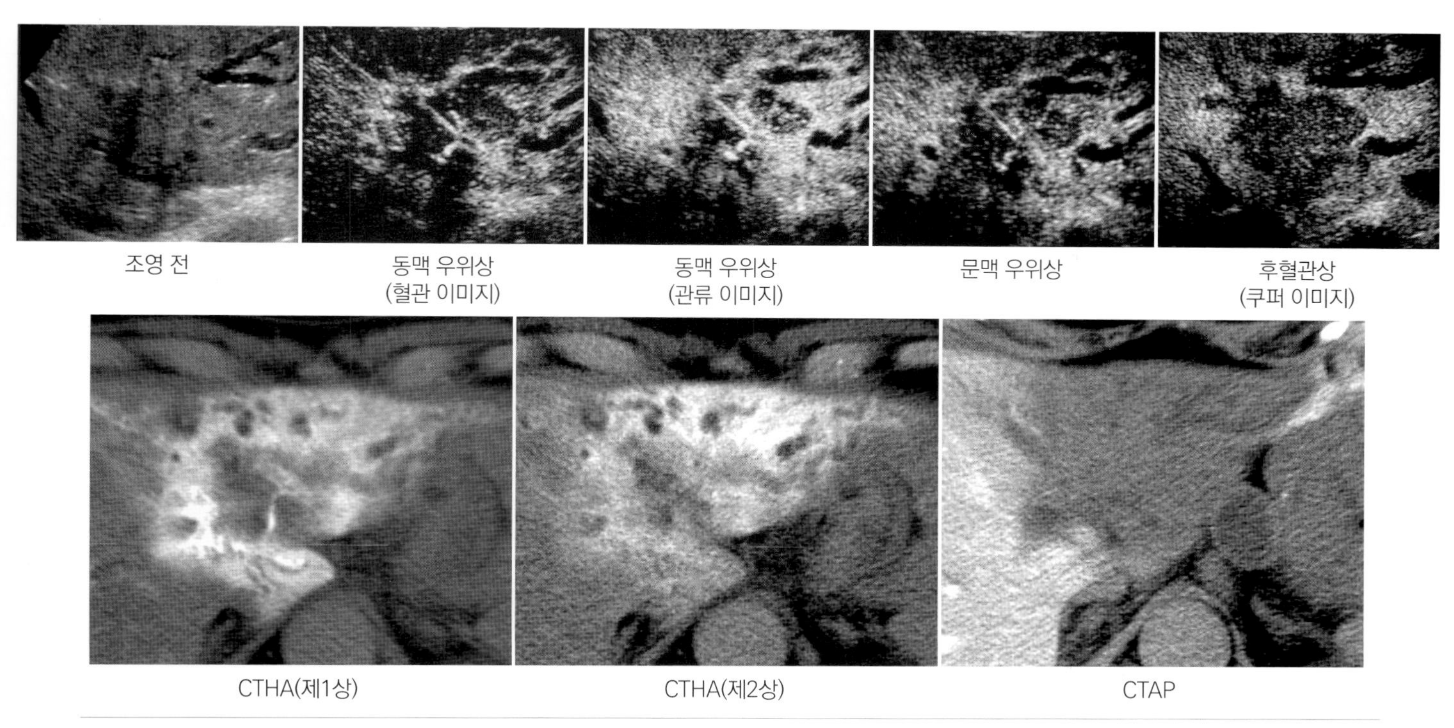

그림 2. 간내담관암(종괴형성형+담관주위 침윤형)
상단은 조영초음파, 하단은 혈관 조영하 CT를 나타낸다. CTHA : CT during hepatic arteriography, CTAP : CT during arterial portography.

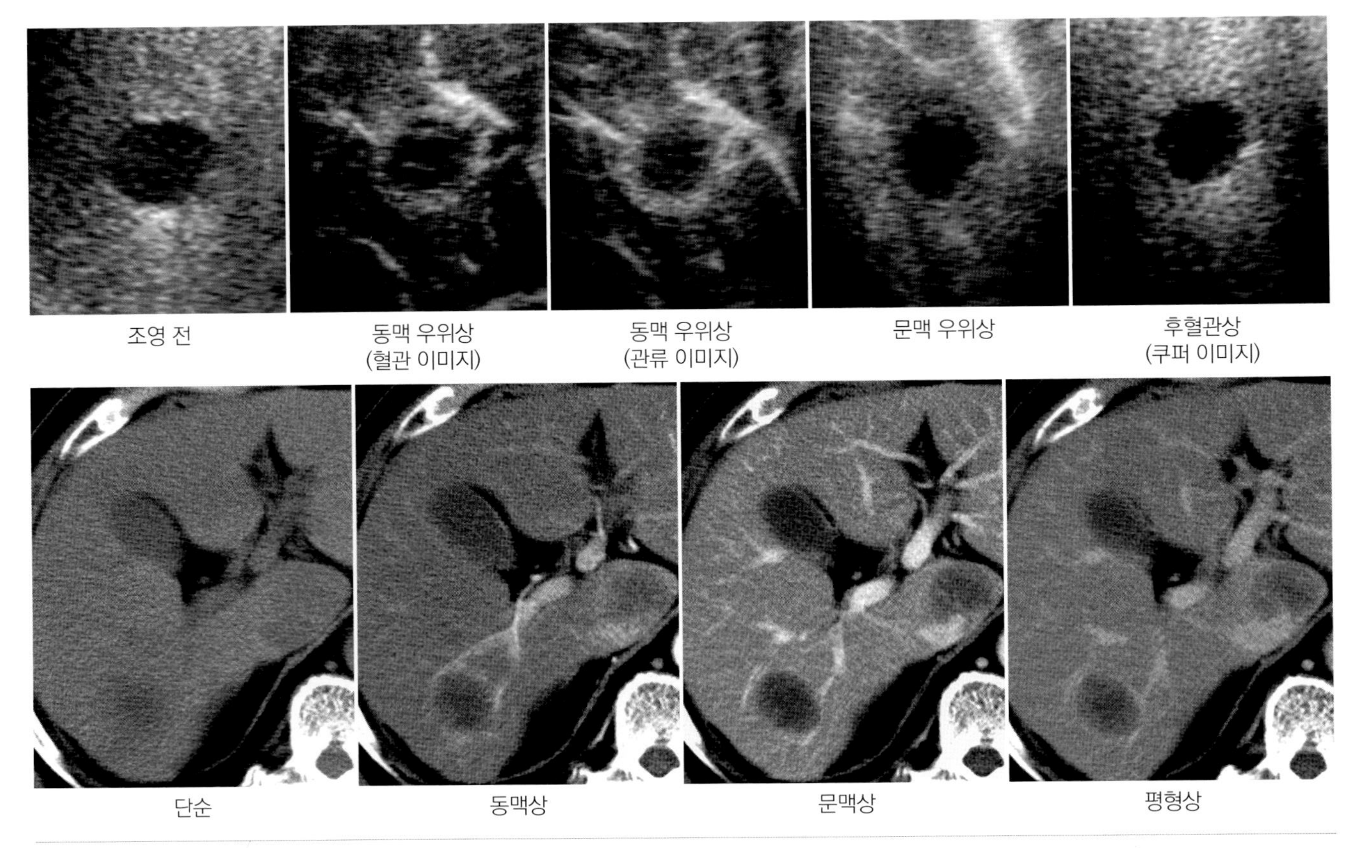

그림 3. 전이성 간종양(위암 간 전이)
상단은 조영초음파, 하단은 dynamic CT를 표시한다.

전이성 간종양의 소견 자체만으로 원발 병소를 예측하기는 매우 어렵다. 위나 대장 같은 소화관의 점액 생성 종양에서 전이가 되면 석회화를 유발할 수 있다. 대개 위암의 전이 소견은 대장암의 경우보다 더 과혈관성인 경우가 많다.

낭포성 간 전이의 경우는 난소암이나 점액 생성 낭포선암(mucin−producing cystadenocarcinoma) 등 낭포성 종양으로부터의 전이 가능성이 높다. 췌장암(pancreatic ductal carcinoma)은 일반적으로 2 cm 내외의 크기가 비슷한 전이성 결절이 간 전체에 균일하게 분포하는 경우가 많다. 또한 췌장암은 말초 문맥혈관 분지의 미소 종양 색전이나 글리슨 캡슐(Glisson's capsule)에 침윤될 것으로 생각되며, 쐐기 모양(wedge−shape)의 조영(enhancement) 형태로 보여질 수 있다.[7] 때로는 이 소견 때문에 종양을 놓치는 경우도 있다. 이런 경우 후혈관상이 유용할 수 있다.

담낭암(gallbladder cancer)에서는 담낭 상부에 호발하는 특징이 있다. 유방암에서는 미소한 결절이 조밀하게 분포하여 종괴로 파악되지 않을 수 있으며 마찬가지로 후혈관상이 유용하다.

그림 3에 전이성 간종양(위암 간 전이)의 전형적인 예를 나타내었다. 동맥 우위상에서 ring−enhancement를 나타내고 문맥 우위상에서 wash out 되며 후혈관상에서는 경계가 명료한 결손을 나타낸다. **그림 3** 하단의 dynamic CT 및 **그림 4** 상단 우측의 dynamic MRI에서도 같은 소견을 보이고 있다. **그림 4** 상단 우측의 Gd−EOB−DTPA (gadolinium ethoxybenzyl diethylene−triamine penta−acetic acid) 조영 MRI 간세포 조영상(hepatobiliary

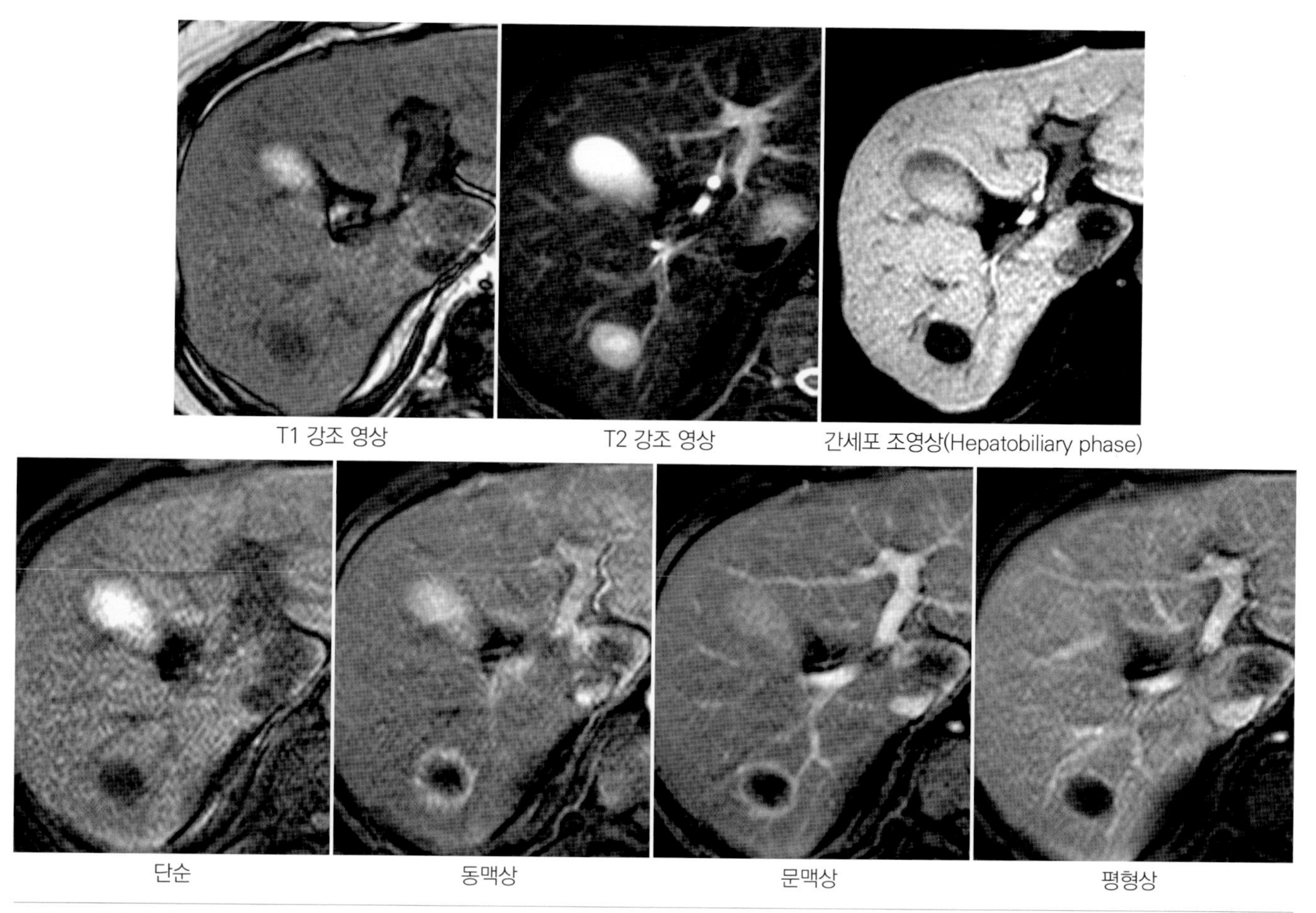

그림 4. 전이성 간종양(위암 간 전이)
Gd-EOB-DTPA 조영 MRI. 하단은 dynamic MRI를 나타낸다.

phase)에서는 경계가 명료한 결손상으로 확인되었다.

그림 5는 폐의 소세포암 간 전이 이미지이다. 상단 조영초음파의 동맥 우위상 관류 이미지에서는 종양 전체의 조영증강을 확인하였으나, 하단의 dynamic MRI arterial phase에서는 ring-enhancement를 나타내고 있다. 조영초음파의 시간 분해능(time resolution)이 더 뛰어난 것으로 확인된다.

그림 6은 악성 흑색종의 간 전이를 보여준다. 상단은 Kudo 등에 의해서 제창된 defect re-perfusion imaging으로, 소나조이드의 안정된 후혈관상에 조영제의 재주입으로 혈관상을 겹친 화상이다.[8] 후혈관상에서 처음 검출된 결절의 혈류를 평가하는 방법이며 초음파 조영제를 재주입함으로써 결절이 조영증강되어 혈관이 풍부한 전이성 간종양임을 알 수 있다. 하단은 고음압(high MI)의 초음파 송신을 실시하여 스캔 볼륨 내의 버블을 제거하고 다시 재관류를 관찰한 replenishment method이다.[9] 병변의 혈액 순환 동태를 반복해서 관찰할 수 있어서 유용하며, 마찬가지로 혈관이 풍부한 전이성 간종양임을 알 수 있다.

3. 간선종(hepatic adenoma)

간선종은 일본에서 보기 드문 종양으로 간세포암, 국소 결절성 과증식과의 감별이 중요한 종양이다. 후술하는 국소 결절성 과증식과는 다르게 동맥 우위상 혈관

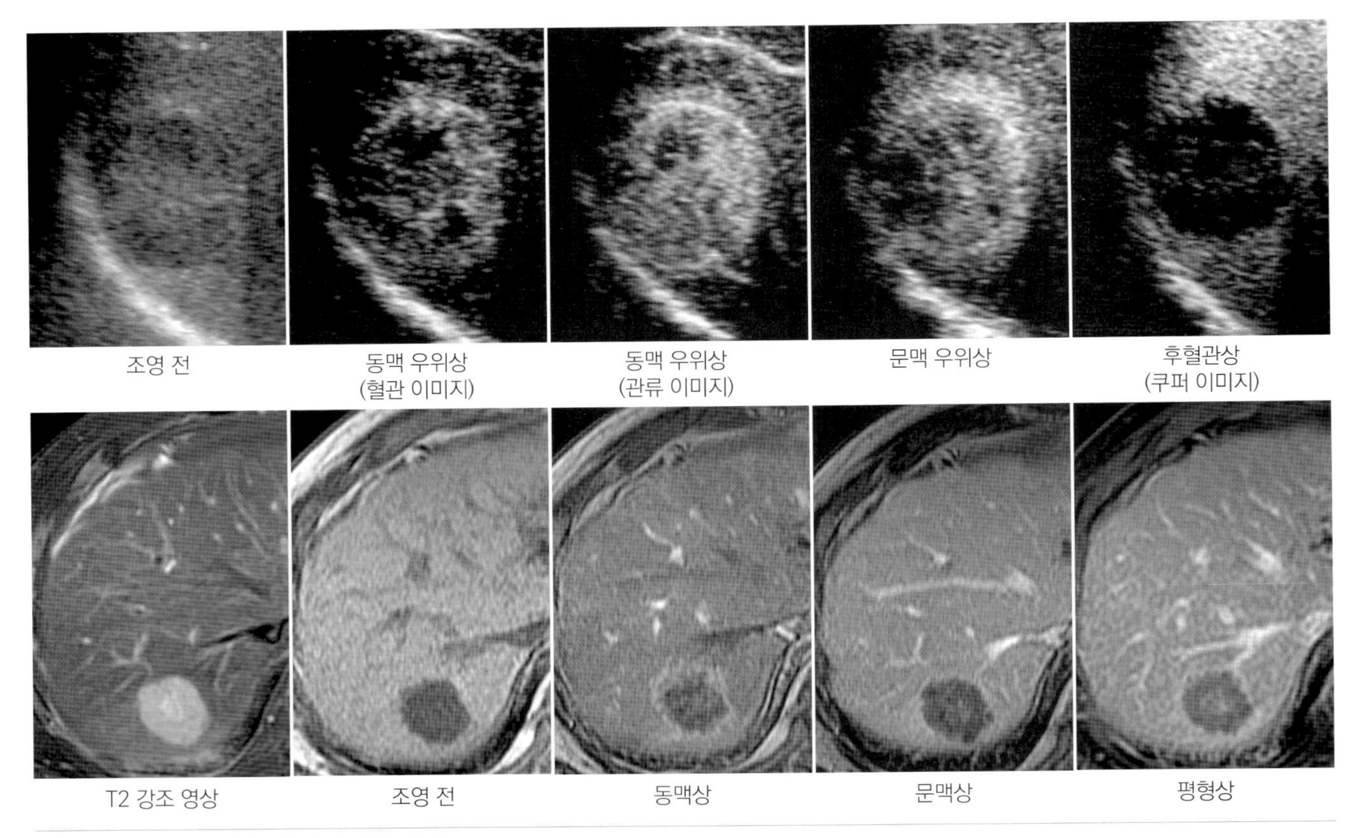

그림 5. 전이성 간종양(폐소세포암 간 전이)

상단은 조영초음파, 하단은 dynamic MRI를 보여준다.

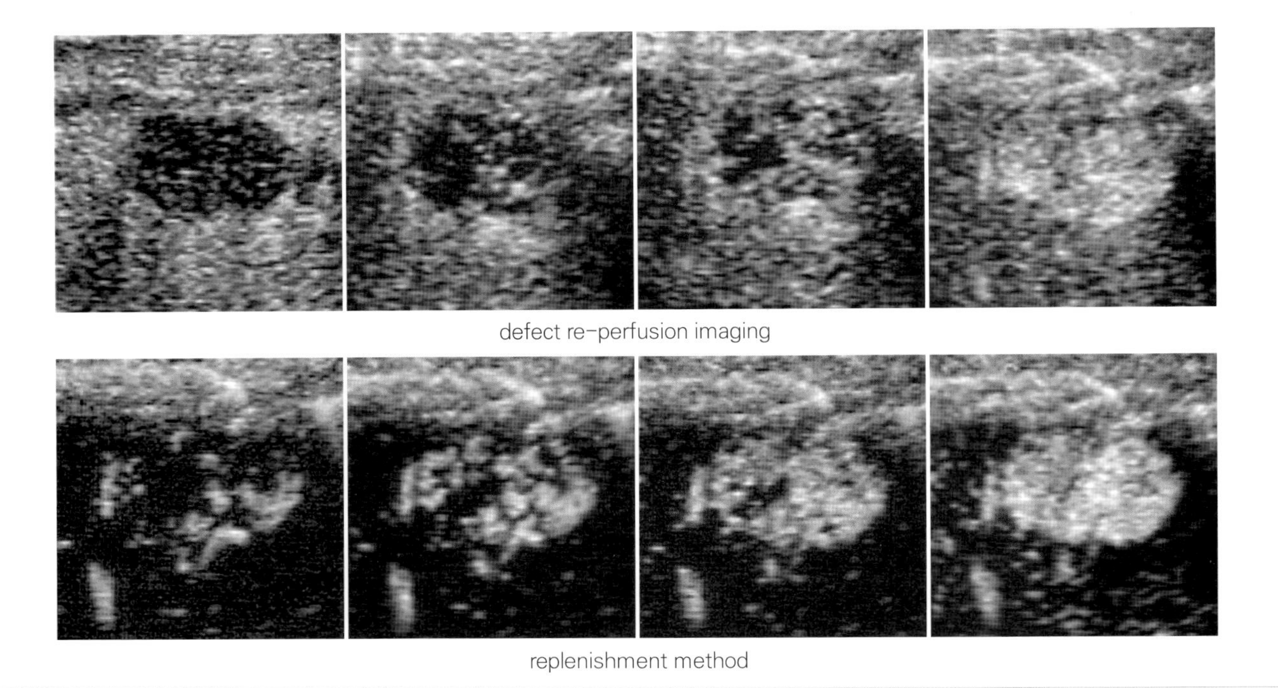

그림 6. 전이성 간종양(악성 흑색종 간 전이)

조영초음파로 defect re-perfusion imaging(상단)과 replenishment method(하단)를 나타낸다.

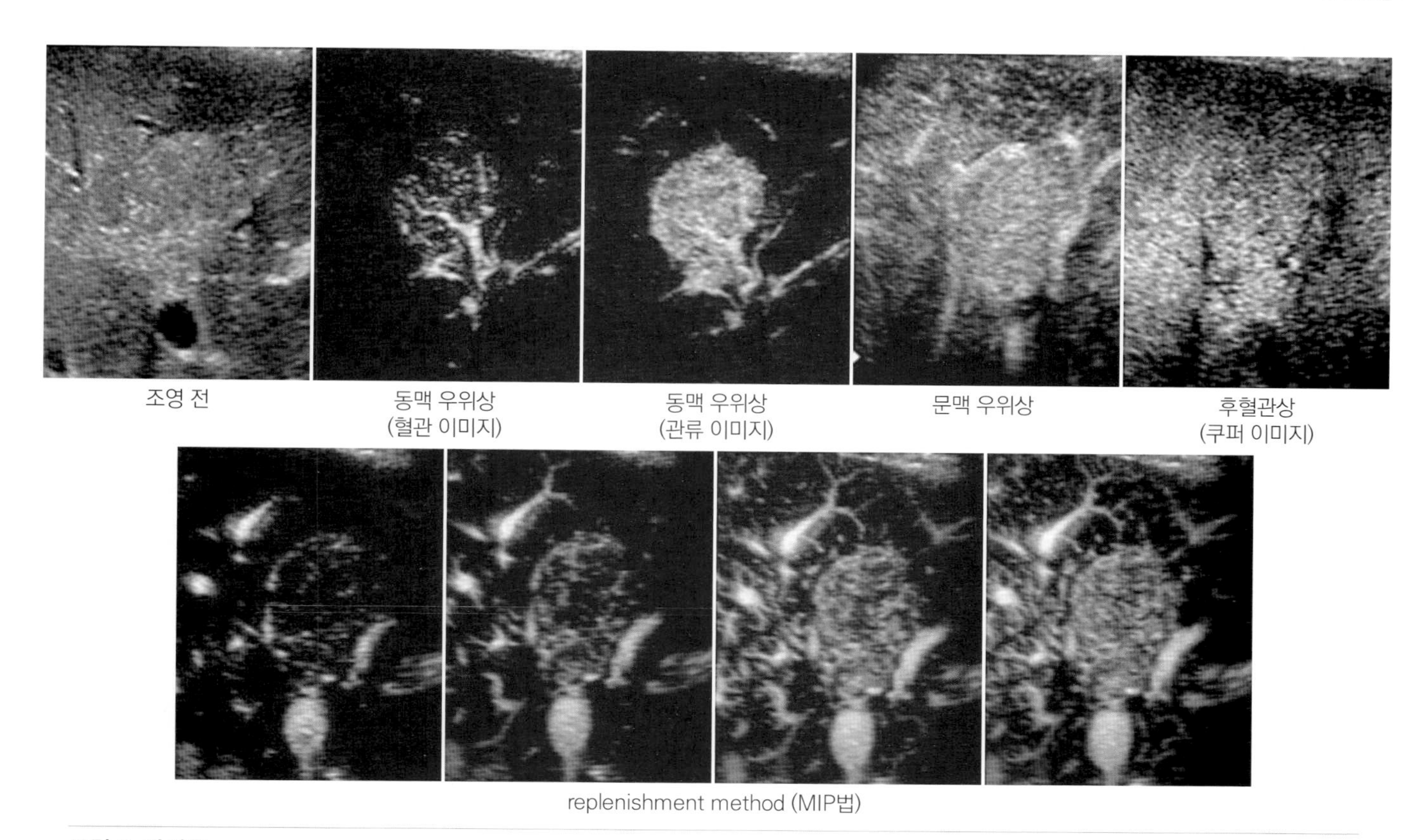

그림 7. 간선종
상단은 조영초음파, 하단은 조영초음파의 maximum intensity projection (MIP)법을 나타낸다.

이미지에서, 종양 경계에서 둘러싸듯이 내부로 미세한 혈관이 유입되는 것을 특징으로 한다(**그림 7 하단**).[10, 11] 한편 문맥 우위상에서의 에코 저하는 약 50%에서 확인되었으며, 약 30%에서는 조영이 지속되는 것으로 보고된다.[11] 후혈관상의 보고는 적으나 동등하거나 불완전 결손인 것으로 보고된다.[1]

그림 7은 간선종의 조영초음파상이다. 상단의 문맥 우위상은 간실질부와 동등한 에코로 조영이 지속되었으며, 후혈관상에서도 간실질과 같은 정도의 에코를 나타내고 있다. 하단의 MIP 법에서는 종양 경계에서 혈관이 유입되는 이미지를 얻을 수 있었다. **그림 8**의 상단 dynamic CT에서는 문맥기까지 조영증강이 지속되며, 평형상(equilibrium phase)에서는 wash out을 확인하였다. 하단의 Gd-EOB-DTPA 조영 MRI에서는 마찬가지로 문맥기까지 조영증강이 지속되고 있으며, 간세포 조영상에서는 조영제 흡수(contrast uptake)를 확인하였다. 간선종의 특징적 소견인 혈관 이미지를 얻기 위해서는 시간 분해능이 뛰어난 조영초음파가 가장 유용할 것이다.

4. 간 혈관종(hepatic hemangioma)

간 혈관종은 매우 특징적인 이미지를 보이며 조영초음파로 90% 이상 확정 진단을 얻을 수 있어서 MRI, CT 등 다른 영상 진단의 필요성이 감소하였다. 즉 동맥 우위상에서는 변연에서 중앙을 향하여 조영증강이 시작되어 변연이 dot 형태 또는 patch 형태로 조영증강 된다(centripetal enhancement, peripheral−nodular enhancement). 문맥 우위상에서는 중앙으로 조영증강이 진행되어 중심부는 조영되지 않는 경우가 많다(partial/complete

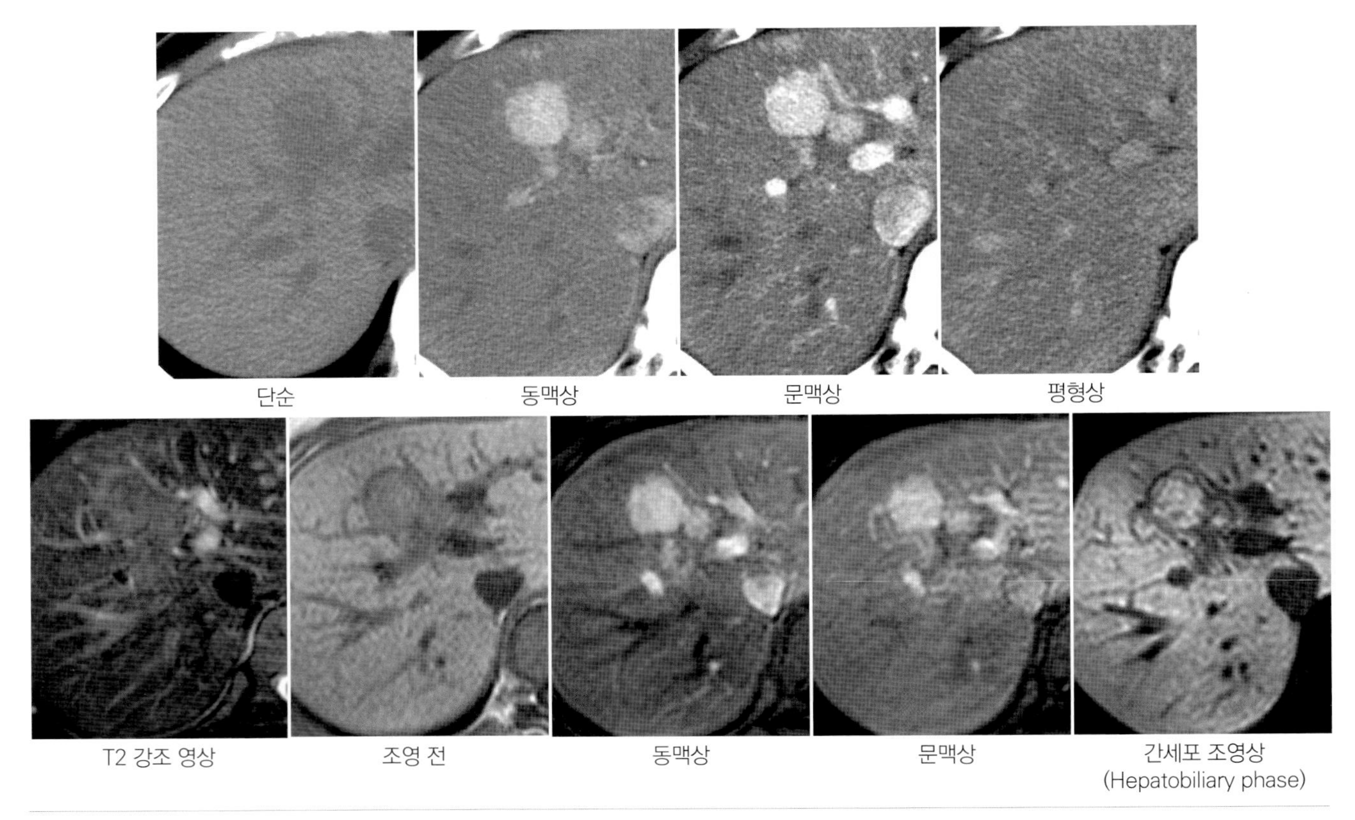

그림 8. 간선종
상단은 dynamic CT, 하단은 Gd-EOB-DTPA조영 MRI의 T2 강조 이미지, dynamic MRI, 간세포조영상(hepatobiliary image)을 나타낸다.

centripetal filling). 후혈관상에서는 간실질과 동등, 일부 조영되지 않은 부위도 확인된다. 일부 혈류가 빠른 간혈관종에서는 동맥 우위상에서 조영증강되어 보이지만, 문맥 우위상에서도 조영증강이 지속되어 간실질보다 에코가 높기 때문에 감별이 가능하다.[13]

그림 9는 전형적인 간 혈관종이다. 상단의 조영초음파 동맥 우위상에서 종양은 변연에서 중앙을 향하여 조영증강이 시작되고, 변연이 dot 형태 또는 patch 형태로 조영된다. 문맥 우위상에서는 중심부를 남겨 두고 거의 전부 조영증강이 되었고, 후혈관상에서는 일부 에코가 감소한다. 하단의 dynamic CT도 거의 같은 소견이었다.

그림 10은 이른바 과혈관성 혈관종(high-flow hemangioma)의 증례이다. 동맥 우위상에서는 빠르게 종양 전체가 조영되고, 문맥 우위상에서도 조영이 지속되고 있다. 후혈관상에서는 간실질부보다 저에코이다. 하단의 T2 강조 이미지에서는 뚜렷한 고에코를 보였고 dynamic MRI로는 arterial phase에서는 조영증강, 평형상까지 조영이 지속되며 간세포 조영상에서는 저신호(low signal)로 나타난다. Portal phase에서의 조영 지속이 진단의 결정적 요소이다.

그림 11도 전형적인 간 혈관종 초음파상이다. 상단의 조영초음파에서는 종양 변연이 강하게 조영되어 있는데 fill-in은 그다지 뚜렷하지 않다. 하단의 MIP 법에서는 움직임을 보다 상세하게 평가할 수 있다. **그림 12**는 동일한 증례의 MRI 이미지이다. 상단의 T2 강조이미지에서는 명백한 고신호(high signal)이며, 간세포 조영상은 저신호이다. 하단의 dynamic MRI에서는 변연에서 dot 형태로 조영증강되어 평형상까지 지속되며, 전형적인 간 혈관종의 소견을 보인다.

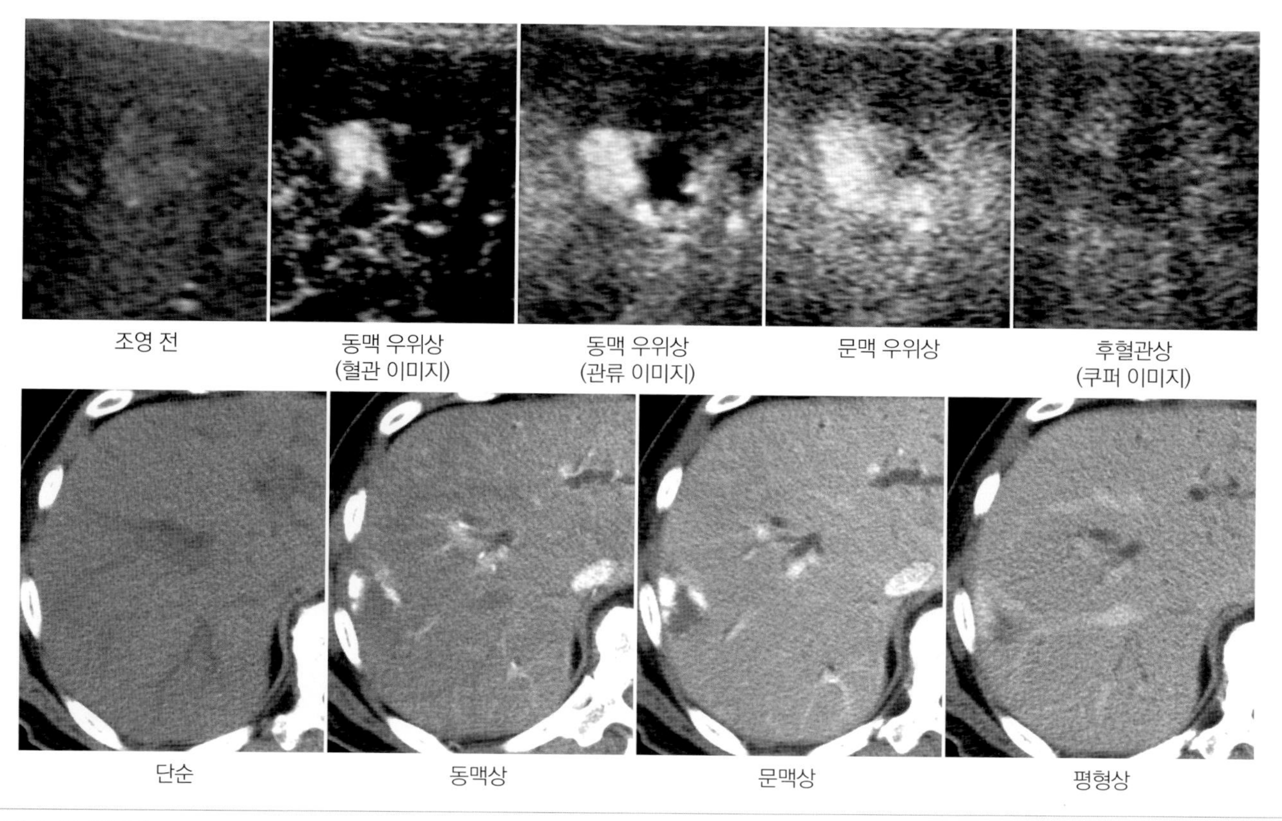

그림 9. 간 혈관종
상단은 조영초음파, 하단은 dynamic CT를 나타낸다.

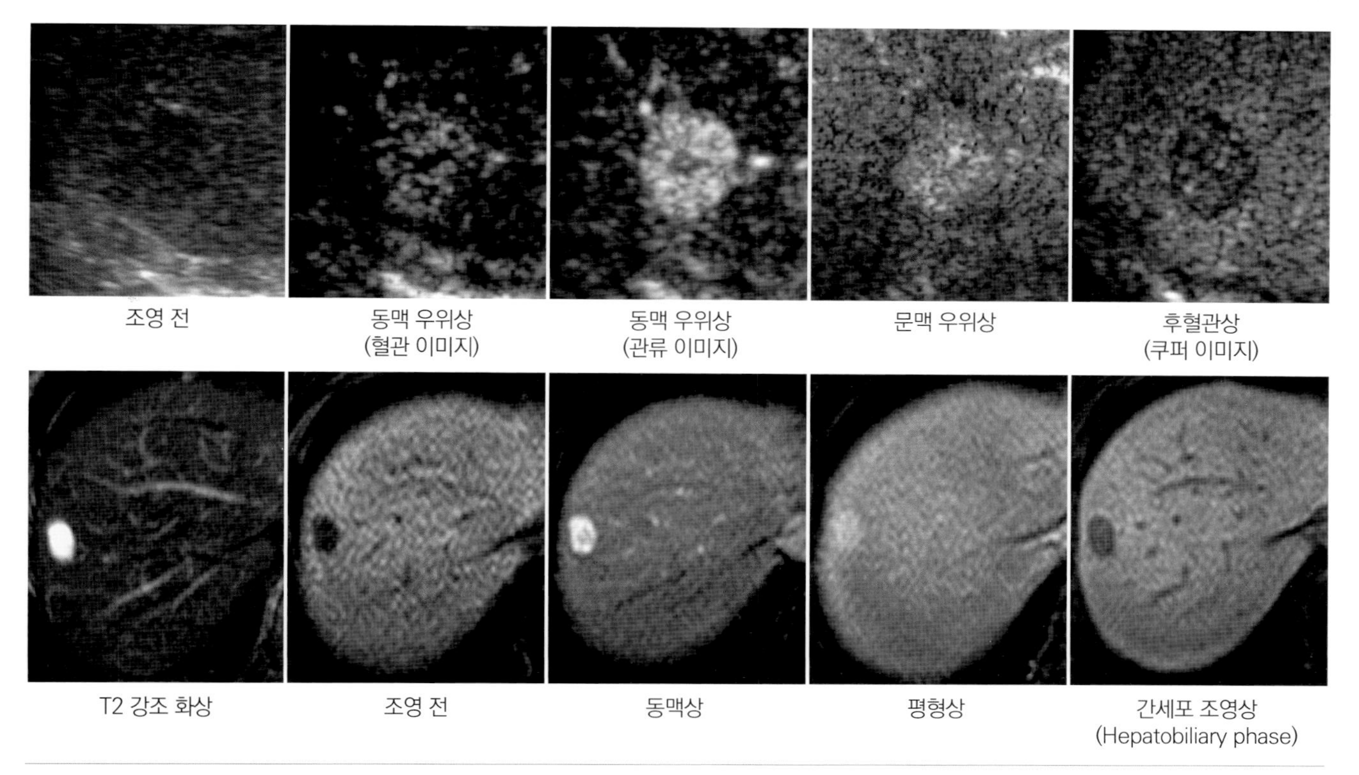

그림 10. 간 혈관종(high-flow hemangioma)
상단은 조영초음파, 하단은 Gd-EOB-DTPA 조영 MRI의 T2 강조 이미지, dynamic MRI, 간세포 조영상(hepatobiliary image)을 나타낸다.

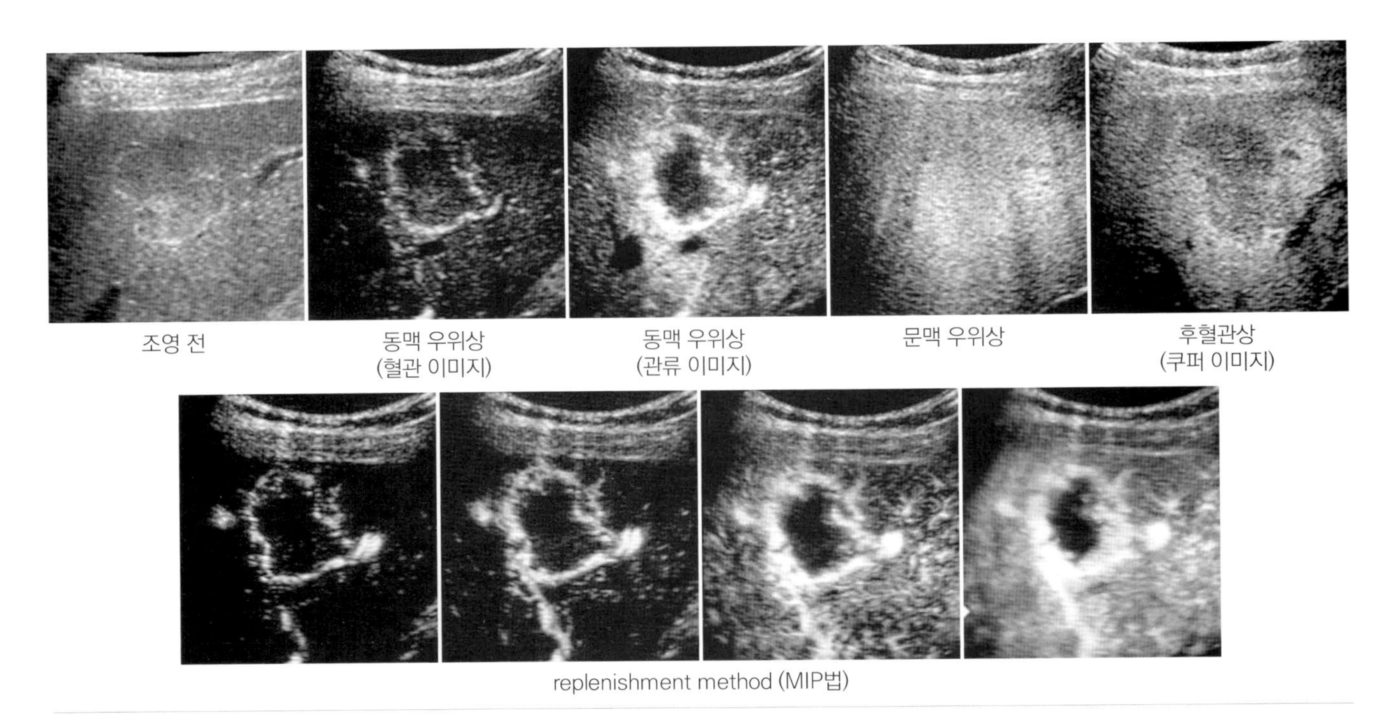

그림 11. 간 혈관종
상단은 조영초음파, 하단은 조영초음파의 MIP법을 나타낸다.

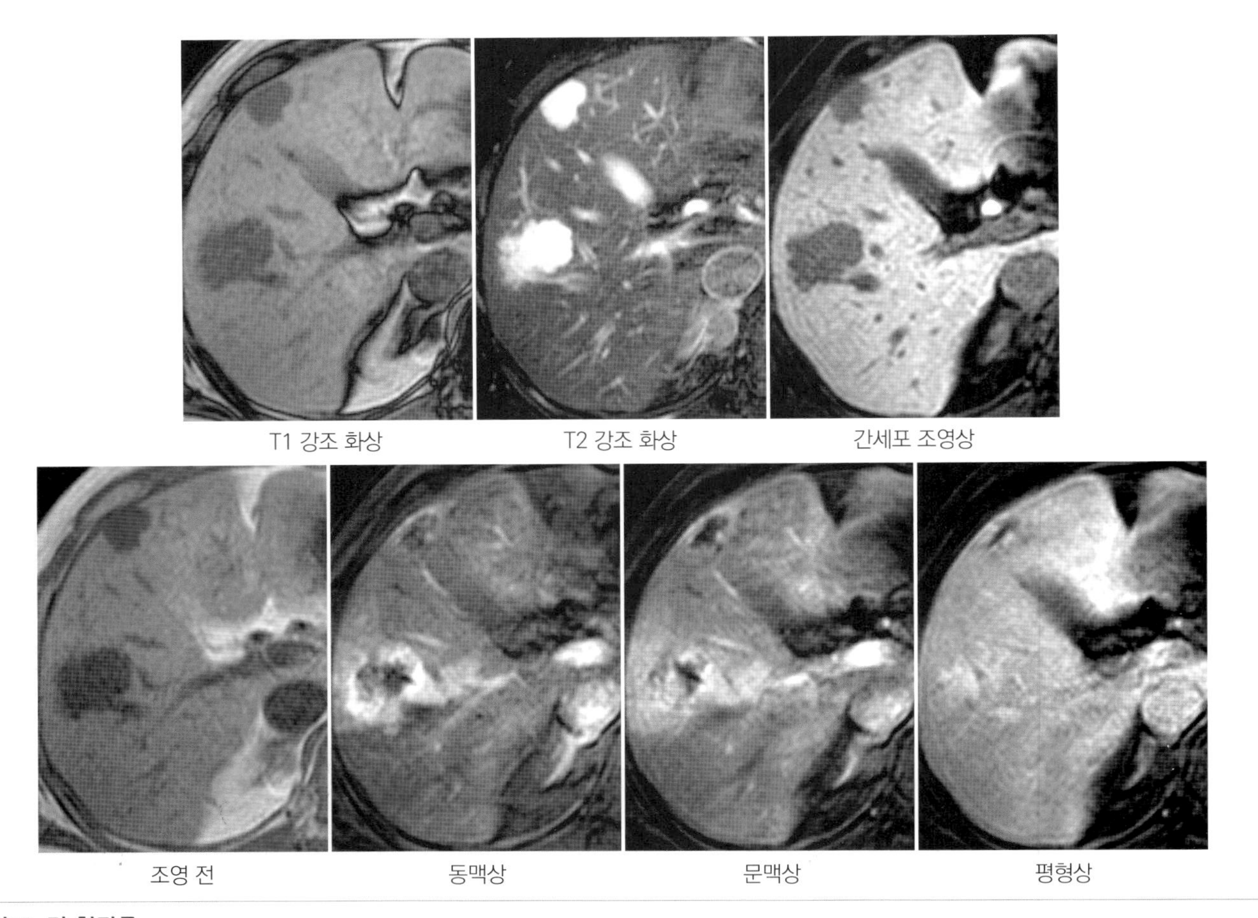

그림12. 간 혈관종
Gd-EOB-DTPA조영 MRI. 하단은 dynamic MRI를 나타낸다.

5. 국소 결절성 과증식(focal nodular hyperplasia, FNH)

간경변이 없는 간에서 주로 볼 수 있는 종괴성 병변으로, 혈관 이형성(malformation) 등에 기인하여 간세포(hepatocyte)가 과형성(hyperplasia) 된 것으로 생각된다. 전형적 예로는 중심부에 별모양 섬유반흔(central stellate scar)이라 불리는 동맥이 풍부한 섬유성 조직이 있으며 여기서 동맥을 수반한 격벽 모양의 구조가 결절 내에 방사형으로 퍼진다.

그러므로 조영초음파의 동맥 우위상은 중심에서 변연을 향해 방사형으로 퍼지는 혈류를 나타내며 짧은 시간 내에 조영증강 된다. 문맥 우위상에서도 조영증강이 지속되며, 후혈관상에서는 간실질과 동등하거나 고에코가 된다. 종래 사용되어 온 "차축양 혈관상(axle-like vascular pattern)"은 차축(axle)이 방향을 나타내지 않기 때문에 부적당하다고 판단하여 일본 초음파 의학회 '의료용 초음파 용어집'에서 삭제되어 "스포크 휠[수레바퀴살] 패턴(spoke-wheel pattern)"이 사용되고 있음을 유의하기 바란다.

그림 13은 전형적인 국소 결절성 과증식 증례이다. 조영초음파의 동맥 우위상에서는 중심에서 방사형으로 퍼지는 혈관이 나타나 문맥 우위상에서는 조영이 지속되었으며, 후혈관상에서는 간실질보다 고에코를 보이면서 중심 반흔에 일치하는 부위에 결손이 확인되었다. 하단의 MIP 법은 혈관 구축을 더욱 상세하게 평가할 수 있다. **그림 14**는 MRI 이미지이다. 상단의 T2 강조 이미지에서는 일부 고신호이고 간세포 조영상에서 종양은 조영제를 흡수하였는데, 중심 반흔과 일치하여 저신호 영역이 확인된다. 하단의 dynamic MRI에서는 종양

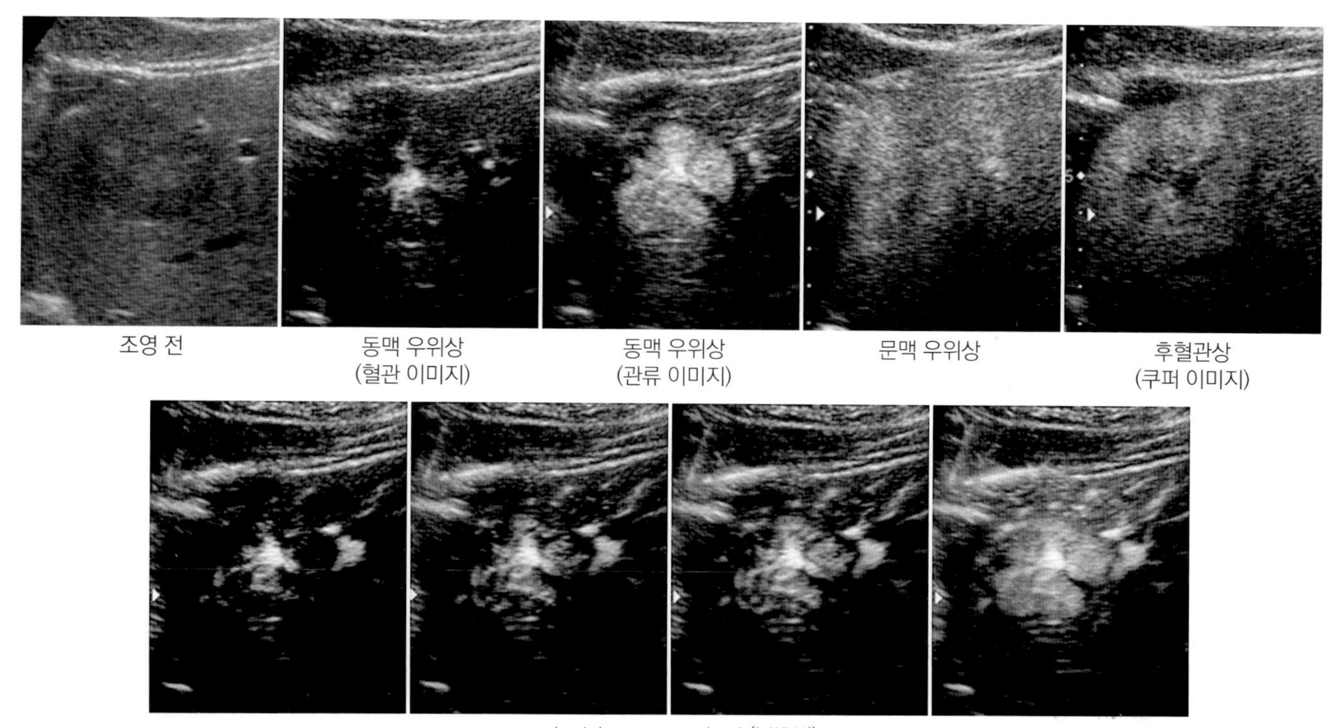

그림 13. 국소 결절성 과증식(FNH)
상단은 조영초음파, 하단은 조영초음파의 MIP법을 나타낸다.

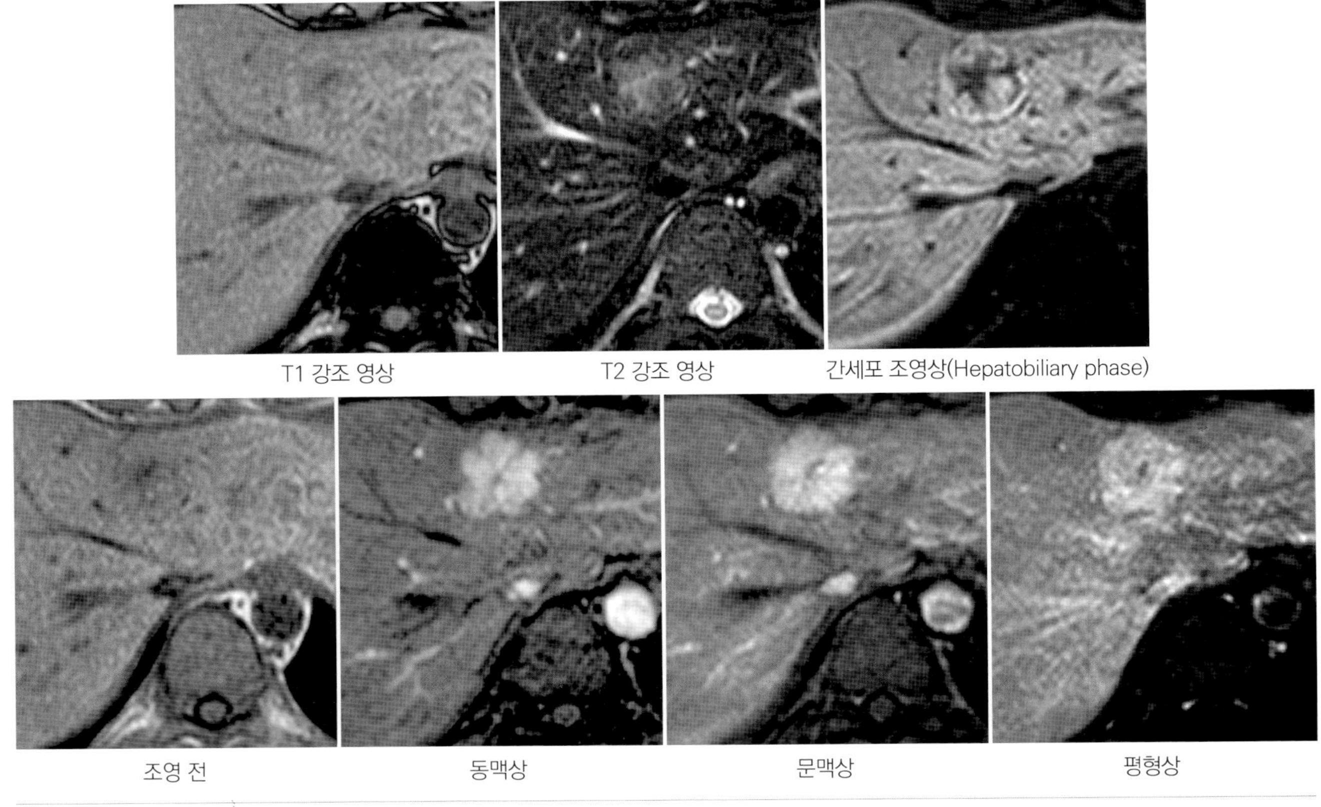

그림 14. 국소 결절성 과증식(FNH)
Gd-EOB-DTPA조영 MRI. 하단은 dynamic MRI를 나타낸다.

이 조기부터 조영증강되어 평형상까지 지속되고 있다. **그림 15**는 single slice 간동맥 조영 CT (CTHA)이다. 종양 중심부에서 방사형으로 뻗어나가는 혈관이 나타나 있는데, **그림 16** 상단의 경동맥성 문맥 조영 CT (CTAP)에서는 결손, 간동맥 조영 CT에서는 조영증강을 나타내고 있다. 하단은 혈관 조영술인데 중앙에서 방사형으로 뻗어 나간 혈관을 확인할 수 있다. 조영초음파는 시간 분해능이 뛰어나 혈관 구조를 가장 선명하게 나타낼 수 있다.

그림 17도 국소 결절성 과증식의 증례로 상단 조영초음파의 동맥 우위상에서는 2개의 중심 반흔이 있는 것처럼 보이는데, 하단의 MIP 법으로 최종 확인되었다.

6. 기타 종양

Angiomyolipoma (AML, 혈관근육지방종)는 간에서 드물게 발생하는 양성 종양의 하나이다. 문자 그대로 혈관, 근육, 지방 세가지 성분으로 이루어진 종양으로 각각의 성분이 20% 이상의 비율로 혼합되어 있는 경우가 보통이다. **그림 18**이 전형적인 예이다. B모드 이미지는 고에코를 나타내며 동맥 우위상에서 조영증강을 보인다.

비장증(splenosis)은 비장 절제술(splenectomy)이나 비장 파열에 따라 파종성(dissemination) 비장 조직이 복막에 부착되어 무경성(sessile)으로 발육한 것으로, 때로는 간종양과의 감별이 필요하다. **그림 19**는 간 우엽 표면에 있는 비장으로 간종양과 감별하기 어렵다. 그러나 상단의 후혈관상에서 종양 부분이 조영증강 되어 있다. 소

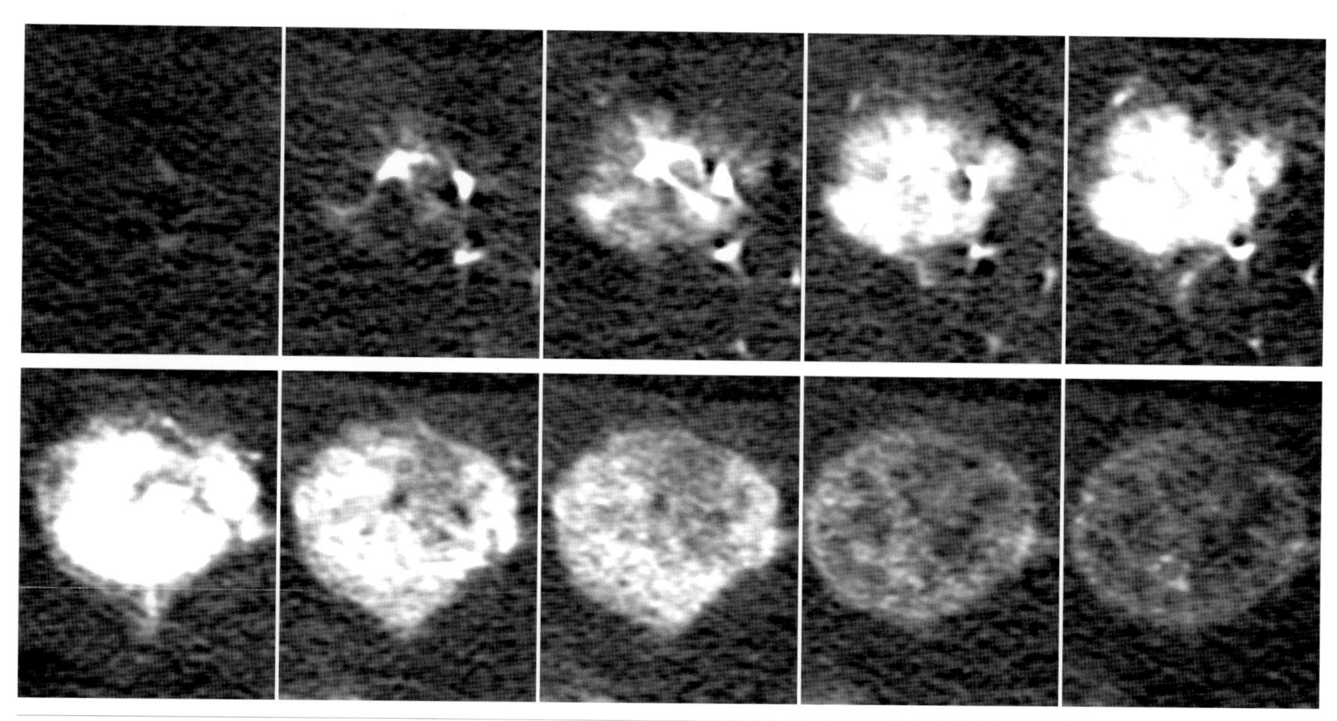

그림 15. 국소 결절성 과증식(FNH)
single slice CTHA를 나타낸다.

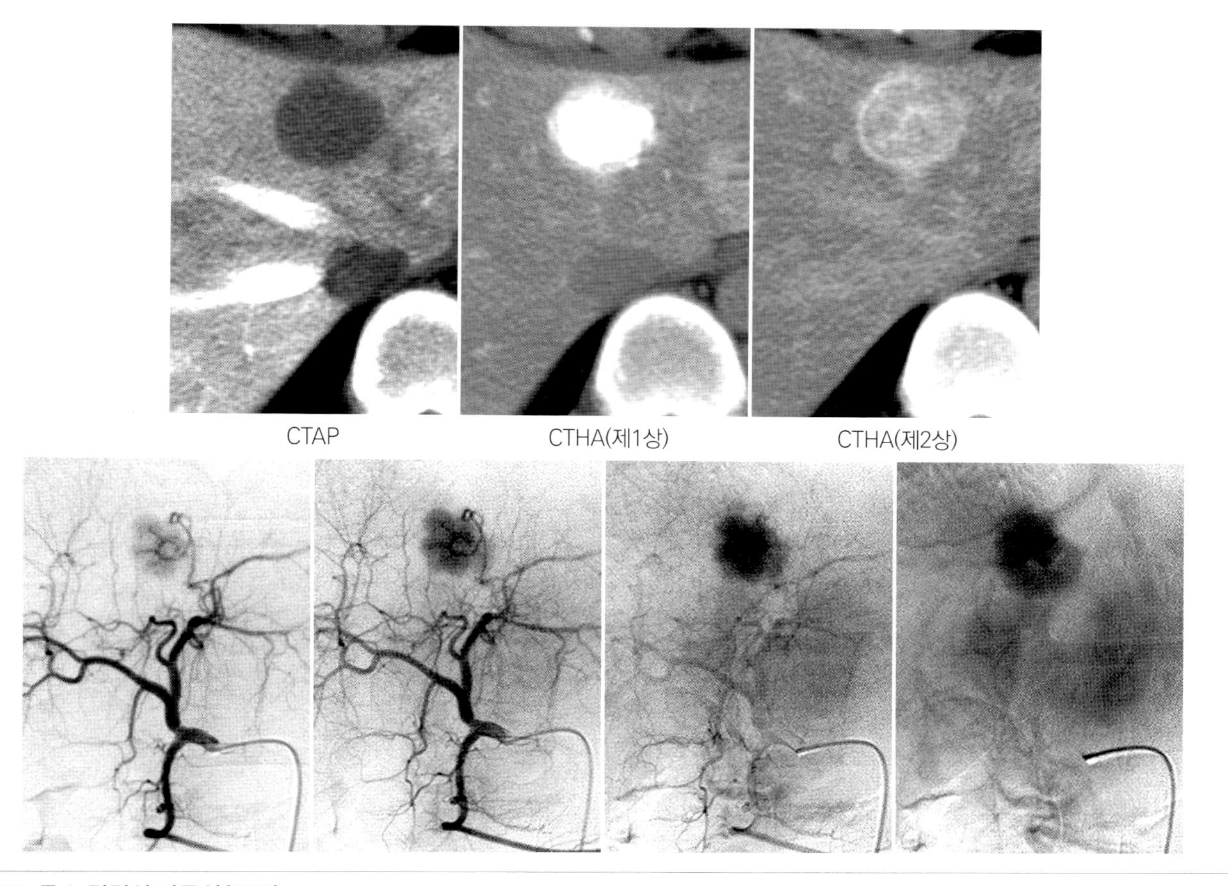

그림 16. 국소 결절성 과증식(FNH)
상단은 혈관 조영하 CT, 하단은 혈관 조영을 나타낸다.

나조이드는 간보다 비장에 더 많이 트랩(trap)되는 것으로 보고되었으며, 따라서 고에코 소견으로 나타났다고 생각된다. 하단 replenishment method를 통한 MIP법에서는 종양 혈관 등은 확인되지 않는다. **그림 20**의 MRI 상을 보면 상단의 T2 강조 화면에서는 약간 고신호를, 간세포 조영상에서는 저신호를 나타낸다. Dynamic MRI arterial phase에서는 종양이 조영증강 된 것처럼 보인다.

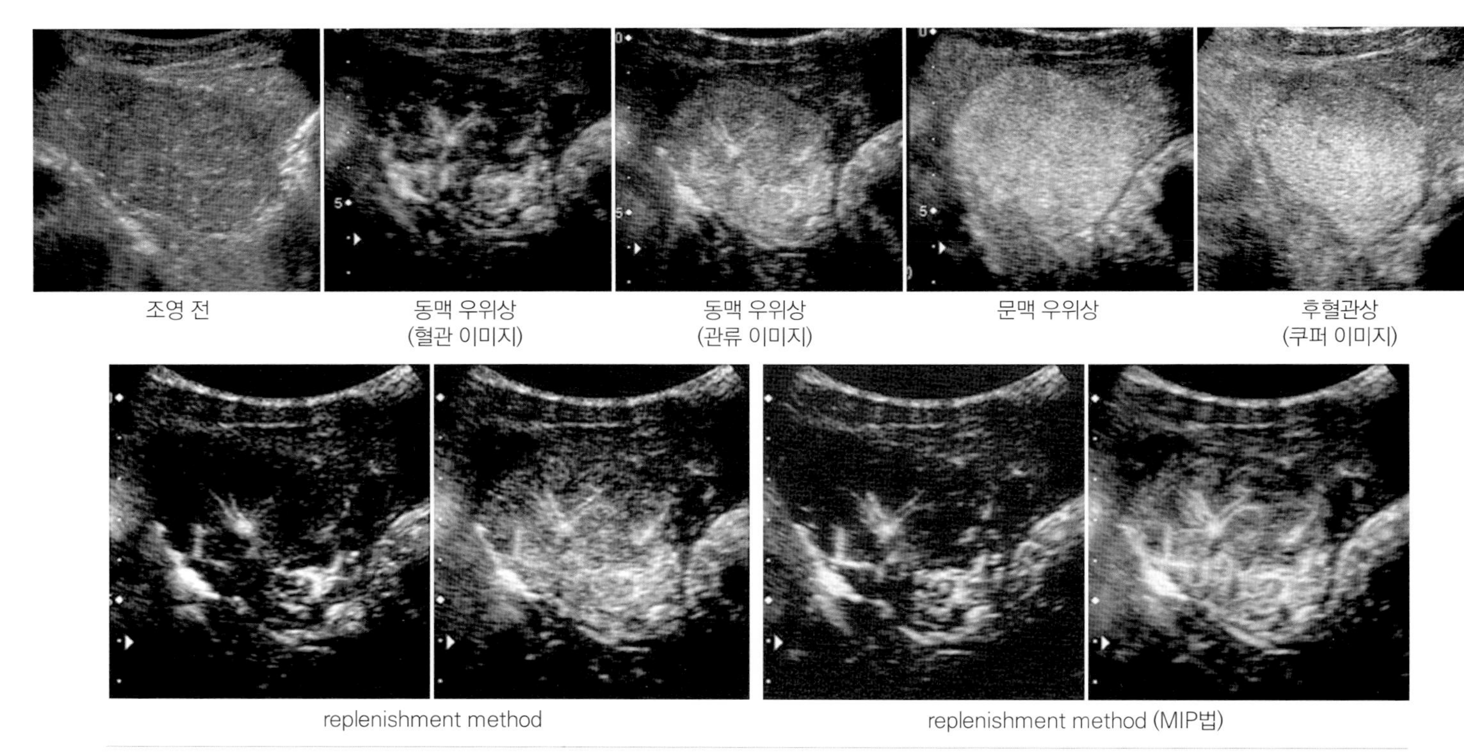

그림 17. 국소 결절성 과증식(FNH)

상단은 조영초음파, 하단은 조영초음파의 replenishment method 및 MIP 법을 나타낸다.

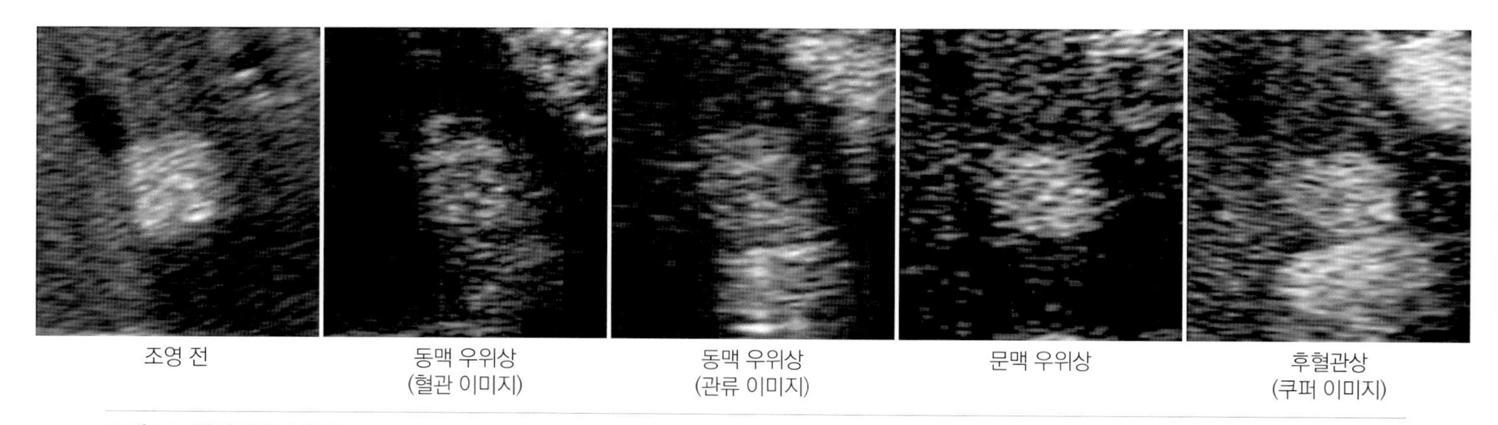

그림 18. 혈관근육지방종

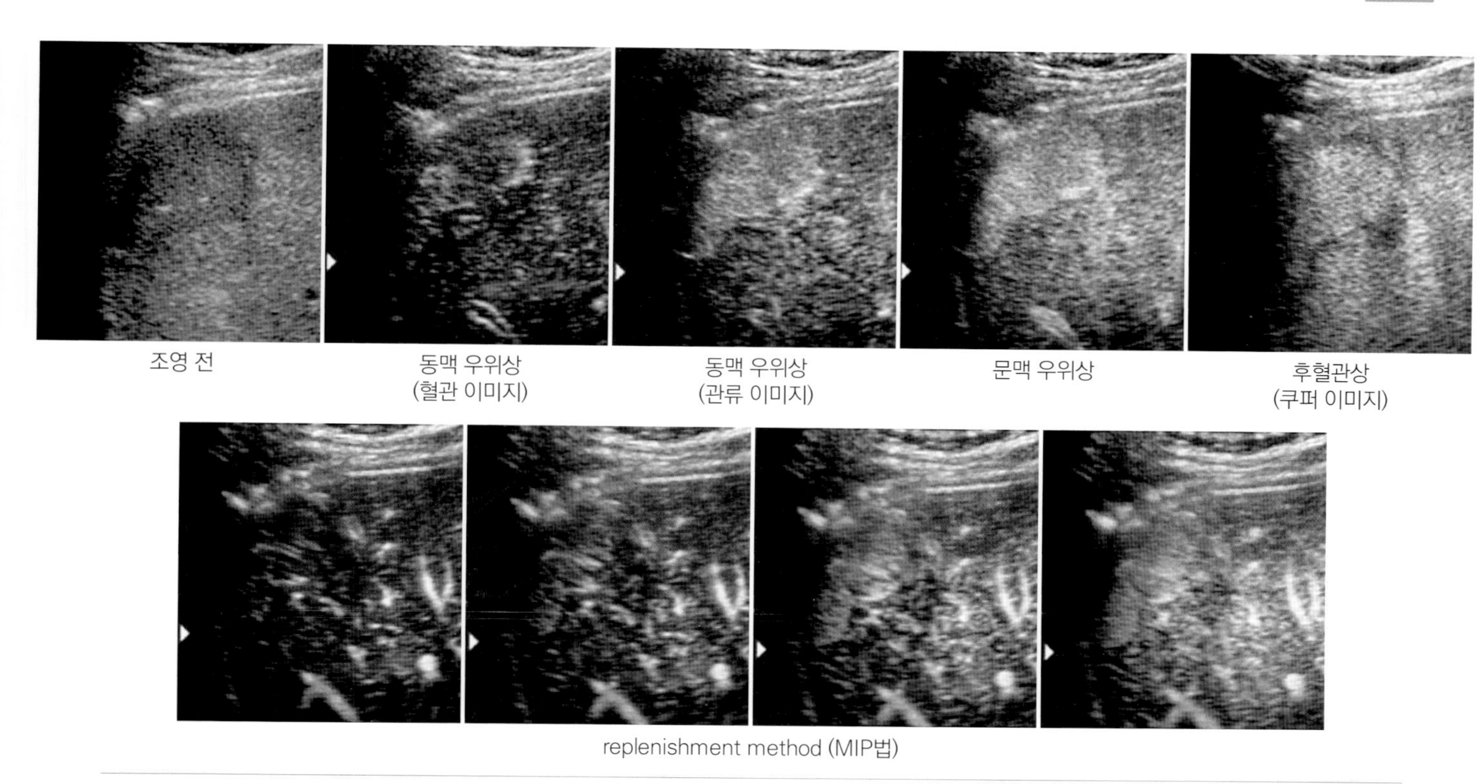

그림19. 비장증(splenosis)

상단은 조영초음파, 하단은 조영초음파의 MIP법을 나타낸다.

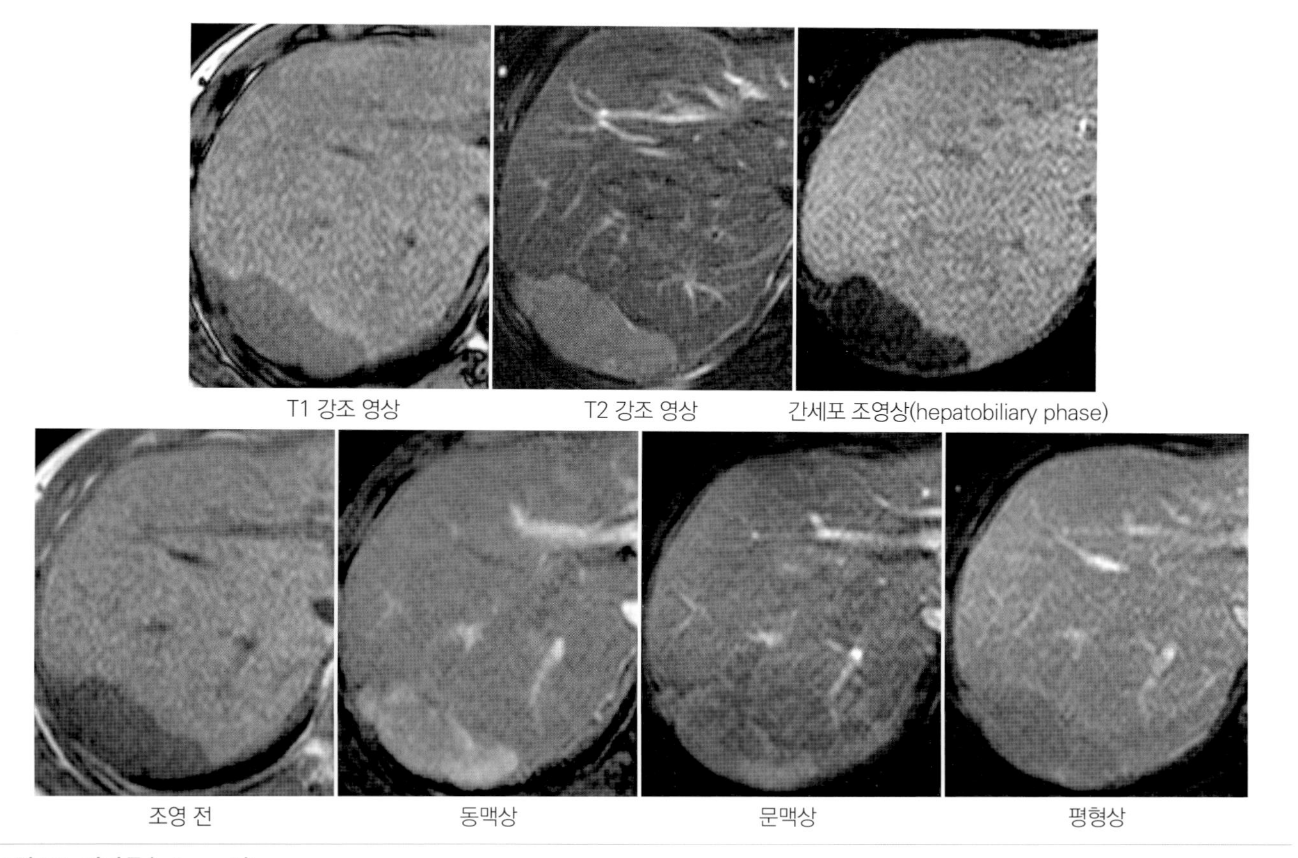

그림 20. 비장증(splenosis)

Gd-EOB-DTPA 조영 MRI. 하단은 dynamic MRI를 나타낸다.

참고문헌

1 日本超音波医学会用語・診断基準委員会：肝腫瘤の超音波診断基準. 超音波医学, 39(3)：317～326, 2012.

2 EFSUMB Study Group, et al.：Guidelines and Good Clinical Practice Recommendation for Contrast Enhanced Ultrasound (CEUS) —Update 2008. *Ultraschall Med.*, 29(1)：28～44, 2008.

3 日本肝癌研究会編：臨床・病理 原発性肝癌取扱い規約(2009年6月) 第5版補訂版. 17～18, 金原出版, 2009.

4 日本肝癌研究会編：臨床・病理 原発性肝癌取扱い規約(2009年6月) 第5版補訂版. 48, 金原出版, 2009.

5 斎藤明子：超音波検査による細胆管癌の診断．肝細胞癌治療における局所再発の抑制とsafety/surgical marginの必要性—画像による解析—. 混合型肝癌, 細胆管脂肪癌, 硬化型肝細胞癌(scirrhous) の病理と画像診断の考え方. 高安賢一監修, 59～61, メディカルトリビューン, 2009.

6 Semelka, R.C., et al.：Perilesional enhancement of hepatic metastases: correlation between MR imaging and histopathologic findings—initial observations. *Radiology*, 215：89～94, 2000.

7 Gabata, T., et al.：Imaging diagnosis of hepatic metastases of pancreatic carcinomas: significance of transient wedge-shaped contrast enhancement mimicking arterioportal shunt. *Abdom. Imaging*, 33：425～427, 2008.

8 工藤正俊, 畑中絹世, 鄭 浩柄, 他：肝細胞癌治療支援におけるSonazoid造影エコー法の新技術の提唱：Defect Re-perfusion Imagingの有用性. 肝臓, 48：299～301, 2007.

9 森安史典, 飯島尋子：微小気泡造影剤を使った造影超音波診断の現状と展望. 映像情報Medical, 38：570～578, 2006.

10 Dietrich, C.F., et al.：Differentiation of focal nodular hyperplasia and hepatocellular adenoma by contrast-enhanced ultrasound. *Br. J. Radiol.*, 78：704～707, 2005.

11 Kim, T.K., et al.：Focal nodular hyperplasia and hepatic adenoma: differentiation with low-mechanical-index contrast-enhanced sonography. *Am. J. Roentgenol.*, 190：58～66, 2008.

12 Huppertz, A., et al.：Enhancement of focal liver lesions at gadoxetic acid-enhanced MR imaging: correlation with histopathologic findings and spiral CT—initial observations. *Radiology*, 234：468～478, 2005.

13 Dietrich, C.F., et al.：Contrast-enhanced ultrasound of histologically proven liver hemangiomas. *Hepatology*, 45：1139～1145, 2007.

조영초음파 진단(증례 편)

4-3. 소나조이드 조영초음파 검사가 유용한 증례

니시다 무쓰미 |
홋카이도 대학병원 검사·수혈부/초음파 센터

시작하며

제1세대 조영제 레보비스트®는 혈류진단, 쿠퍼(Kupffer) 진단 모두 가능하였으나 주로 조영제를 파괴하여 조영 효과를 얻는 방법이었기 때문에 조영 효과는 짧고 조작도 복잡하여 일반적인 보급까지 이르지 못하였다. 제2세대 소나조이드®는 조영제가 파괴되지 않을 정도의 저음압(low MI)으로 공진시켜서 조영 효과를 얻는 방법이기 때문에, 혈관상(vascular phase)에서 지속적으로 실시간성을 유지하면서 결절의 혈류 동태를 평가할 수 있게 되었다. 또한 10분 이후의 후혈관상(post vascular phase)은 조영제의 쿠퍼 세포 흡수를 이용한 쿠퍼 이미징으로 실시하는데, 혈관상과 마찬가지로 조영제의 공진에 의해 조영 효과를 얻을 수 있으므로 지속적인 조영 효과가 있어 반복 관찰이 가능하다. 조영 지속 시간이 길기 때문에 검사자 측의 조영검사에 대한 정신적 부담도 줄어들고 조작이 용이해졌다. 이러한 이유로 소나조이드 조영초음파 검사(소나조이드 조영 US)는 결절의 존재 진단, 질적 진단, 치료 가이드 등에 널리 이용되고 있다. 그러나 현재 단계에서는 일본 전국으로의 보급이 충분하다고 할 수 없으며, 향후 소나조이드 조영 US의 한층 더 높은 보급이 기대된다.

따라서 이번에는 본 기관의 경험을 통해 임상에서 소나조이드 조영 US가 유용한 간 종괴성 병변에 대하여 기재하고 그 유용성을 이해하며, 앞으로의 소나조이드 조영 US 보급에 보탬이 되고자 한다.

1. 임상에서 소나조이드 조영초음파의 위상

임상에서의 소나조이드 조영 US의 위상 및 역할을 **그림 1**에 나타낸다.

간내 결절의 존재 진단에 관한 다른 영상 진단과의 대비를 보면 소나조이드 발매 전 임상 3상 시험 보고에서 1 cm 이하의 결절 발견율은 조영 전(baseline) US보다 소나조이드 조영 US가 높고($P<0.001$), dynamic CT 보다 소나조이드 조영 US가 유의하게 높았다($P=0.008$).[1] 따라서 소나조이드 조영 US는 1 cm 이하의 결절 발견에 유용하다는 것을 알 수 있다.

간내 결절의 질적 진단에서는 조기 간세포암(hepatocellular carcinoma, HCC)의 화상 진단에서 EOB-MRI가

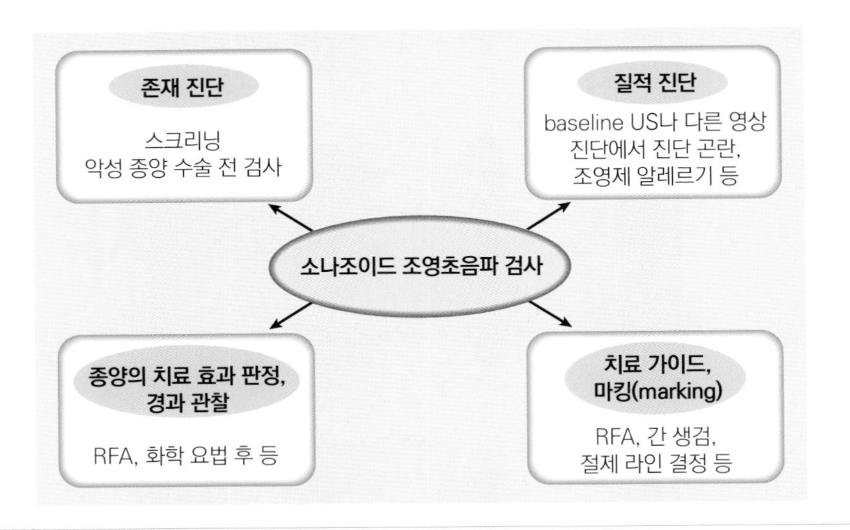

그림 1. 소나조이드 조영초음파 검사의 임상에서의 위상 및 역할

우수한 것으로 인식되고 있으나, EOB-MRI의 경우 최근 이형결절에서도 간세포상(hepatobiliary phase)에서 저신호(low signal)를 보이는 결절이 있는 것이 보고되고 있다. 소나조이드 조영 US에서 이형결절은 조영 결손(defect)을 나타내지 않으며, 결손을 나타낸 결절은 간세포암일 가능성이 높아서 치료 시작의 기준으로서 유용하다고 보고되고 있다.[2,3] 앞으로 조기 간세포암에 대한 치료 시작의 시기 결정에 소나조이드 조영 US가 공헌할 것으로 생각된다. 또한 HCC의 분화도 진단이나 육안형 진단에 대한 소나조이드 조영 US의 유용성도 보고되고 있다.[3]

부작용의 관점에서 소나조이드는 임상에서 사용되는 조영제 가운데 가장 부작용이 적다고 할 수 있다. 현재까지 쇼크(shock)나 신부전과 같은 심각한 부작용은 보고되지 않았다. 영상 진단에서 일상적으로 시행되는 CT·MRI 검사는 주로 신배설(renal excretion) 조영제가 사용되지만, 소나조이드는 호흡기 배설이므로 신장에 부담을 주지 않는다. 그리하여 소나조이드는 신기능부전 환자라도 안심하고 사용할 수 있다. 또한 천식, 갑상선 기능항진증, 심장 박동기(pacemaker) 등 체내에 금속이 있는 경우 등 CT·MRI 조영제 사용이 금지 또는 주저되는 증례에서도 사용 가능하다. 2011년 3월 발생한 동일본 대지진에서의 후쿠시마 원전 사고 이후 방사선 피폭에 대한 환자 측의 인식이 높아졌다. CT 검사는 피폭이 우려되지만 US는 CT와 달리 방사선 피폭은 없다. 예를 들어 CT 검사를 1회 실시하면 5~30 mSv 피폭이 있다고 되어 있다(독립행정법인 방사선의학 종합연구소 HP에서 인용). 자연 방사선 피폭의 평균 2.4 mSv (UNSCEAR 2008년 보고)[4]와 비교하면 수~수십 배의 선량이 된다. 피폭선량의 문제보다 질환 진단이 우선시되는 것은 당연하지만 양성 결절이 의심되어 만약을 위해 검사를 하는 등 반드시 CT 검사가 필요하지 않은 경우, 소나조이드 조영 US는 대체 영상 검사가 될 것으로 생각된다.

주의해야 할 점은 유용성이 높은 소나조이드 조영 US도 원래 조영 전 US (B-mode US)에서 결점으로 여겨지는 관찰이 어려운 부위나 피검자의 체형에 따라 검사에서 얻을 수 있는 데이터가 달라질 수 있으므로 때때로 정확한 진단에 이르지 못한 예도 존재한다는 점이다. 조영초음파의 원리에서 볼 때, 초음파가 닿지 않는 부위는 조영제를 쓴다고 해도 조영제의 공진이 일어나지 않기 때문에 조영 효과를 얻을 수 없다. 또 조영 조건 설정을 소홀히 하면 최적의 조영 효과를 얻을 수 없는 경우도 있기 때문에 조건 설정이나 장치에도 유의할 필요가 있다.[5] 소나조이드 조영 US를 시행하는 검사는 이러한 점에 주의하여 검사의 한계(pitfall)를 충분히 인식할 필요가 있다.

그리고 현재 소나조이드가 보험에서 인가받고 있는 것은 간 종괴성 병변 뿐이기 때문에 이번에는 그에 대한 유용성에 대해서만 기술하려 한다. 다른 영역에서도 사용한다는 보고가 많이 있지만 실제로 사용하려면 기관 윤리위원회 등의 승인을 받아야 하기 때문에 신중하게 대응할 필요가 있다(일본에서만 해당).

2. 유용한 대상

1) 존재 진단: 정기 또는 선별 검사(screening test)로서

■ HCV, HBV 간염 환자의 정기 선별 검사

간경변 등 간 섬유화가 진행된 증례나 고주파 소작술(radiofrequency ablation, RFA), 간동맥 화학색전술(transcatheter arterial chembolization, TACE) 등의 치료를 자주 반복하는 증례에서는 결절의 발견이나 동정이 B 모드 US 만으로는 어렵다. 그러한 증례에는 소나조이드 조영 US 시행이 바람직하다.

■ 악성 종양 수술 전 선별 검사

악성 종양의 외과적 절제 전에는 후혈관상에서 고주파 탐촉자(probe)에 의한 간 표면의 관찰을 추가할 것을 권장한다. 조영 CT에서 (존재)진단이 어려운 작은 결절 발견에 유용하다(**그림 2**). 특히 췌장암, 담관암, 담낭암 등에서 간 표면에 작은 전이가 발견되는 경우가 많다. 췌관암(pancreatic ductal cell carcinoma)이나 담도암에서는 간 전이가 발견되면 일반적으로 외과적 절제는 선택하지 않고 전신 화학 요법으로 이행한다. 따라서 간 전이의 유무는 그 후의 치료 방침에 크게 영향을 미친다. 또한 절제 예정 외의 영역에서 간 전이가 발견되면 술식 변경 등 치료에 영향을 미치기 때문에 소나조이드 조영 US가 수행하는 역할은 크다(**그림 3**). 간 표면에 있는 1 cm 이하의 작은 결절은 현재까지 결절의 진단 정확도가 가장 높다고 알려진 EOB-MRI에서도 발견하기 어려운 경우가 있다.

본 기관에서 실시한 전이성 결절에 대한 소나조이드 조영 US와 SPIO-MRI의 비교 연구 결과를 기술한다.[6] 대상은 93개 증례, 94개 결절(이 중에서 조직을 얻은 결절은 54개), 연령 27~84세(평균±2SD, 64.2±11.8세), 확정 진단은 조직 검사 또는 3개월 이상의 영상 진단에 의한 경과 관찰로 실시하였다. 전이 양성은 39개 증례, 94개 결절이었고 전이 음성은 54개 증례였다. 소나조이드 조영 US에서는 78/94개 결절(83.0%), SPIO-MRI에서는 67/94개 결절(71.3%)을 확인하였다. 소나조이드 조영 US에서 파악되지 않은 결절은 16결절, 평균 직경 7.9 mm, SPIO-MRI에서는 27결절, 평균 직경 7.7 mm 였다. 소나조이드 조영 US에서 더 작은 결절을 발견하는 경향이 있었으나 SPIO-MRI와의 사이에 유의한 차이는 없었다(P=0.09). 소나조이드 조영 US와 SPIO-MRI의 일치율은 κ (kappa) 값 0.81로 양호하였다. 이 결과로부터 소나조이드 조영 US는 SPIO-MRI에 필적하는 진단능을 보유한 영상진단법이라 할 수 있다. 또한 SPIO-MRI에서는 1 cm 이하의 간 전이나 혈관종 진단이 어려웠고, 소나조이드 조영 US에서는 화학요법 후 등의 고에코성 결절에 대한 감별이 어려운 경향이 있었다.

■ 조영 전(B모드) US에서 인식이 어려운 결절의 동정

조기의 작은 간세포암 등 B모드 US만으로는 결절 여부를 진단하기 어려운 경우가 많다. 소나조이드 조영 US에서는 혈관상에서, 결절을 의심하는 부위에 일치한 arterial phase(동맥상)에서의 강한 조영증강 효과를 포착할 수 있는 것이 이상적이나 결절이 확실하게 인식되지 않으면 기대한 조영증강 효과를 확인할 수 없는 경우가 많다. 조영 전 US에서 결절이 동정 되어 있지 않은 경우는 후혈관상에서의 결손을 나타낸 부위에 조영제의 re-injection (defect re-injection method[7])이 유용하다(**그림 4**). 또한 조영 전 US에서 확인되지 않은 결절이 후혈관상에서 확인된 경우 간 낭종(cyst), 혈관종(hemangioma) 또는 악성 결절인지 진단할 때도 defect re-injection method는 유용하다.

※ 소나조이드는 1바이알(vial)을 2 mL의 전용 용해수로 현탁하여 제작한다. 체중이 60 kg일 때 1회 사용량은 간경변 환자의 경우에도 0.6 mL (0.01 mL/kg 환산)이다. 후혈관상에서 결손에 대하여 처음과 같은 양(0.6 mL)~약간 적은 양(0.5 mL) 등으로 재정주 하는 경우에도 re-injection의 양은 바이알(vial) 중에 남아 있기 때문에 1명의 환자에게 조영제를 2회 사용해도 추가 비용은 발생하지 않는다. 또한 re-injection 등으로 여러 번 투여하여도 반복 투여에 대한 알레르기 반응은 보고된 바 없다.

전이성 결절 특히 대장암, 위암 등 간 전이에 대한 화학요법 후의 결절에서는 등에코(isoechoic)에서 고에코(hyperechoic)를 나타내는 결절이나 경계가 불명료해지는 예가 많으므로 소나조이드 조영 US의 후혈관상에서 조영 결손 유무 확인이 유용할 수 있다(뒤에 기술한 "치료 효과 판정, 경과 관찰" 참조).

2) 질적 진단: 조영 전 US 또는 다른 영상 진단에서 확인된 종양 등

■ 종양 직경 1 cm 이하의 작은 결절

종양 직경이 1 cm 이하인 결절에서는 dynamic CT로도 진단이 어려운 경우가 있다. 또한 조영 CT에서 작은 저밀도 영역(low density area: LDA)이 확인된 경우 간 낭종과, 혈관종, 전이성 결절 등과의 감별이 종종 문제가 된다.[8] 이러한 증례에 소나조이드 조영 US는 유용하다.[8]

■ CT · MRI 로 진단을 내리기 어려운 결절

영상진단은 하나의 진단방법으로 실시하는 것보다 두 가지 이상의 진단을 결합하면 정확도가 높아진다. B 모드 US는 1차적(first choice) 진단검사로서 이용되어 왔으나 소나조이드 조영 US는 두 번째 정밀 조사의 진단법으로서 권장된다.

본 기관에서 실시한 검토 결과[9]를 기재한다. 대상은 조영 CT·MRI에서 확정 진단을 하지 못한 50개 증례, 64개 결절(이 중 조직학적 진단 51개 결절), 연령 1~83세(평균±2SD, 60.7±15.3세), 결절 직경 6.1~109.0 mm(평균±2SD, 33.6±24.3 mm)로, 확정 진단은 조직 검사 또는 1년 이상의 경과 관찰을 통한 임상 영상진단으로 시행하였다. 정확성(accuracy)은 50결절(37개 증례) 78.1%였다. 또한 주요 각 결절의 확정 진단율은 HCC 92.2%(16결절), ICC(간내 담관암), 89.1%(7결절), 전이성 결절 89.1%(15결절)이었다. 소나조이드 조영 US의 시간 분해능(time resolution), 높은 콘트라스트 분해능(high-contrast resolution)에 의한 결과로 생각된다(그림 5~7).

■ CT·MRI 조영제 알레르기, 신기능 부전, 천식 등의 증례

CT·MRI 조영제는 대부분이 신배설이지만, 소나조이드는 호흡 배설이기 때문에 안심하고 사용할 수 있다(그림 8, 9). 또한 조영제의 양도 본 기관에서는 0.0075 mL/kg (첨부문서의 권장 투여량의 반) 환산으로 사용하였으므로 체중 60 kg의 환자에서는 0.45 mL로 소량이다. 달걀 알레르기가 있는 환자는 소나조이드 사용을 금기하므로 주의한다.

■ B모드 US에서 진단이 어려운 결절

B형, C형 간염 바이러스에 의한 만성 간염, 간경변 증례의 B모드 US에서는 주변 간실질의 섬유화 등으로 결절의 존재 진단이 곤란하거나 존재 진단이 확실하다고 해도 재생 결절인지 HCC인지 질적 진단이 곤란한 예가 많이 존재한다. 지금까지는 도플러(doppler)로 혈류 진단을 해 왔지만, 도플러는 혈류 감도가 낮기 때문에 혈류 신호가 나타나지 않는다고 해서 반드시 혈류가 없다고는 할 수 없다. 그러한 경우에도 소나조이드 조영 US는 상세한 혈류 진단과 쿠퍼 진단을 할 수 있으므로 유용하다(그림 10).

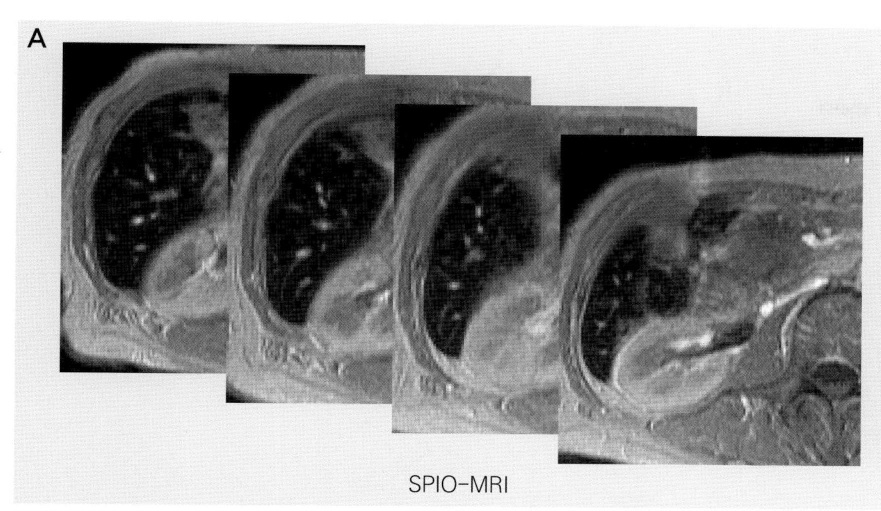

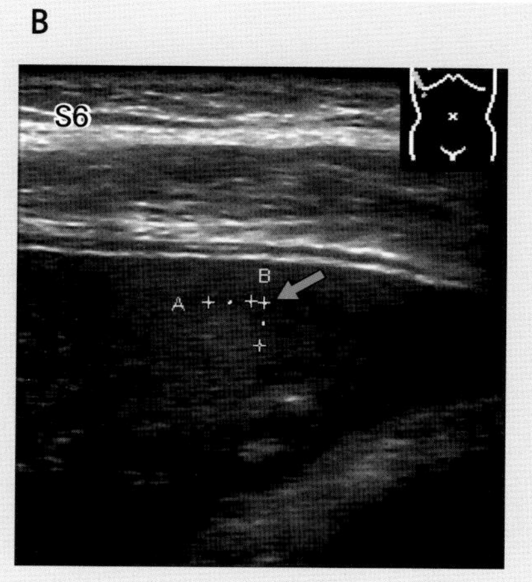

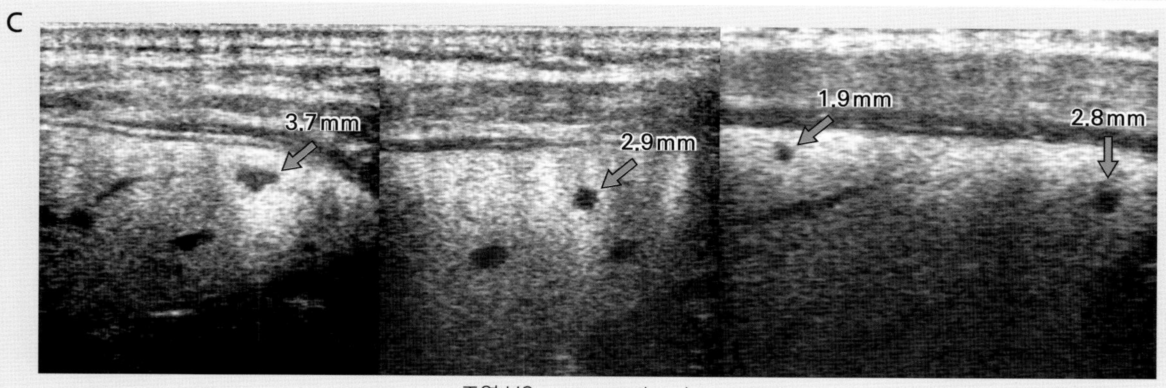

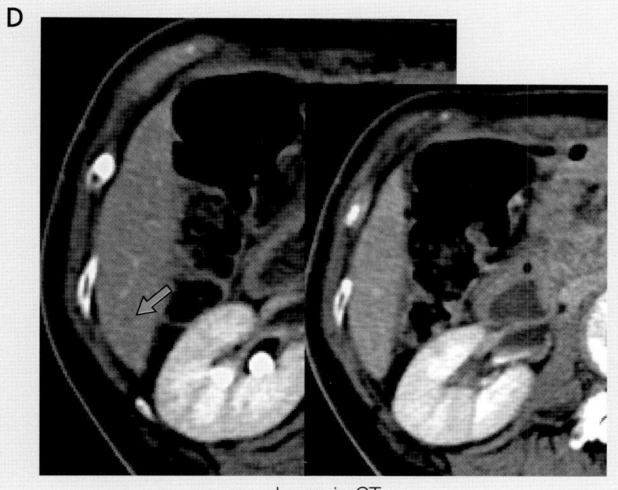

그림 2. 증례 1 췌장두부암 수술 전 정밀 조사에서 신규 병변 확인

A : SPIO-MRI (long TE)에서 간 내에 새로운 결절은 확인되지 않았다.

B : base line US에서는 S6 표면에 희미한 고에코 결절을 1개만 확인하였다.

C : 후혈관상(post vascular phase)에서 7.5 MHz 탐촉자를 이용한 관찰에 의해 base line US에서 지적한 S6 결절 이외에 새롭게 3개, 합계 4개의 clear defect를 확인하였다.

D : 2주 후의 dynamic CT에서 S6에 LDA (low density area, 저흡수역)가 신규로 출현하였다.

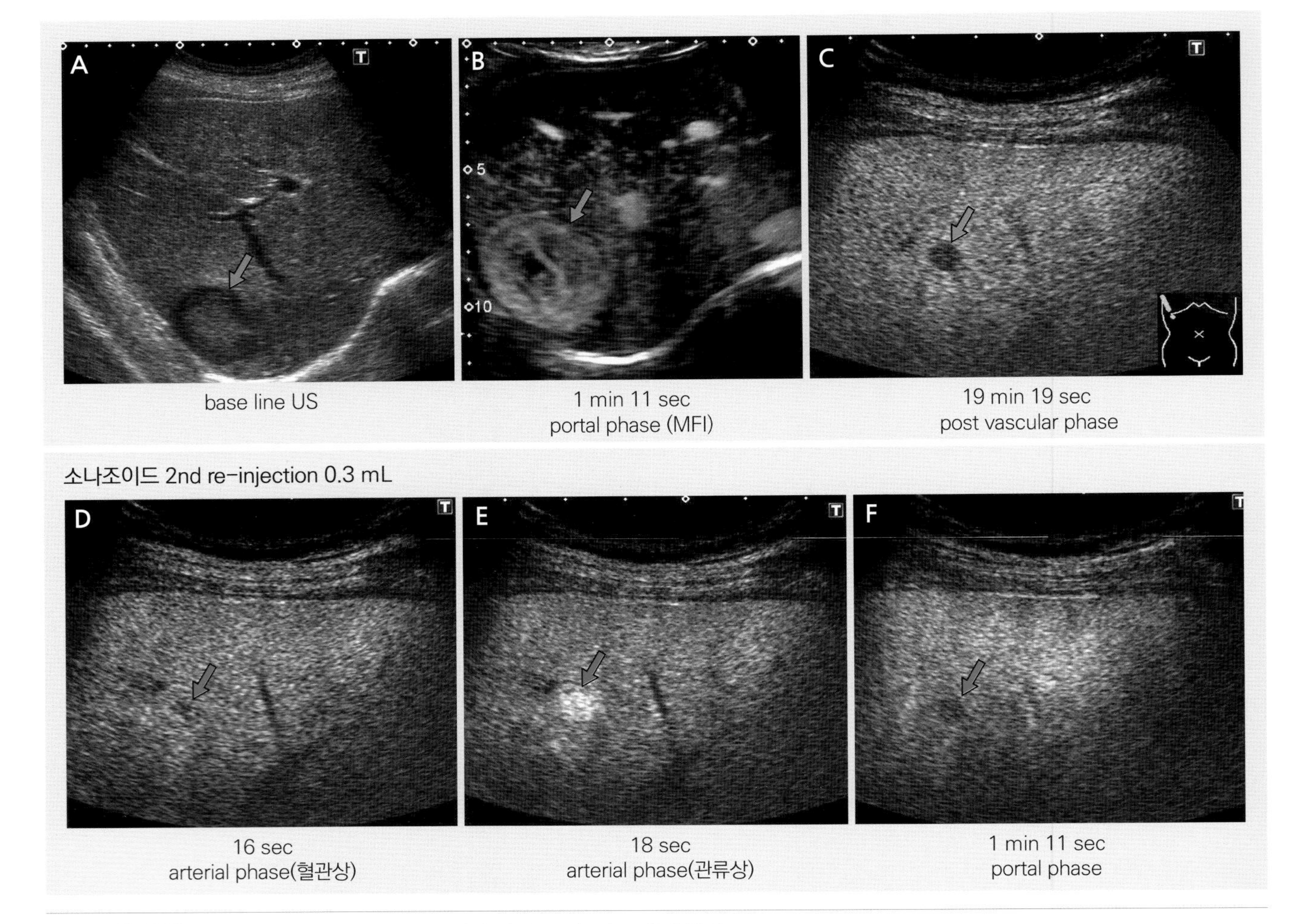

그림 3. 증례 2 **간 전이성 결절 또는 복강 내 재발 감별 목적, 신규 병변 확인**

A : baseline US에서는 조영 CT 검사로 확인된 S7에 접하여, 변연에 폭이 넓은 저에코대를 수반한 경계가 명료한 결절을 1개만 확인하였다.

B : 존재 부위, 질적 진단(악성도 판정) 목적으로 결절에 대한 소나조이드 조영 US를 시행하고, MFI (micro flow imaging)로 중심부를 관통하는 선 모양의 혈관 구축과 변연에 밀접한 혈관 구축(dense vascularization)을 확인하였다.

C : 후혈관상(post vascular phase)에서 S6에 경계가 명료한 작은 clear defect를 확인하였다.

D : defect에 대하여 re-injection 시행. arterial phase(혈관상)에서 defect에 일치하여 변연에 링 형태의 조영증강 효과를 확인하였다.

E : arterial phase(관류상)에서 강한 조영증강 효과가 확인되었다.

F : portal phase에서 결절 내 조영제의 wash out을 확인하였다.

3) 치료효과 판정, 경과 관찰

■ 악성 종양에 대한 화학 요법 중·후의 간 전이 선별 감시 검사(screening test)

단순·조영 CT 소견과 종양 마커(tumor marker, 종양 표지자)의 상승이 서로 일치하지 않는 경우 소나조이드 조영 US 소견으로 치료 효과를 확인하는 등 조영 CT 등에서 동정이 어려운 작은 결절도 조영 US로 존재 진단이 가능한 경우가 있어 매우 유용하다.[7] 또한 악성 종양의 화학요법 후 결절은 종종 경계가 불명료해지며 일반 B모드 US에서는 동정이 어렵기 때문에 소나조이드 조영 US의 좋은 적응증이 된다. 이 경우에는 후혈관상에서의 전체 간 스캔(scan)에서 defect re-injection method[7]가 유용하다. 후혈관상에서 defect를 포착하여 존재 진단, 조영제의 re-injection으로 질적 진단(혈류 진단)을 실시할 수 있다. 또한 대장암에서는 고에코를 나타내는 결절이 많다. 일반적인 pulse subtraction 법은 고

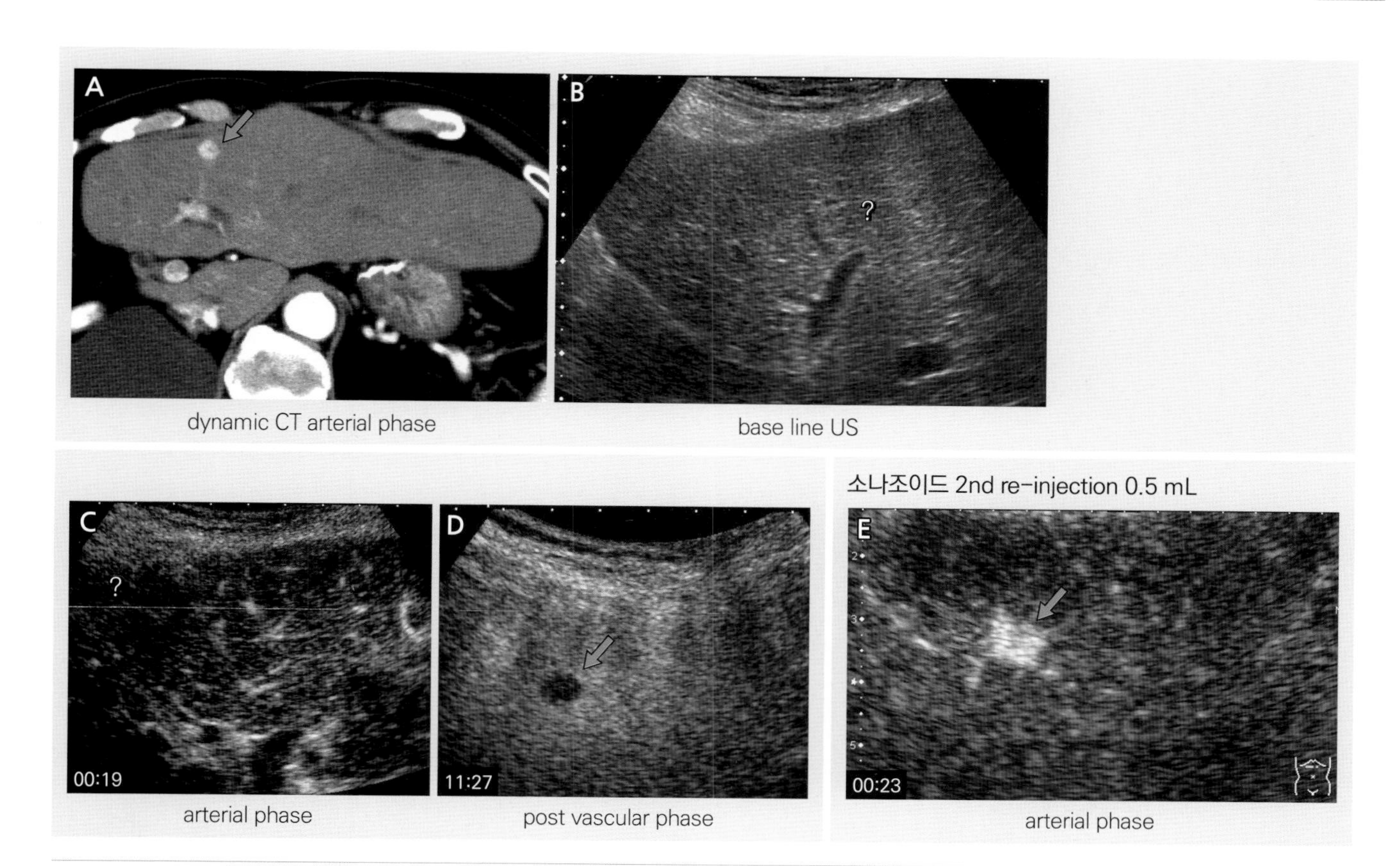

그림 4. 증례 3 HCC 재발 의심, 조영 전 US에서 병변 확인 지적 불가

A : dynamic CT 동맥 우위상에서 S3에 조영증강이 확인되었고, HCC 재발이 의심되었다.
B : baseline US에서 결절의 동정은 어려웠다.
C : 조영 US vascular phase에서 CT로 확인한 영역에 주변 간 실질과 다른 조영증강 효과는 관찰되지 않았다.
D : 후혈관상(post vascular phase)에서 S3에 경계가 명료한 구형의 defect를 확인하였다.
E : Defect에 대하여 re-injection method를 시행. Defect 부위에 일치하여 arterial phase에서 강한 조영증강 효과를 확인하였다. HCC 재발의 소견이었다.

에코 결절의 고에코와 조영제의 고에코 신호가 겹쳐져 후혈관상의 결손을 알기 어려워진다. 고에코 결절에 대하여 소나조이드 조영 US를 실시할 때에는 ① MI 값(mechanical index)을 내린다. ② 조영 모드에는 pulse subtraction 법이 아니라 tissue suppression mode 등 amplitude modulation 법을 이용하는 등 배경 조직으로부터의 신호를 억제하는 등의 노력이 필요하다. 또 후혈관상에서는 고음압(high MI)으로 조영제의 버블을 파괴하여 조영제의 흡수 유무 여부를 평가하는 레보비스트에 주로 이용된 방법의 advanced dynamic flow (ADF)도 유용하다(**그림 11, 12**).

4) 치료 가이드, 마킹(marking) 등

■ **조영 전(B모드) US에서 결절의 인식이 어려운 증례의 RFA 등 치료 가이드, 수술 중 마킹**

현재 고주파 소작술은 외과적 절제술에 이어 간세포암이나 전이성 결절 등에 대한 우수한 국소 치료 조절(control) 기능이 있는 저침습 치료로 널리 이용되고 있다. 고주파 소작술은 치료하고자 하는 종양에 바늘을 찔러 넣어(needling) 열치료를 하므로 타깃(target)이 선명하지 않으면 정확한 열치료를 할 수 없으며 성공률은 급감한다.[10] 간경변이 진행된 증례와 과거 국소 치료 경력이 다수 있는 증례에서는 어느 부분이 치료 대상의 결절인지 확인하기 어려운 경우가 많다. 그러한 경우에 소나조이드 조영 US에 의한 쿠퍼 진단과 혈류 진단이 유용하다. 혈관상으로부터 과혈관상(hypervascularity)의 유무, 치료 후의 잔존, 재발 진단을 실시하고 후혈관상으로부터 존재 진단을 실시한다. 종괴가 명료해진 시점에서 결손에 바늘을 찔러 넣어 천자 치료를 실시한다. 마찬가지로 간 종괴의 생검 시 타깃 확인에도 유용하다(그림 13~16).

수술 중 조영 US에서는 체표에서의 관찰과 달리 간에 직접 탐촉자를 대고 관찰하기 때문에 간(liver)에 사각(blind spot)이 존재하지 않는 것과 거의 같으며 7.5 MHz의 고주파 탐촉자를 사용할 수 있기 때문에 얻은 화상의 분해능(resolution)은 높고 선명하다. 수술 중 조영 US의 포인트는 MI 값이 높으면 조영 효과는 바로 사라지기 때문에 MI 값은 필요 최소한으로 설정한다. 간 수술에서는 간 종양의 위치, 크기를 아는 것이 중요하며 수술 전에 다른 영상 검사에서 결절이 확인되어 있어도 수술 중에 US로 확인되지 않으면 외과적 절제 분리선 설정이 어려워진다. 그러한 경우에는 수술 중 조영 US가 유용하다(그림 17, 18). 수술 중 조영 US에서는 고분해능(high resolution) 화상을 얻을 수 있기 때문에 체표에서는 발견되지 않았던 신규 병변이 확인된다는 보고도 있다.[11] 이러한 점에서 향후 수술 중 조영 US의 수요는 더욱 높아질 것으로 예상된다.

3. 임상례

증례 1 신규 병변 확인: 악성 질환 수술 전 정밀 조사 (그림 2)

70대 여성. 췌장 두부암으로 외과적 절제 예정. 수술 전 병기 결정을 위한 진단: dynamic CT, SPIO−MRI(그림 2A)에서는 간내 결절은 확인되지 않았다. 수술 전 시행한 조영 전 US에서 S6 표면에 희미한 고에코 결절을 1개 확인하였다(그림 2B). 소나조이드 조영 US의 후혈관상에서 7.5 MHz의 고주파 탐촉자를 이용한 관찰에서는 S6에 4개의 전이가 의심되는 결손을 확인하였다(그림 2C). 2주 후의 dynamic CT에서 S6에 LDA (low density area)가 새로 출현하였다(그림 2D). 외과적 절제가 중지되었고 전신 화학요법이 시행되었다.

증례 2 신규 병변 확인: 간 전이 결절의 외과적 절제술 전 정밀 조사(그림 3)

40대 여성. 좌측 부신 악성 갈색 세포종 수술 후. 지금까지 복강 내 재발에 대하여 2회의 고식적(palliative) 절제술 시행. 정기 경과 관찰 CT에서 간 S6/7에 LDA가 확인되었으며 간 전이 또는 복강 내 재발이 의심되었고, 재발 부위 진단을 포함한 수술 전 정밀 조사 목적으로 소나조이드 조영 US를 시행하였다.

조영 전 US에서는 확인된 S6/7에 경계가 명료한 저에코 결절을 확인하였다(그림 3A). 변연에 폭이 넓은 저에코대를 수반하고 있다. 그 밖에 간내에 전이가 의심되는 결절은 확인되지 않았다. 소나조이드 조영 US에서는 arterial phase(혈관상)에서 S6/7 결절 변연으로부터 내부로 유입되는 선 모양의 조영 효과를 확인하였으므로 간내의 전이성 결절이 의심되는 소견이었다. 조영제는 주로 간에 접한 부분에서 유입되었다. Arterial phase(관류상)에서 내부는 불균일하게 조영되었고 중심부의 조영 효과는 불량하였다. Portal phase(문맥상)에서 중심부 조영제의 wash out을 확인하였으며 변연의 조영 효과는 지체되고 있었다. MFI에서는 중심부에 선형, 결절 변연에는 풍부한 혈관 구축을 확인하였다(그림 3B). 후혈관상에서 결절은 clear defect를 나타냈으며 전이성 결절의 전형적 소견이었다. 후혈관상에서 6 MHz 탐촉자를 이용한 관찰에서는 앞서 이야기한 결절 외에 S6/7 표면에 6.2 mm의 clear defect를 확인하였다(그림 3C). 같은 결절에 대하여 re−injection method를 시행하였으며 arterial phase(혈관상)에서 변연에 링 모양의 조영 효과(그림 3D), arterial phase(관류상)에서 결손 전체에 강한 조영증강

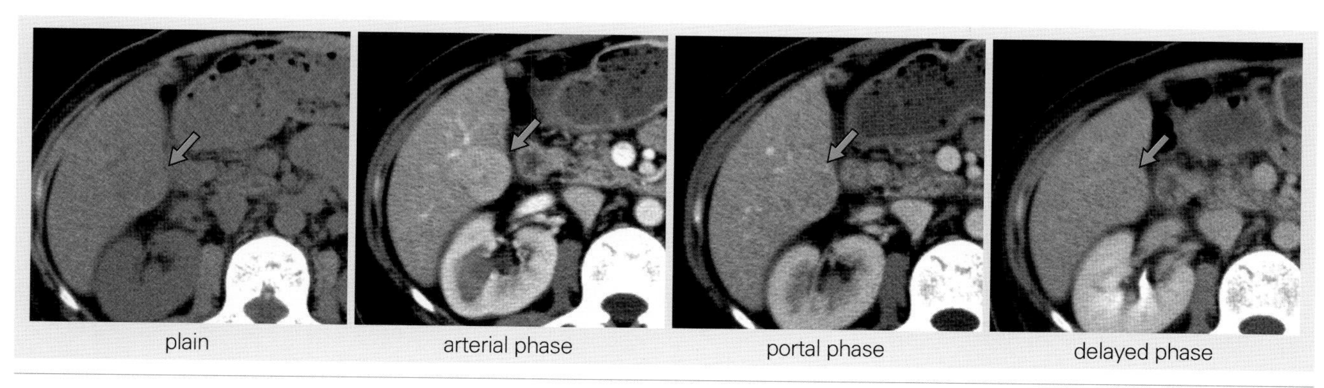

그림 5. 증례4 CT/MRI에서 실질 진단의 곤란. dynamic CT

단순하고 주변 간 실질과 거의 같은 정도, Arterial phase(동맥상)에서 균일한 조영증강, 평형상(equilibrium phase)에서 주위 간 실질과 거의 같은 정도의 조영 효과를 확인하여 FNH (focal nodular hyperplasia, 국소 결절성 과증식)와 선종(adenoma)의 감별이 문제가 되었다. 방사형 혈관 구조가 선명해지면 FNH 진단을 받게 되지만 확실하지 않았다.

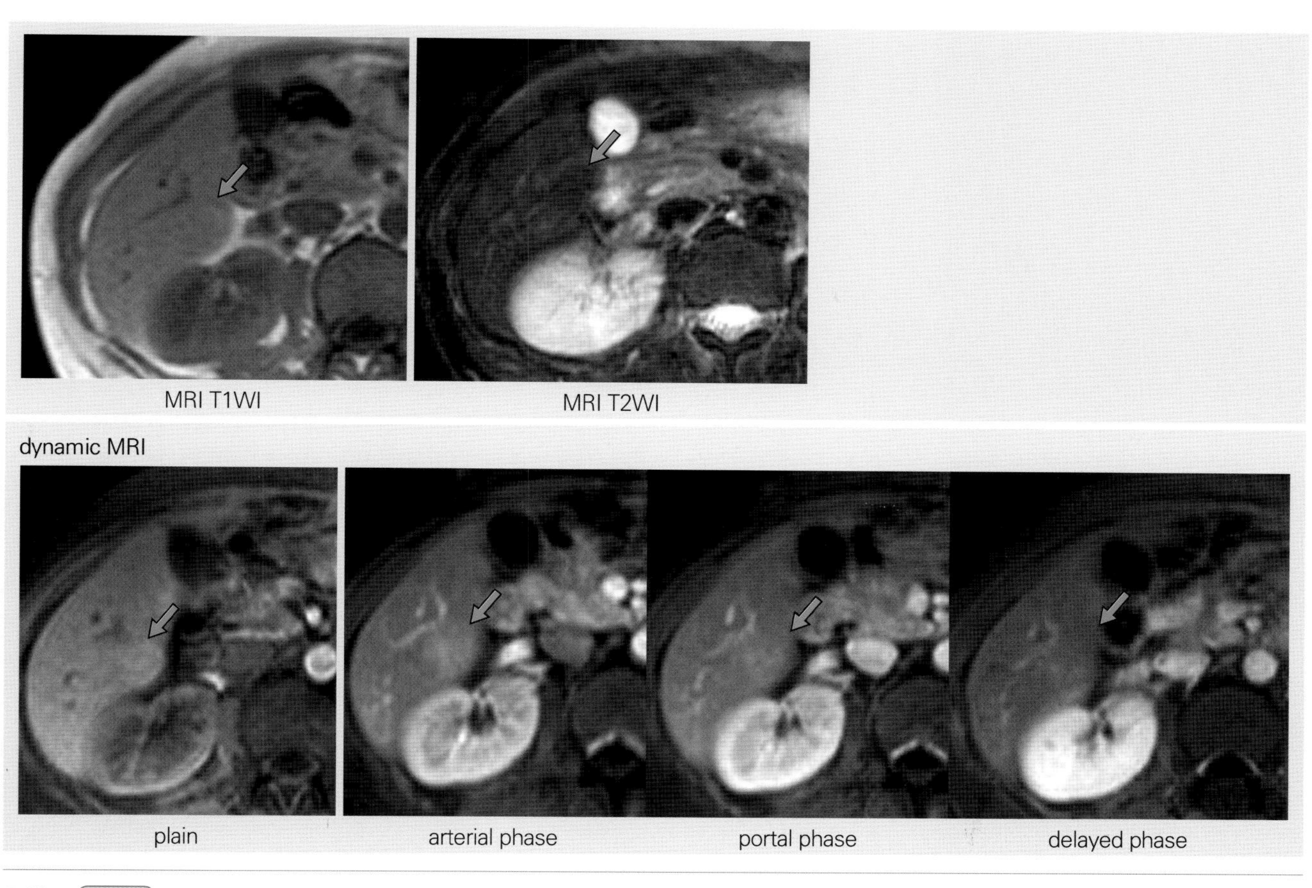

그림 6. 증례4 MRI

T1WI에서 iso~high, T2WI에서 low intensity, dynamic MRI에서는 조기부터 경도의 조영증강 효과를 나타내지만 wash out은 분명하지 않았다. 고분화 간세포암(HCC)을 의심하였지만 비전형적이었고 간선종이나 FNH 의심 판정을 받았다.

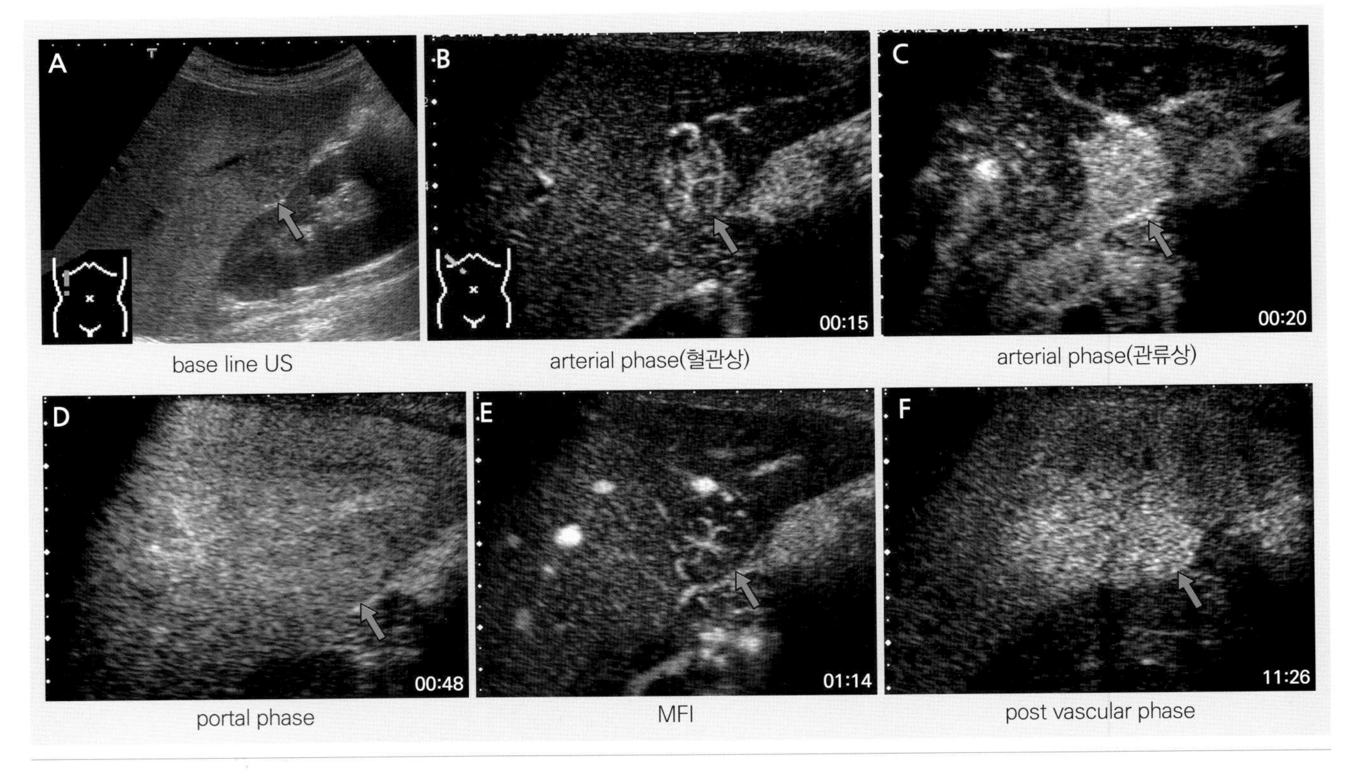

그림 7. 증례 4 **소나조이드 조영 US**

A : base line US에서는 S6에 최대 직경 33.1 mm의 약간 low~iso echoic한 충실성 결절을 확인하였다.
B : arterial phase(혈관상)에서 중심부로부터 변연을 향하는 선상의 혈관 구축을 확인하였다.
C : arterial phase(관류상)에서 결절은 미만성으로 조영되었으며 조영 효과는 주변 간 실질보다 강하였다.
D : portal phase(문맥상)에서 조영 효과는 계속 지속되어 주변 간실질과 거의 동등하였다.
E : MFI에서는 방사형 혈관 구조가 명료하게 인식되었다.
F : 후혈관상(post vascular phase)에서 결절 내에 조영 효과가 확인되었고, 그 조영 효과는 주변 간 실질과 거의 동등하였다. 국소 결절성 과증식(FNH)의 전형적인 소견이었다.

효과(**그림 3E**)가 나타나 문맥상에서 wash out을 보였다(**그림 3F**). 간내 소전이의 소견이었다. 그 후 간 부분 절제가 시행되었다.

증례 3 조영 전 US에서 확인이 곤란한 례: HCC 재발 의심 정밀 조사(그림 4)

70대 남성. 1995년 간세포암으로 간 우엽절제 시행. 그 후 재발 병변에 대하여 OMCT (open surgical microwave coagulation therapy: 개복하 극초단파 응고요법), 경동맥 화학색전술, 고주파 소작술 등을 시행하였다. 경과 관찰 중인 CT에서 S3/4에 종양이 의심되는 병변을 확인했다(**그림 4A**). 조영 전 US에서는 결절의 동정은 어려웠다(**그림 4B**). 소나조이드 조영 US 혈관상에서 CT에 지적된 영역에 주변 간실질과 다른 조영 효과는 파악되지 않았다(**그림 4C**). 후혈관상에서 S3에 경계가 명료한 구형의 결손을 확인하였다(**그림 4D**). 결손에 대하여 re-injection method를 시행했다. 그 결과 결손부와 일치하여 arterial phase에서 강한 조영증강 효과를 확인하였다(**그림 4E**). 간세포암 재발의 소견이었다.

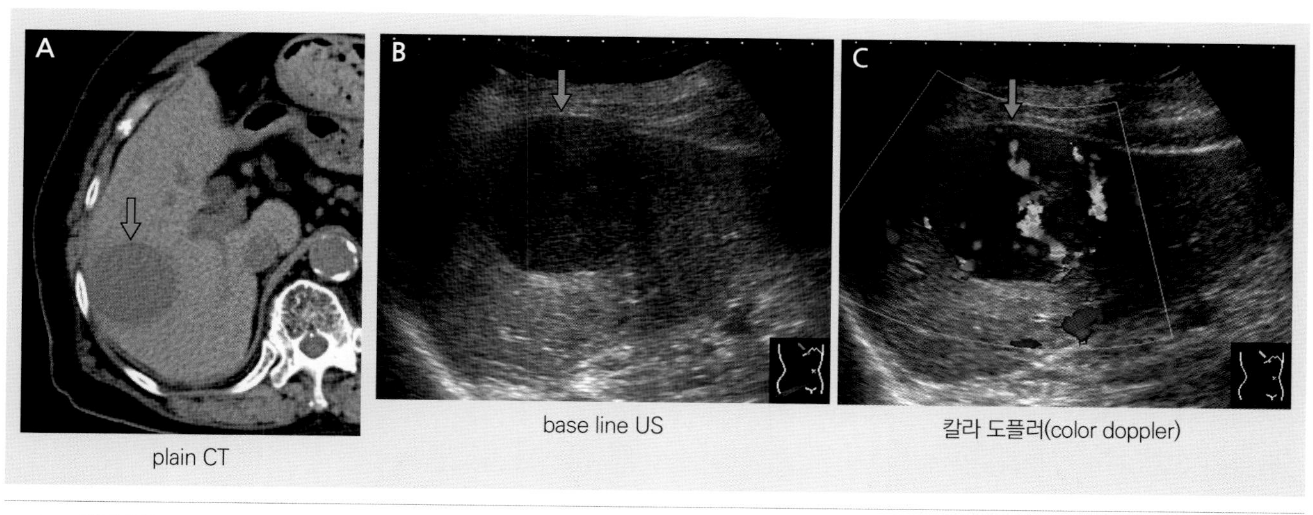

plain CT
base line US
칼라 도플러(color doppler)

그림 8. 증례 5 단순 CT에서 LDA 지적, 신기능 부전

A : 입원 시 단순 CT로 혈관과 동일한 정도의 음영(iso-signal)을 보이는 종괴가 관찰되어 혈관종 의심 진단을 받았다.
B : base line US에서는 S6/7에 경계가 명료한 저에코 결절을 확인하였다. 내부의 에코 성상은 비교적 균일하였으며, 후방 에코의 경도 증강을 수반하고 있었다.
C : 칼라 도플러(Color Doppler)에서 변연과 중심부로 유입되는 선상의 혈류 신호를 확인하였다.

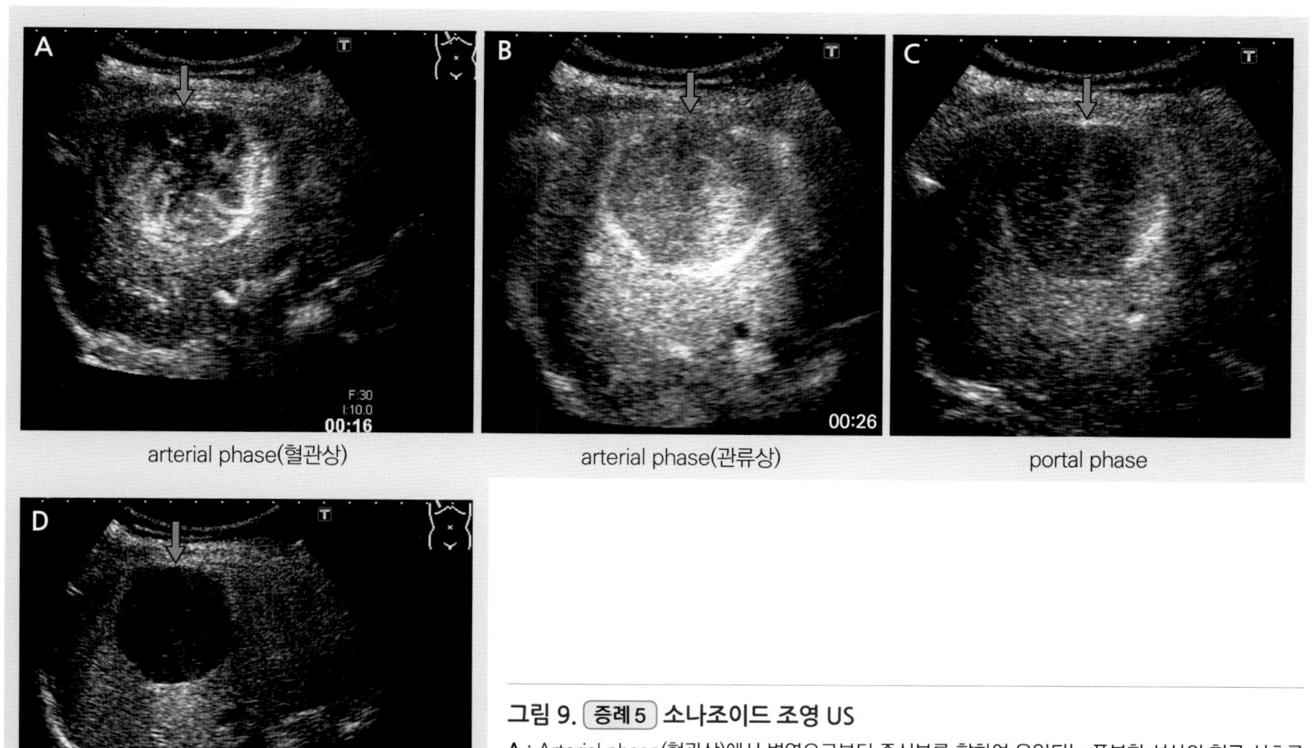

arterial phase(혈관상)
arterial phase(관류상)
portal phase
post vascular phase

그림 9. 증례 5 소나조이드 조영 US

A : Arterial phase(혈관상)에서 변연으로부터 중심부를 향하여 유입되는 풍부한 선상의 혈류 신호를 확인하였으며 조영 효과는 주변 간 실질보다 강하였다.
B : Arterial phase(관류상)에서는 조영 효과가 불균일하게 감약(attenuated)하고 있었다.
C : Portal phase에서 내부 조영제의 wash out을 확인하였고 주변 간 실질보다 조영 효과가 불량한 결절로 인식되었다.
D : 후혈관상(post vascular phase)에서는 clear defect를 나타내었다. 간 생검이 시행되었으며 위 종양의 수술 이력이 있어서 위 위장관 기질종양(gastrointestinal stromal tumor, GIST)의 전이로 진단되었다.

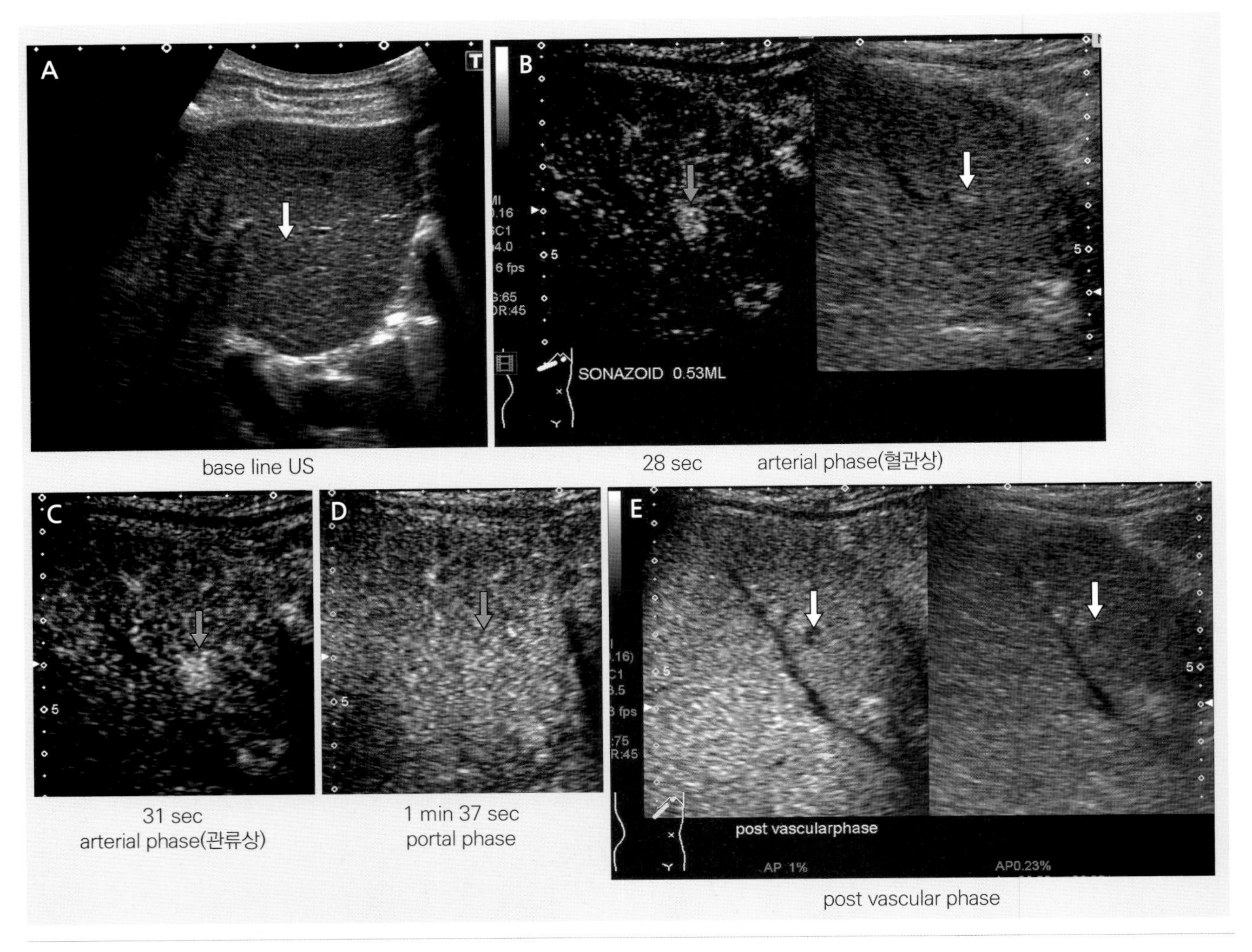

그림 10. 증례 6 조영 전 US에서는 결절의 관찰이 어려움, dynamic CT로 질적 진단(악성도 판정) 곤란. S5 HCC

A : base line US에서 간 S5에 경계가 불명료한 저에코 결절이 관찰되는 듯하나, 선명하지 않았다.

B : 조영 US. arterial phase(혈관상)에서 결절에 일치하여 반점(spot) 상의 조영 효과를 확인했다(파란 화살표). 조영 효과는 주변 간 실질에 비해 강하다. 모니터 화상으로 미약하게 저에코 결절을 인식할 수 있었다(흰색 화살표).

C : arterial phase(관류상)에서 결절은 미만성(diffuse)으로 강하게 조영되었다.

D : portal phase에서 결절 내 조영제의 wash out은 확실하지 않았다.

E : 후혈관상(post vascular phase)에서 결절은 defect를 나타냈다.

증례 4 CT·MRI에서 질적 진단(악성도 판별)이 곤란한 케이스 (그림 5~7)

30대 여성. 2년 전에 전신성 홍반 루푸스(systemic lupus erythema-tosus, SLE) 발병, 최근 간기능 이상이 출현하였고 US로 S6에 종괴가 지적되었다. 단순 CT에서 주변 간실질과 거의 같은 정도, arterial phase에서 균일한 조영증강, 평형상에서 주위 간 실질과 거의 같은 정도의 조영 효과를 나타냈다(그림 5).

MRI T1WI에서 등신호~고신호(high signal), T2WI에서 저신호(low signal), dynamic MRI에서는 조기부터 경도의 조영증강효과를 나타내지만 wash out은 명확하지 않았다(그림 6). 소나조이드 조영 US가 의뢰되어, 조영 전 US에서는 S6에 최대 직경 33.1 mm의 약간 저에코~등에코인 충실성 결절을 확인하였다(그림 7A). Arterial phase(혈관상)에서 중심부로부터 변연을 향하는 선형

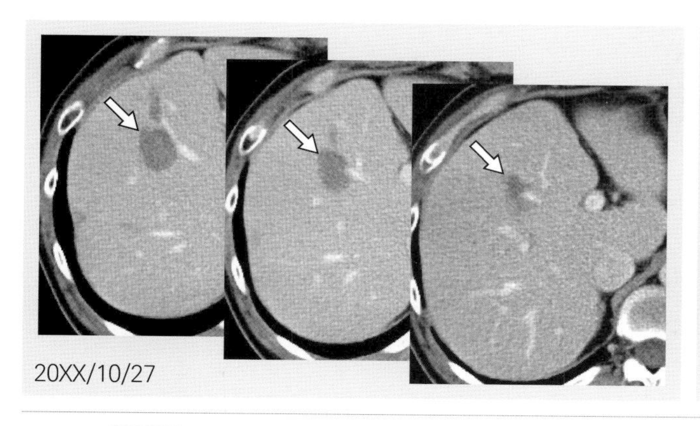

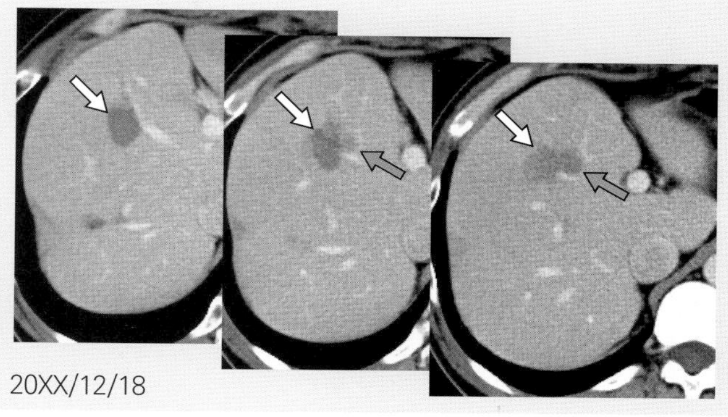

그림 11. 증례 7 **직장암 간 전이 수술 후 보조 화학 요법, RFA 후 재발 의심. 조영 CT**

경과 관찰의 조영CT에서 20XX/10/27에는 RFA 시술 후의 치료 흔적(흰색 화살표) 뿐이었으나, 20XX/12/18에 RFA 시술 후 치료 영역에 접하여 좌측에 재발을 의심하는 병변을 확인(파란 화살표)하였다.

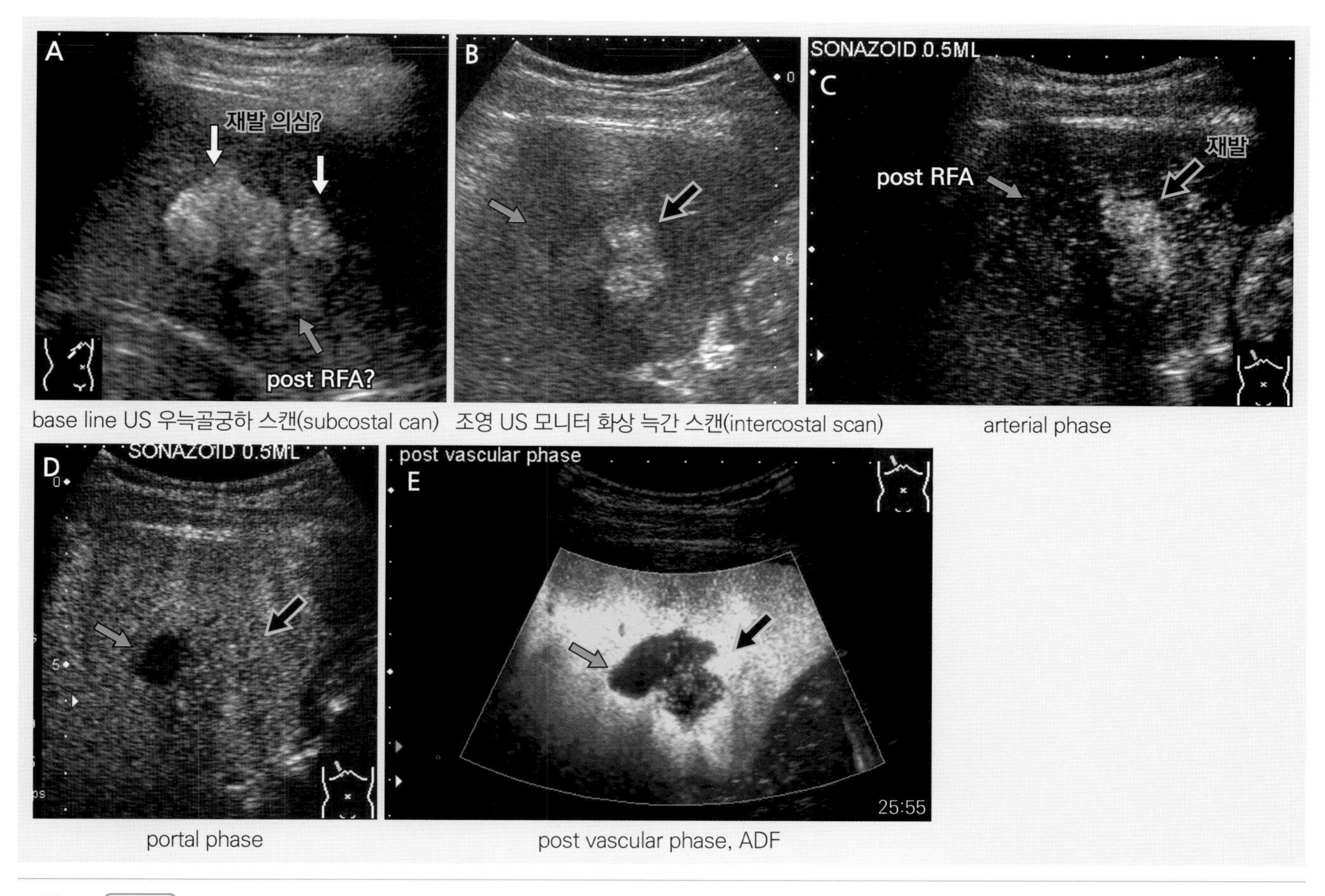

그림 12. 증례 7 US

A : 우늑골궁하 스캔에 의한 baseline US에서는 지적 위치에 고에코 결절을 확인했으나 RFA 후의 결절도 고에코 상으로서 관찰되는 경우도 많기 때문에, RFA 후의 결절과 재발 병변의 동정은 어려웠다.

B : 조영 US 모니터 화상. 늑간 스캔(intercostal scan)로 시행.

C : 조영 US는 고에코 결절이므로 MI 값을 0.14로 내려 시행. arterial phase에서 결절의 이미지 좌측 부분에 곡옥(초승달) 모양의 고에코와 일치하여 반점(spot)상의 풍부한 조영증강 효과를 확인하였다.

D : portal phase에서 조영증강 효과가 나타난 좌측 병변의 조영 효과 감약(wash out)을 확인하였다. 우측의 희미한 고에코 부위는 조영 효과 불량부로 인식되었다. 같은 부위는 vascular phase 전체에 걸쳐 조영 효과가 없었으므로 RFA 후 치료 영역으로 생각되었다.

E : 후혈관상(post vascular phase)에서 고에코 병변 내의 조영 효과를 알기 어렵기 때문에 ADF를 이용하였다. RFA 치료 후 영역은 부정형인 clear defect, 결절 좌측은 내부에 약간의 반점(spot) 형태의 조영 효과가 잔존한 defect로 인식되었다. 결절 좌측의 고에코 결절은 재발 병변을 강하게 의심하였다. 재발 병변에 대하여 외과적 절제가 시행되었다.

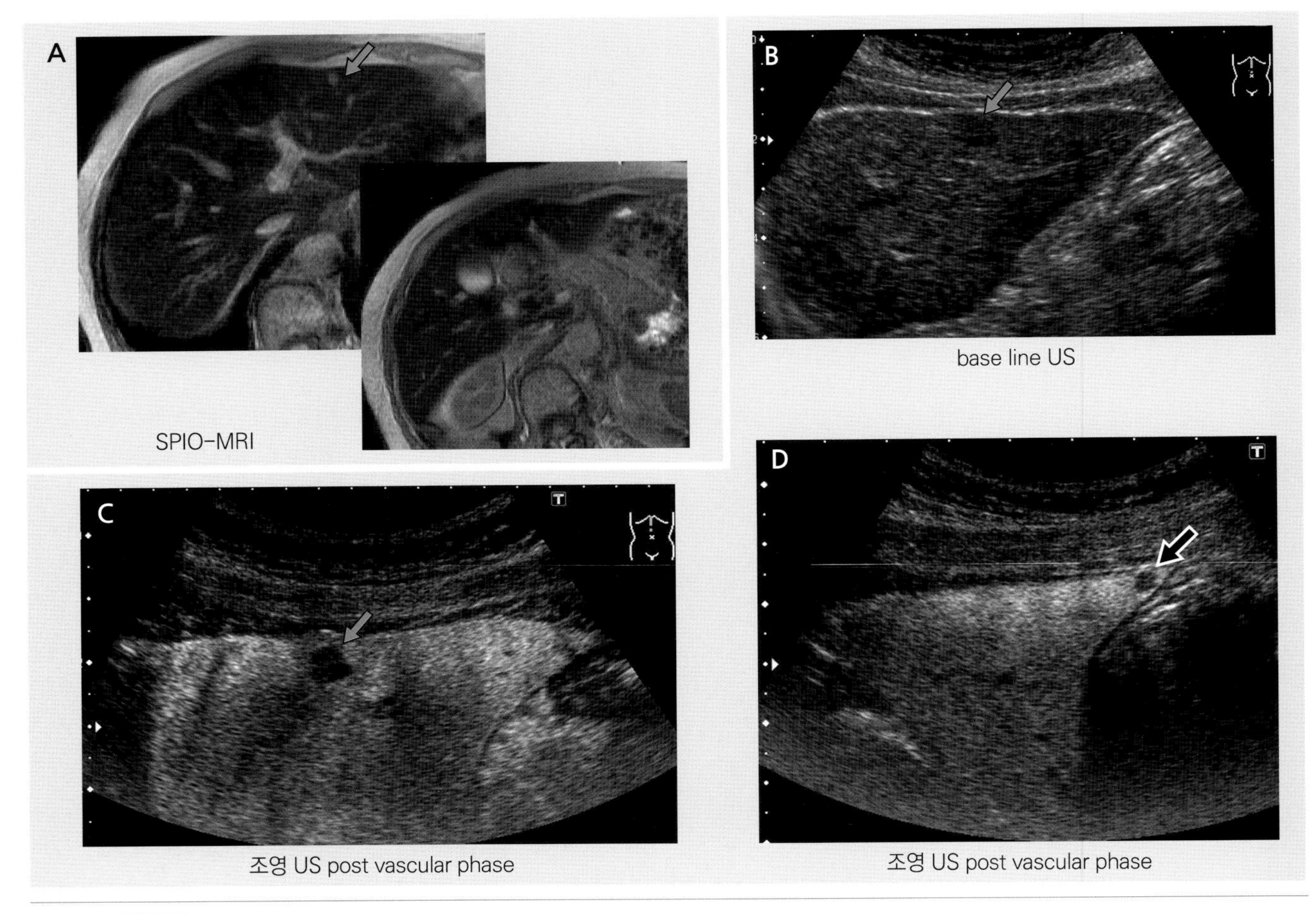

그림 13. 증례 8 **흑색종(melanoma) 간 전이, RFA 시행 전 정밀 조사**

A : SPIO-MRI로 S3 표면에서 악성 의심 결절을 1개 확인하였다.
B : baseline B모드 US에서 S3에 경계가 명료한 저에코 결절을 확인하였다.
C : 후혈관상(post vascular phase)에서 S3 결절에 일치하여 결손을 확인하였다.
D : 그 밖에 새로 작은 결손을 아래쪽에서 관찰하였다(검은 화살표).

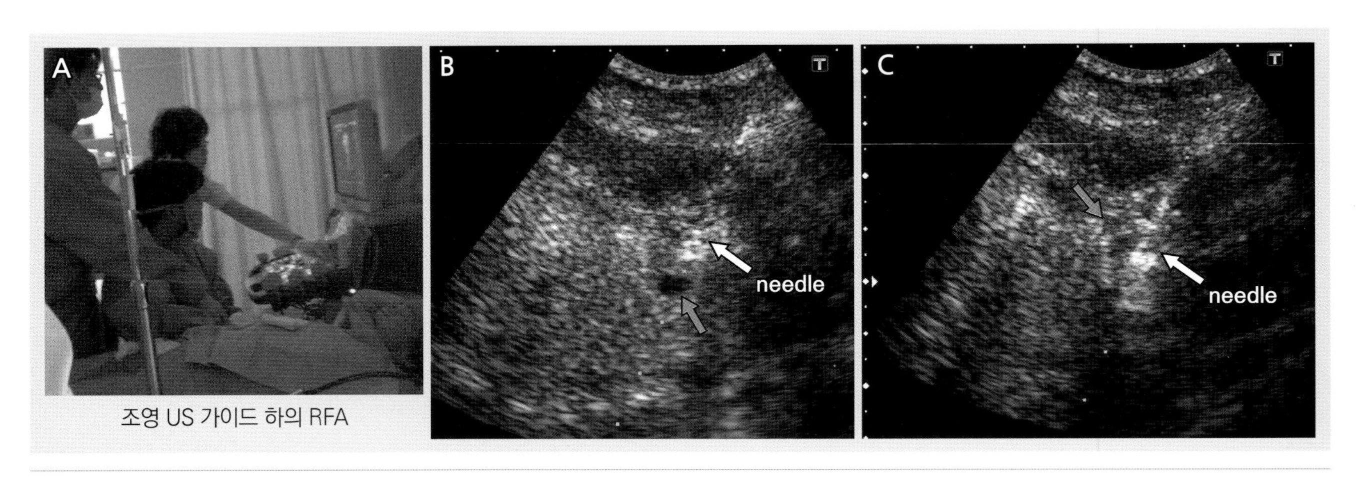

그림 14. 증례 8 **소나조이드 조영 US 가이드 하의 RFA**

A : 조영 US 가이드 하의 RFA 치료 모습.
B : B모드 US에서 결절의 인식이 어렵기 때문에 조영 US를 시행하였다. 조영 US 후혈관상(post vascular phase)에서 결절은 명료한 결손으로서 인식되었다. 결손에 대하여 RFA 바늘이 천자되었다.
C : 결절의 결손에 RFA 바늘이 천자되어 있는 것을 확인할 수 있었다.

혈관 구축을 확인하였다(그림 7B). Arterial phase(관류상)에서 결절은 미만성(diffuse)으로 조영 되었으며, 조영효과는 주변 간실질보다 강했다(그림 7C). Portal phase에서 조영 효과는 천연하여 주변 간실질과 거의 동등하였다(그림 7D). MFI에서는 중심부에서 방사상으로 퍼지는 혈관 구축이 명료하게 인식되었다(그림 7E). 후혈관상에서 결절 내 조영 효과를 확인하였고 그 조영 효과는 주변 간실질과 거의 동등하였다(그림 7F). 국소 결절성 과증식의 전형적인 소견을 보였다. 약 17개월 후의 US에 의한 경과 관찰에서는 종양 크기가 직경 23.4 mm로 경도 축소되었다. 성상에서 주목할 만한 변화는 나타나지 않았다.

증례 5 신기능 부전: 단순CT에서 질적 진단 곤란 (그림 8, 9)

70대 여성. 40세 때부터 고혈압으로 근처 병원(local doctor)에서 치료 중 하지 부종, 식욕 저하, 혈압 150~170 mmHg로 잘 조절되지 않았고, 신장 기능도 BUN 45 mg/dL, 크레아티닌(creatinine, Cr) 3.29 mg/dL로 급속히 악화되어서 입원하였다. 입원 당시 단순 CT에서 혈관과 같은 휘도(iso-signal)의 종괴가 확인되어 혈관종이 의심되었다(그림 8A). 신기능 부전으로 CT 등의 조영제 사용이 곤란하여 US로 재검을 의뢰하였다. S6/7에 경계가 명료한 저에코 결절을 확인하였다(그림 8B). 내부에코 성상은 비교적 균일하고 후방 에코의 경도 증강을 수반하고 있었다. 칼라 도플러(color doppler)에서 변연과 중심부로 유입되는 선 모양의 혈류 신호를 확인하였다(그림 8C). 소나조이드 조영 US 동맥상(혈관상)에서 변연으로부터 중심부를 향해 종괴를 둘러싸듯이 유입되는 풍부한 선모양의 혈류 신호를 확인하였으며 조영 효과는 주변 간실질보다 강했다(그림 9A). Arterial phase(관류상)에서는 조영 효과가 불균일하게 감소하였다(그림 9B). Portal phase에서는 내부 조영제의 wash out을 확인하여 주변 간실질보다 조영 효과가 불량한 결절로 인식되었다(그림 9C). 후혈관상에서는 clear defect를 나타냈다(그림 9D). 간세포암이나 림프종 등 과혈관성 악성 종양이 의심되었으나 확정 진단이 되지 않아 간 생검이 시행되었고, 위장관 기질종양(gastrointestinal stromal tumor, GIST)의 전이로 진단되었다. 위종양의 수술 경력이 있어서 위 위장관 기질종양의 전이로 진단되었다.

증례 6 B모드 US로 존재·질적 진단이 어려운 증례, dynamic CT로 진단이 어려운 증례 (그림 10)

70대 남성. C형 만성 간염. 2011년 간세포암으로 간우엽전구 절제(Rt. Ant. Sectionectomy) 후, 인터페론(interferon)으로 치료하였다. 이후 재발 없이 정기 추적 중이다. B모드 US에서 S4에 7.9 mm의 저에코 결절이 의심되었다. AFP 2.6 ng/mL, AFP-L3 0.0%, PIVKA-Ⅱ 15 mAU/mL. 3개월 후, 질적 진단(악성도 판정) 목적으로 소나조이드 조영 US가 시행되었다.

조영 전 US로 직경 10.7 mm의 희미한 저에코 결절양상을 확인하였으나, 경계가 불명료하여 결절의 확실한 동정은 어려웠다(그림 10A). 소나조이드 조영 US arterial phase(혈관상)에서는 결절 내부에 점(spot) 모양의 작은 조영증강 소견이 보였고(그림 10B), arterial phase(관류상)에서는 결절상의 미만성 조영 효과가 확인되었으며, 주변보다 그 조영 효과는 강했다(그림 10C). Portal phase에서는 명백한 wash out은 나타나지 않았다(그림 10D). 후혈관상에서는 결절에 일치하여 결손을 확인하였다(그림 10E). 같은 날 시행한 dynamic CT에서는 arterial phase에서 결절상 조영증강의 출현을 확인하였으나, 지연상에서 결절은 불명료화되어 A-P션트 의심의 진단이었다. 2개월 후 EOB-MRI에서는 결절에 일치하는 부위에 조기 조영증강과 간세포상에서의 EOB 흡수 저하역이 확인되어 간세포암으로 최종 진단하고 고주파 소작술을 시행하였다.

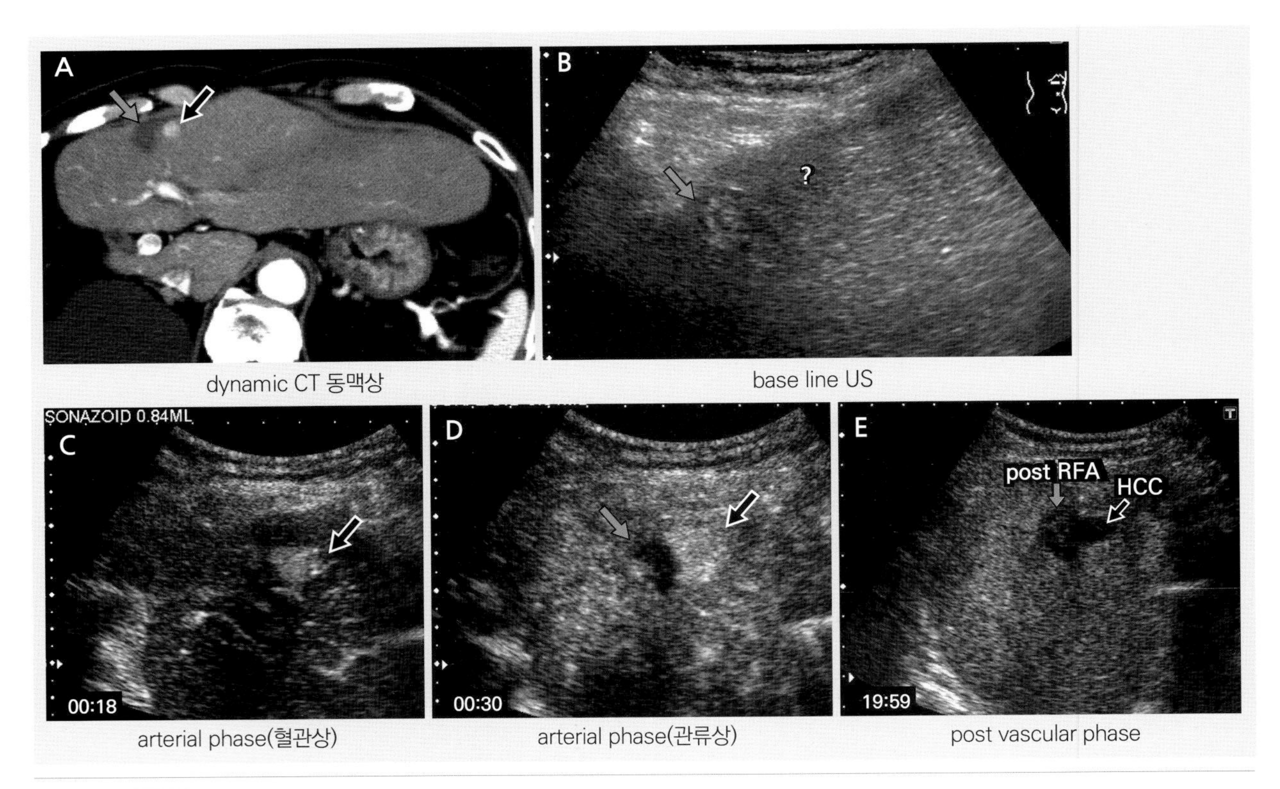

그림 15. 증례 9 **S 3/4 HCC 재발 정밀 조사(증례3과 동일한 증례)**

A : dynamic CT에서는 RFA의 소작 부위(파란 화살표)에 접하여 조기 조영증강(검은 화살표)을 확인하였다.

B : 조영 US. baseline US에서 RFA 후의 부위는 고에코로 관찰되는 듯하나(파란 화살표), 재발 결절은 명확하지 않았다.

C : arterial phase(혈관상). RFA 치료 후 반흔의 좌측에 결절상의 강한 조영증강 효과(검은 화살표)를 확인하였다.

D : arterial phase(관류상)에서 주변 간 실질보다 약간 강한 비교적 균일한 조영 효과가 확인되었다(검은 화살표).

E : 후혈관상(post vascular phase)에서 RFA 소작 부위의 defect(파란 화살표)에 접한 vascular phase에서 조영 효과를 확인한 부위에 조영 효과는 나타나지 않았다(검은 화살표).

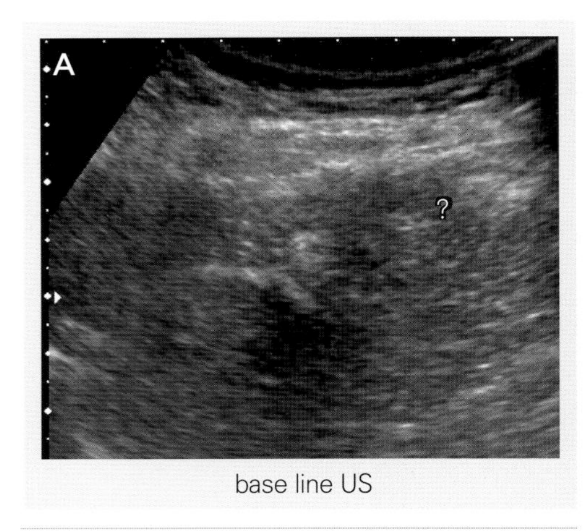

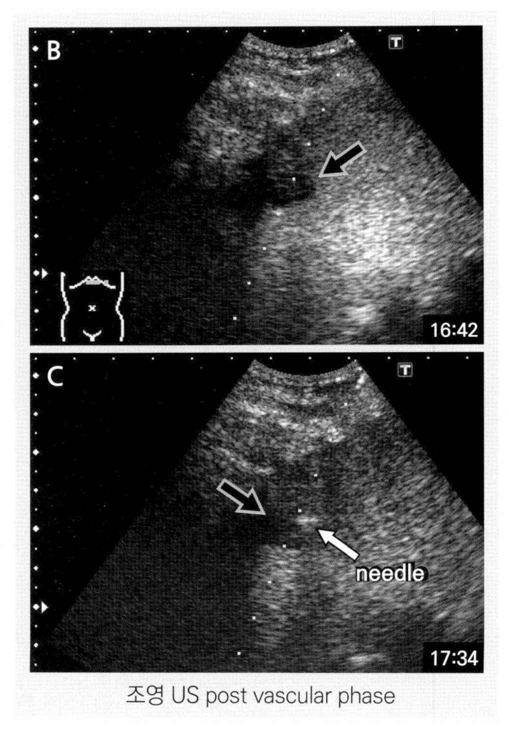

그림 16. 증례 9 **조영 US 가이드 하의 RFA**

A : baseline US에서 결절은 동정할 수 없었다. 그 때문에 조영 US를 시행하였다.

B : 조영 US 후혈관상(post vascular phase)에서 RFA 치료 후 영역에 접하여 결절상의 defect(검은 화살표)를 확인하고 그 결절에 대하여 RFA 천자선(puncture line)을 설정하였다.

C : 그 부위에 RFA 바늘이 천자되어(화살표가 바늘 끝) 결절은 소작되었다.

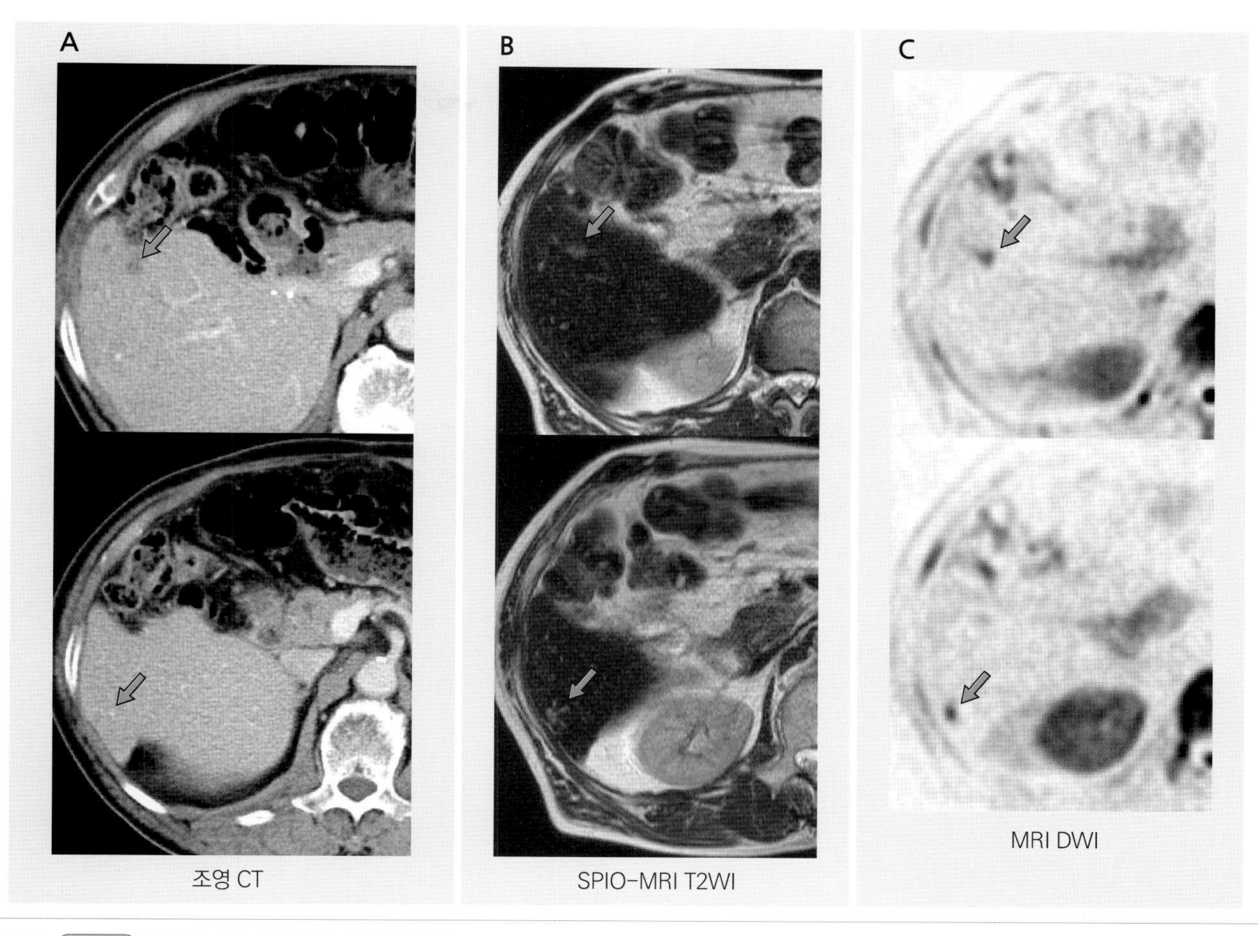

그림 17. 증례 10 담관암 수술 후 재발, 화학요법 후

A : 조영 CT
B : SPIO-MRI T2WI
C : DWI에서 2개의 재발 병변을 확인하였다. 조영 US에서도 같은 위치에 재발이 의심되는 병변을 확인하였다.

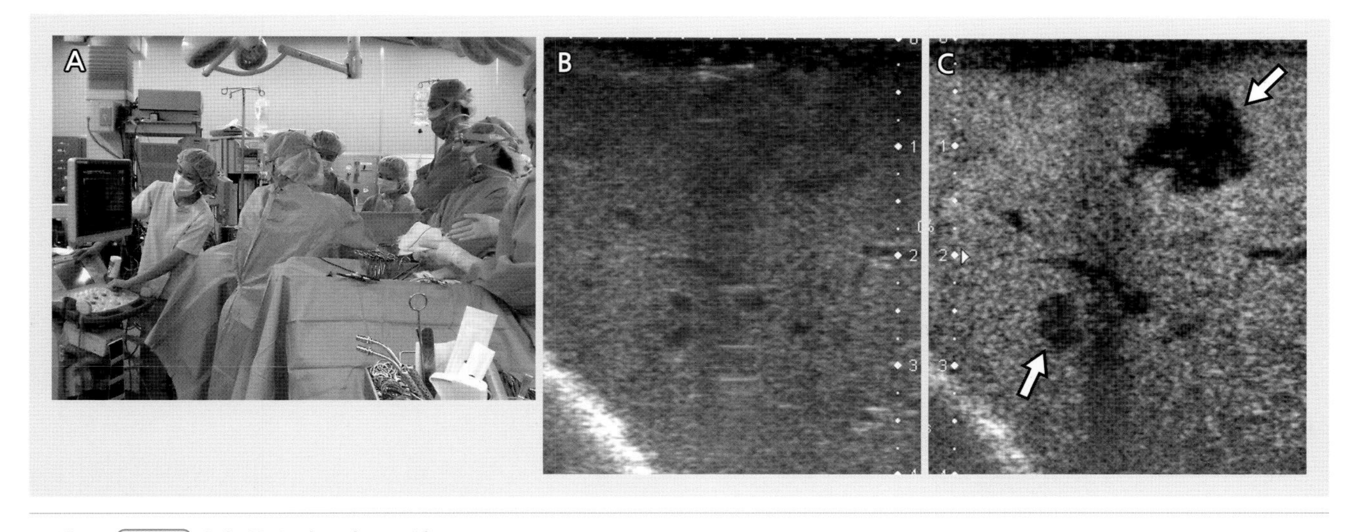

그림 18. 증례 10 수술 중 소나조이드 조영 US

A : 수술 중 US의 모습
B : 수술 중 baseline US에서 종양의 존재를 관찰하지 못했다. 그 때문에 수술 중 조영 US를 시행하였다.
C : 조영 US 후혈관상(post vascular phase)에서 부정형인 clear defect를 확인하였다. 수술적 절제 분리선(resection line)이 결정되어 외과적 절제를 시행하였다.

증례 7 악성 종양 화학요법 중 경과 관찰(그림 11, 12)

40대 남성. 직장암 간 전이 수술 후 보조 화학 요법, 고주파 소작술 후 재발 의심. 경과 관찰의 조영 CT에서 재발을 의심하는 병변을 확인하였다(그림 11).

조영 전 US에서는 지적한 위치에 고에코 결절을 확인하였지만 고주파 소작술 후의 결절도 고에코상으로 관찰되는 경우가 많아서 고주파 소작술 후의 결절과 재발 병변의 감별·동정은 어려웠다(그림 12A). 고에코 결절이므로 소나조이드 조영 US에서는 MI 값의 설정 조건을 0.14로 낮추고 배경 조직으로부터의 신호를 억제하여 시행하였다(그림 12B). Arterial phase에서 결절 좌측 부분에 있는 곡옥(초승달) 모양의 고에코와 일치하여 반점(spot) 형태의 풍부한 조영증강효과를 확인하였다(그림 12C). Portal phase에서 그 조영 효과의 감쇠(attenuation, delayed wash out)를 확인하였다(그림 12D). 우측 고에코부는 조영 효과 불량부로 인식되었다(그림 12D). 동일한 부위는 혈관상 전체에 걸쳐 조영 효과가 없었으며 고주파 소작술 후 치료 영역으로 생각되었다. 후혈관상에서 고주파 소작술 후의 영역은 부정형인 clear defect, 결절 좌측은 내부에 근소하게 반점(spot) 형태의 조영 효과가 잔존한 결손으로서 인식되었다(그림 12E). 고주파 소작술 치료 후 영역 좌측의 고에코 결절은 재발 병변에 합당한 소견이었다. 고주파 소작술 후 재발 병변에 대하여 외과적 절제가 시행되었다.

증례 8 치료 가이드: 신규 병변 존재 진단(그림 13, 14)

70대 여성. 악성 흑색종(melanoma) 간 전이. S3 전이성 결절에 대하여 고주파 소작술 시행 전 정밀 조사. SPIO-MRI에서는 S3 표면에 결절 1개만 지적되었다(그림 13A). 조영 전 B모드 US에서 S3에 경계가 명료한 저에코 결절을 확인하였다. 직경 9.4 mm (그림 13B). 후혈관상에서 S3 결절에 일치하여 결손을 확인하였으며(그림 13C), 그 밖에 간 표면 아래측에 작은 결손(직경 4.7 mm)을 확인하였다(그림 13D). 작은 결절은 조영 전 US에서 확인(감별)하기 어려우므로 소나조이드 조영 US 가이드 하에 고주파 소작술 치료를 실시하였다(그림 14).

증례 9 고주파 소작술 치료 가이드(증례3과 동일한 증례)(그림 15, 16)

S3/4 간세포암 재발 병변에 대하여 고주파 소작술을 시행하였으나, 결절에 대한 적절한 천자가 이루어지지 않아 CT 가이드 하에서 고주파 소작술을 시도하기도 어려웠다. 그 후의 dynamic CT에서는 고주파 소작술의 소작부위에 접하여 조기 조영증강을 확인하였다(그림 15A). 조영 전 US에서는 고주파 소작술 후의 부위가 고에코로 인식되었지만 재발 결절은 명확하지 않았다(그림 15B). Arterial phase(혈관상)에서 고주파 소작술 치료 후 반흔의 왼쪽에 결절상이 강한 조영 효과가 확인되었다(그림 15C). Arterial phase(관류상)에서 간실질보다 약간 강하게 균일한 조영 효과가 확인되었다(그림 15D). 후혈관상에서 동일한 부위에 일치하여 결손을 확인하였다(그림 15E). 조영 전 US에서는 결절을 동정할 수 없으므로 소나조이드 조영 US 가이드 하에서 고주파 소작술을 시행하였다(그림 16). 소나조이드 조영 US 후혈관상에서 고주파 소작술 치료 후 영역에 접하여 결절상의 결손을 확인하였고 그 부위에 대하여 고주파 소작술을 시행하였다. 종양은 안전하고 확실하게 소작되었으며 그 후 현재까지 재발하지 않았다.

증례 10 수술 중 마킹(그림 17, 18)

60대 남성. 간문부 담관암 진단 후 간좌엽 미상엽 절제. 수술하고 약 1년 후 재발 병변에 대하여 화학요법 시행. 조영 CT, EOB-MRI에서 재발 병변을 확인(그림 17). 수술 전 시행한 조영 전 B모드 US에서는 종양의 인식이 어려웠고 소나조이드 조영 US의 후혈관상에서는 명료하게 인식되었다. 2곳의 종양에 대하여 부분 절제술이 예정되었으나, 수술 중 US에서 종양의 인식은 어려웠다(그림 18B). 그러한 이유로 수술 중 소나조이드 조영 US를 시행하였다. 후혈관상에서 명료한 결손을 2개 확인(그림 18C)하였고 종양 부분 절제술이 실시되었다.

마치며

초음파 검사는 간편하고 비용이 적어서 전국에 보급되었으며 조영 CT가 임상에 도입되기 약 20년 전에는 주요 영상 진단법이었다. 최근 검사자와 피검사자의 의존성이 크고 기술 습득에 시간이 걸리는 US는 객관성 있는 조영 CT나 MRI 등과 같은 영상 진단의 진보와 보급에 의해 경시되는 경향이 있다. 이러한 배경에서 경정맥성 조영제 소나조이드의 등장으로 US는 오랜 역사를 가진 새로운 검사법으로 다시 임상의 주목을 받게 되었다. 앞서 말한 바와 같이 1 cm 이하 결절의 질적 진단(악성도 판정), 악성 종양의 작은 간 전이 진단, 치료 가이드와 같은 치료 방침을 좌우하는 핵심 진단에 유용한 것으로 여겨지는 소나조이드 조영 US의 새로운 보급이 기대된다. 본 글이 소나조이드 조영 US의 유용성을 알리는 일부분이 되어 폭넓은 임상 보급에 도움이 되기를 바란다.

참고문헌

1. Moriyasu, F., Itoh, K. : Efficacy of perfluorobutane microbubble-enhanced ultrasound in the characterization and detection of focal liver lesions; Phase 3 multicenter clinical trial. *Am. J. Roentgenol.*, 193 : 86~95, 2009.
2. Korenaga, K., et al. : Usefulness of Sonazoid contrast-enhanced ultrasonography for hepatocellular carcinoma; Comparison with pathological diagnosis and superparamagnetic resonance images. *J. Gastroenterol.*, 44 : 733~741, 2009.
3. 今井康陽, 小来田幸世, 高村 学, 他 : 肝がんの診断治療におけるアルゴリズム—ソナゾイド造影USとEOB造影MRIを中心に. *Innervision*, 25(5) : 9~12, 2010.
4. Sources and effects of ionizing radiation United Nations Scientific Committee on the ethics of atomic radiation, 2008 report volume 1: sources.
5. 西田 睦 : 造影エコーのHow to—基本手技のコツとポイント. *Innervision*, 23(10) : 5~9, 2008.
6. Nishida, M., Onodera, Y., Omatsu, T., et al. : How can we improve detectability of hepatic metastasis using contrast-enhanced ultrasound with Sonazoid by comparing to superparamagnetic iron oxide enhanced MRI. *Ultrasound Med. Biol.*, 35(8S) : S71~72, 2009.
7. 工藤正俊, 畑中絹世, 鄭浩柄, 他 : 肝細胞癌治療支援におけるSonazoid造影エコー法の新技術の提唱—Defect Re-perfusion Imagingの有用性. 肝臓, 48 : 299~301, 2007.
8. 西田 睦, 小野寺祐也 : ソナゾイドによるルーチン造影超音波検査. *Innervision*, 26(7) : 82~84, 2011.
9. 西田 睦, 小野寺祐也, 尾松徳彦, 他 : CT/MRIにて診断に至らなかった肝結節に対する造影超音波検査の位置づけ. 臨床病理, 56(Suppl.) : 115, 2008.
10. 田中正俊, 佐田通夫 : ソナゾイド造影超音波によるRFA治療支援. *Innervision*, 24(10) : 39~43, 2009.
11. 工藤大輔, 室谷隆裕, 吉川 徹, 他 : 術中ペルフルブタン造影超音波が肝切除に与える影響. *Innervision*, 25(11) : 46~48, 2010.

5. 조영초음파 검사의 치료 지원

오오무라 다쿠미(Takumi Omura) |
샷포로 후생병원 간내과(Hokkaido P.W.F.A.C. Sapporo-Kosei General Hospital)

시작하며

조영초음파 검사의 치료를 위한 지원 분야는 간질환, 담도 및 췌장질환, 혈관성 병변, 복강 내나 소화관 출혈의 확인 등 여러 분야에서의 적응증을 생각해 볼 수 있다. 간질환의 일부를 살펴보아도, 종양뿐만 아니라 미만성(diffuse) 간질환의 기능 평가에 대한 적응증도 있다. 그러나 현재로서는 간암의 경피적(percutaneous) 국소치료에 대한 적응증이 압도적으로 많다.

일반적으로 간세포암 치료는 수술, 경피적 국소치료(RFA 등), 경동맥 화학색전술(transcatheter arterial chembolization, TACE)의 세 가지가 메인이고, 본 기관(삿포로 후생병원 간내과)의 경우를 보면 첫 치료에서 약 30% 씩을 차지하고 있다.

이 중 경피적 국소치료(RFA)의 표준 적응은 '3 cm, 3개 이내'이나 진보된 화상기기에서의 정기적 스크리닝에 의해 이 기준 내에서 반복하여 발견되는 경우가 늘고, 또한 암 발병의 고령화로 저침습 치료가 선택되는 경우가 많아지면서 수요가 점차 증가하고 있다.

그러나 반복 치료나 합병증 때문에 단순하고 쉬운 치료 증례의 비율이 감소하고, 인지 병변 확인이 어렵거나 천자 라인의 설정이 까다로운 치료가 증가하여 기술적 요구도가 점차 높아지고 있다. 그러한 의미에서도 개인의 기술차를 보완하고 보다 안전하고 확실한 치료 제공을 위한 치료 보조 수단으로서 조영초음파의 역할이 매우 중요하다.

본 글에서는 가장 많이 활용되는 간종양의 치료적 지원에 초점을 맞추고, 더불어 치료 의사와 초음파 검사자 간의 중간역할이 될 수 있는 내용을 생각하면서 개략적으로 설명하고자 한다.

1. 간암의 경피적 치료의 역사

간세포암의 경피적 치료는 1983년 일본의 경피적 에탄올 주입술(Percutaneous Ethanol Injection Therapy, PEIT)에서 시작되었다. 그 후 미세바늘(21G)을 통한 경피적 주입 요법으로는 경피적 아세트산(acetic acid) 주입술(Percutaneous Acetic acid Injection Therapy, PAIT), 경피적 고온수(hot water) 주입술(Percutaneous Hot water injection Therapy, PHoT) 등도 등장하였다.

한편 국소주사 요법에는 불확실성이라는 제한점이

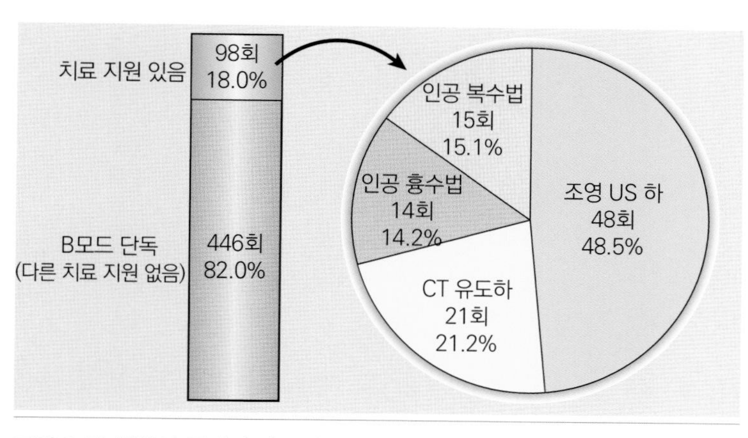

그림 1. 간 병변의 경피적 치료에 대한 지원 실태
대상: 2007년 4월부터 2009년 3월까지 2년간 본과에서 시행한 경피적 치료 총 544회.
결과: 이 중 B모드에서 확인이 되지 않아 다른 형태로 지원된 것은 98회로, 약 절반인 48회(48.5%)가 조영초음파에 의한 치료 지원이었다.

표 1. 간암의 경피적 치료 지원으로서의 조영초음파

A. 치료 전 지원	
1) 치료 필요 여부의 판단	과혈관화(hypervascularity)의 진단
2) 경피적 치료의 적합 여부 판단	악성도의 진단
3) 사전 천자 루트의 확인	안전성 확보
4) 부병변의 검출	치료방침 결정
B. 치료 중 지원	
1) 병변 가시성(visibility) 향상	조기 혈관상에서의 천자 후혈관상에서의 천자
2) 수술중 조영초음파	치료방침 결정
3) 피트폴(pitfall)	약점의 인식
C. 치료 후 지원	
1) 국소 치료 효과 판정	
2) 새로운 병변의 스크리닝	

있어서 이를 보완하기 위해 물리적 작용에 의한 마이크로파 응고(PMCT, 1998년), 고주파 소작술(radiofrequency ablation, RFA, 1999년), 동결요법(cryotherapy), 고강도 초점초음파(High Intensity Focused Ultrasound, HIFU) 등의 국소 치료가 개발되어 왔다.

이 중에서 고주파 소작술은 높은 국소 치료 성공률과 안전성, 간편성을 바탕으로 널리 보급되어 현재 경피적 국소치료의 대부분을 차지하고 있다.[1, 2]

2. 고주파 소작술(Radio-Frequency Ablation, RFA)의 원리와 방법

고주파 소작술는 전기가 물질 속을 흐를 때 저항(impedance)에 따라 생기는 열(Joule heating, 저항적 발열)을 이용한 치료이다. 원리적으로는 전기 스토브의 열선이 붉어지는 것과 마찬가지로 종양에 삽입된 천자침과 허벅지에 부착된 상대 전극 사이에 전기가 흐르면서 열이 발생한다. 단 생체 내에서 단백질이 열응고될 수 있는 고온은 바늘 끝 주위에 약 20~30 mm의 고전류 밀도 범위로 제한된다. 그 이상의 범위(거리)에서는 열이 분산되고 조직 손상이 발생하지 않는다. 이 때문에 목표 병변에 대한 국소치료가 가능하다.

치료 장비는 제너레이터(generator), 천자용 핸드피스(handpiece), 상대 전극판(counter electrode plate)으로 구성된다. 핸드피스에는 전개 가능한 미세바늘(소작 범위를 얻기 위해 선단에서 4~10개의 작은 직경의 바늘을 확장하는 유형)과 Cool tip 미세바늘[냉각수가 전극침의 온도상승을 억제하여 임피던스(impedance)를 제어함. 하나의 전극으로 넓은 소작범위를 얻는 타입]이 있다. 기관의 여건이나 병변의 조건에 따라 적절히 사용하나 편의성 때문에 후자가 이용되는 빈도가 높다.

대부분의 치료는 국소 마취 후 초음파 유도 천자 하에 수행된다. 전기가 통할 때 강한 통증이 생기므로 전극침의 위치를 결정한 후에는 충분한 진통제와 진정제를 투여하여 치료를 시행한다.

3. 고주파 소작술(Radio-Frequency Ablation, RFA)의 적응

간세포암에서의 고주파 소작술의 표준 적응은 종양측 인자로서 '3 cm, 3개 이내'이나 기관에 따라서는 '5 cm 이내 단일 종괴'도 적응으로 하고 있다. 단 종양이

미상엽(caudate lobe) 외측, 주간문맥(main portal vein) 또는 간문맥의 1차 분지 근처에 존재하는 경우에는 합병증의 리스크가 높아 신중하게 적용을 검토해야 한다. 또한 간문맥 종양색전(PVT)이나 간 외의 전이 존재도 기본적으로는 고주파 소작술의 적용이 불가하다.[3, 4]

이에 더하여 환자측 인자로서 ① Child-Pugh C 이상의 간 예비능 ② 혈소판 수 5만 이상, PT 50% 이상 ③ 통제 불능의 복수(ascites)가 없고 ④ 담도계 수술의 과거력 유무 등의 조건을 충족시키는 것이 필요하다. 또한 심장박동기(pace-maker) 장착자는 전류가 통하면 설정 조건이 달라질 가능성이 높아서 금기는 아니지만 치료 전후에 설정을 확인하는 것이 필수적이다.

한편 전이성 간암에서는 ① 병변이 절제 불가능 또는 환자가 절제를 희망하지 않거나, ② 최대 직경 5 cm 이내, ③ 근치적 치료 불능의 간 외 전이가 없거나 종양이 혈관에 광범위하게 접하지 않는 등 일정한 조건을 만족하면 근치를 목표로 시행된다.[5]

또한 예후나 삶의 질(QOL) 개선을 목표로 한 암의 치료에는 다학제적 치료(집학적 치료)의 일환으로 시도되는 경우도 있다.[5]

4. 조영초음파에 의한 경피적 치료 지원

경피적 국소치료 시 B모드로 눈으로 확인할 수 없는 병변이나 불명료한 병변에서는 초음파로 치료 바늘을 유도하여 위치시키는 것이 어렵다. 이러한 경우 이전에는 다른 영상 검사 소견을 참고하여 종양과 혈관과의 위치 관계를 통해 종양 부위를 추정하여 소작하는 불확실한 방법에 의지하지 않을 수 없었다. 그러나 초음파 조영제의 등장으로 그러한 병변도 가시화하거나 선명하게 할 수 있기 때문에 확실한 치료가 가능해졌다. 이것이 조영초음파의 최대 치료 지원 분야라고 할 수 있다.

그렇다고는 해도 제1세대 조영제 레보비스트® 시대에는 고음압(high MI)으로 버블을 붕괴하여 조영 이미지를 얻고 있었기 때문에 순간적인 시점에서밖에 병변을 그려낼 수 없었고 실제적인 천자에는 기술의 난이도가 매우 높았다.

이에 비해 제2세대 조영제 소나조이드®에서는 저음압(low MI)으로 버블을 진동시키면서 조영 이미지를 얻기 때문에 양호한 해상도로 지속적인 관찰이 가능해져 현격하게 천자가 용이해졌다.

이에 따라 2007년 1월 발매 이후 조영초음파의 국소치료 지원 기회도 큰 폭으로 증가하고 있다.[3, 4]

참고로 2007년 4월부터 2009년 3월까지 2년간 본 기관(삿포로 후생병원 간내과)의 집계에서는 총 544회의 경피적 치료 기회가 있었으며, 이 중 B모드로 병변 확인이 어렵기 때문에 다른 치료 수단의 지원을 필요로 한 것은 98회(18.0%)였다. 이 중 약 절반인 48회(48.5%)가 조영초음파에 의한 치료 지원이며, 사용의 편의성과 유용성으로 빈번하게 이용된 실태를 알 수 있다(**그림 1**).

표 1은 경피적 국소치료에 대한 지원으로서 조영초음파의 역할을 요약한 것이며, 아래는 이에 따라 각론을 해설하려 한다.

1) 치료 전 지원(pretreatment support)

(1) 치료 필요 여부의 판단

간세포암의 경우 만성 간질환을 배경으로 이른바 경계성 병변(이형성 결절~조기 간세포암)이 종종 관찰된다. 이러한 병변에 대한 치료 개시 기준은 기관에 따라 의견이 다르지만, 임상적으로 동맥기 조기 조영증강=과혈관성(hypervascular)이 증명되면 원칙적 치료 적응이라는 것에는 이견이 없다. 이 때 조기 혈류 검출(early blood flow detection)에 예민한 조영초음파는 매우 유용한 검사 방법이며[6], 반드시 경과 관찰 및 추적 검사에 포함시켜야 한다(**그림 2**).

(2) 경피적 치료 적합성 판단

원칙적으로 간세포암종의 경피적 치료 적응증은 '3cm, 3개 이내'로 되어 있으나 이 기준에는 암의 육안

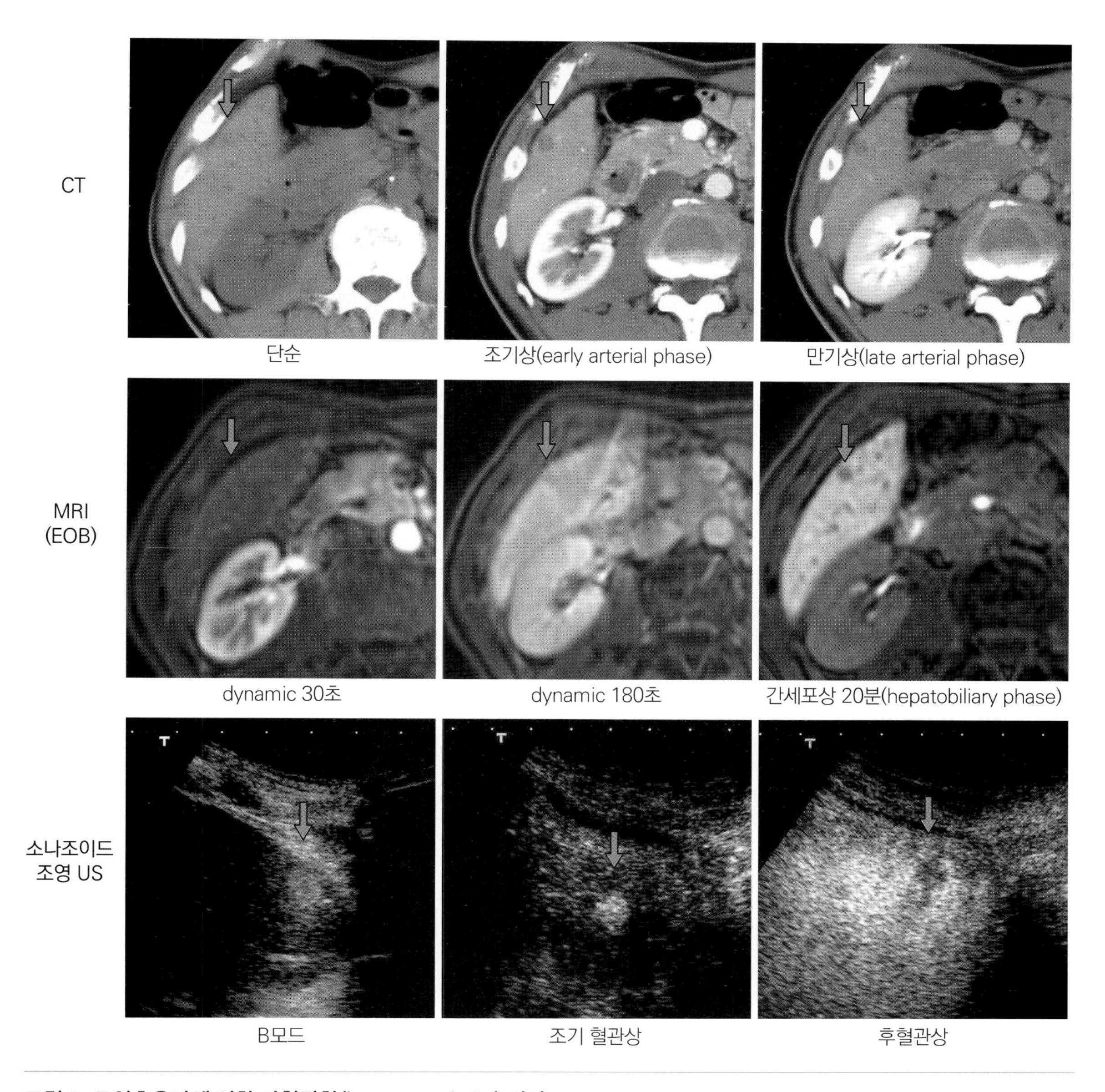

그림 2. 조영초음파에 의한 과혈관화(hypervascularity) 진단

50대, 남성. B형 만성 간염을 배경으로 US에서 간 S5에 8 mm의 고에코 결절을 확인하였다. CT, MRI 어느 조영에서도 동맥기 조기 조영증강을 확인할 수 없었다.

조영초음파에서는 동맥기 조영증강과 후혈관상에서의 defect를 확인하여 간세포암의 소견으로 치료 적합이라고 판단할 수 있었다.

형이나 진행 양상(mode of progression)은 포함되어 있지 않다. 경계가 불명료한 다결절 융합형(multinodular fusion type)이나 저분화형(poorly differentiated) 간암에서는 간내 전이나 혈관 침윤의 위험도가 높으므로 간 예비능이 충분하다면 수술적 절제(anatomical resection)를 선택해야 한다고 생각된다.[7] 이러한 육안형의 정밀 진단에도 조영초음파의 조기 혈관상(early vascular image)과 후혈관상(post vascular phase)이 매우 유용하다[8~10] (그림 3).

(3) 사전 천자 경로의 확인

치료 직전의 예비 초음파 검사(Planning Echo)는 기본적으로 시술자 본인(의사)이 하는 경우가 많지만, 검사자(technician)가 스크리닝 초음파를 할 때 천자 라인 결정에 필요한 정보를 기재하고 이를 공유하는 것은 시

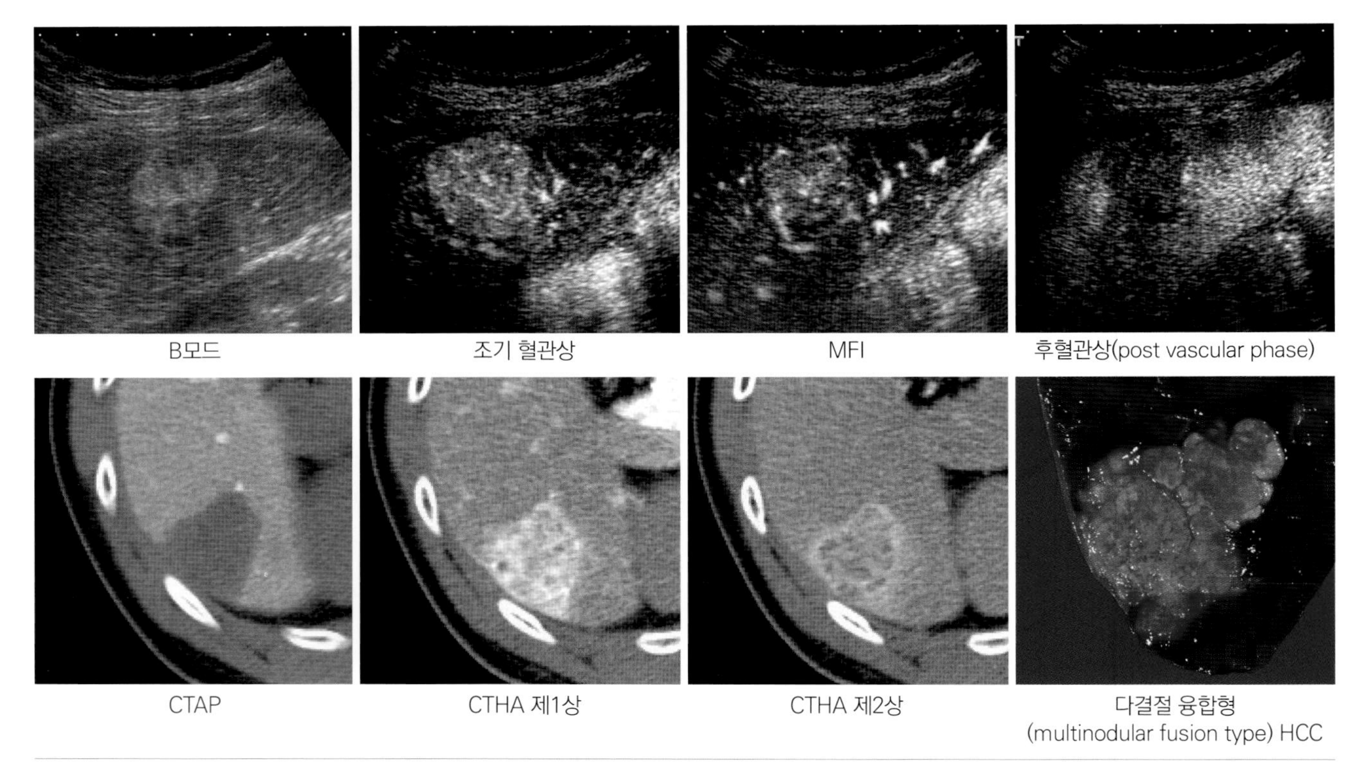

그림 3. 조영초음파에 의한 악성도 진단

50대, 남성. B형 간경변을 배경으로 간 S6에 30 mm의 고에코 결절이 확인되었다. 조영초음파 조기 혈관상으로 조영증강, 후혈관상에서 defect가 확인되는 HCC(간세포암)의 소견이지만 일반적인 basket pattern이 아니라 병변 내에서 잘려진 나뭇가지상(pruned tree)으로 종양 혈관이 펼쳐져 종양 변연은 불규칙한 요철상을 나타내고 있다(CTAP, CTHA에서도 같은 소견).

다결절 융합형(multinodular fusion type)으로 악성도 높은 암이 예측되어 경피적 치료 대신 수술적 절제를 시행하였다.

MFI : micro flow imaging, CTAP : CT during arterial portography, CTHA : CT during hepatic arteriography .

술자에게 매우 유익하다. 구체적으로는 확인하기 쉬운 체위와 acoustic window(음향창), 천자침 삽입(insertion) 후보 부위, 혈관 및 다른 장기와의 위치 관계에 대한 정보를 기재해 두면 실제 치료가 보다 더 원활하게 진행될 수 있다.

예를 들어 실제 치료에서는 1회 치료의 통전 시간이 수 분에서 수십 분이 걸리기 때문에 호흡 이동이 적은 늑간에서의 천자가 유리하다. 특히 간 표면에 가까운 종양의 경우 호흡에 의해 바늘이 이동하면 암을 전파(dissemination)할 위험을 수반하므로 유의할 필요가 있다. 또한 천자 심도는 얕을수록 천자침의 유도가 확실하며 화상 이미지의 조건도 더 좋다. 특히 조영초음파 하의 천자를 필요로 하는 경우 10 cm보다 더 심부에서는 화상 저하(image deterioration)가 두드러지기 때문에 체표로부터의 거리가 최대한 짧은 천자 루트의 정보 제공이 유익하다.[4] 또한 주요 혈관을 피할 수 있는 루트가 있는지, 병변과 근접한 장기는 없는 지와 같은 정보도 합병증을 예방하는 데 매우 중요하다.

이러한 현장에 맞는 유용하고 미묘한 포인트를 적절하게 판단하기 위해서는 검사자(technician)와 치료하는 의사 사이에 '공통 인식'이 필요하다. 이를 구축하기 위해 평상시 협업할 수 있는 기회를 자주 가지는 것이 좋다.

(4) 주병변 이외 병변(부병변)의 검출

치료 전 조영초음파에서는 주병변의 진단 외에 부병변의 유무를 확인하는 것도 중요하다. 치료 방침의 변경과도 직결되는 것으로 후혈관상에서는 병변부 이외에 반드시 전체 간의 스크리닝을 실시해야 한다.

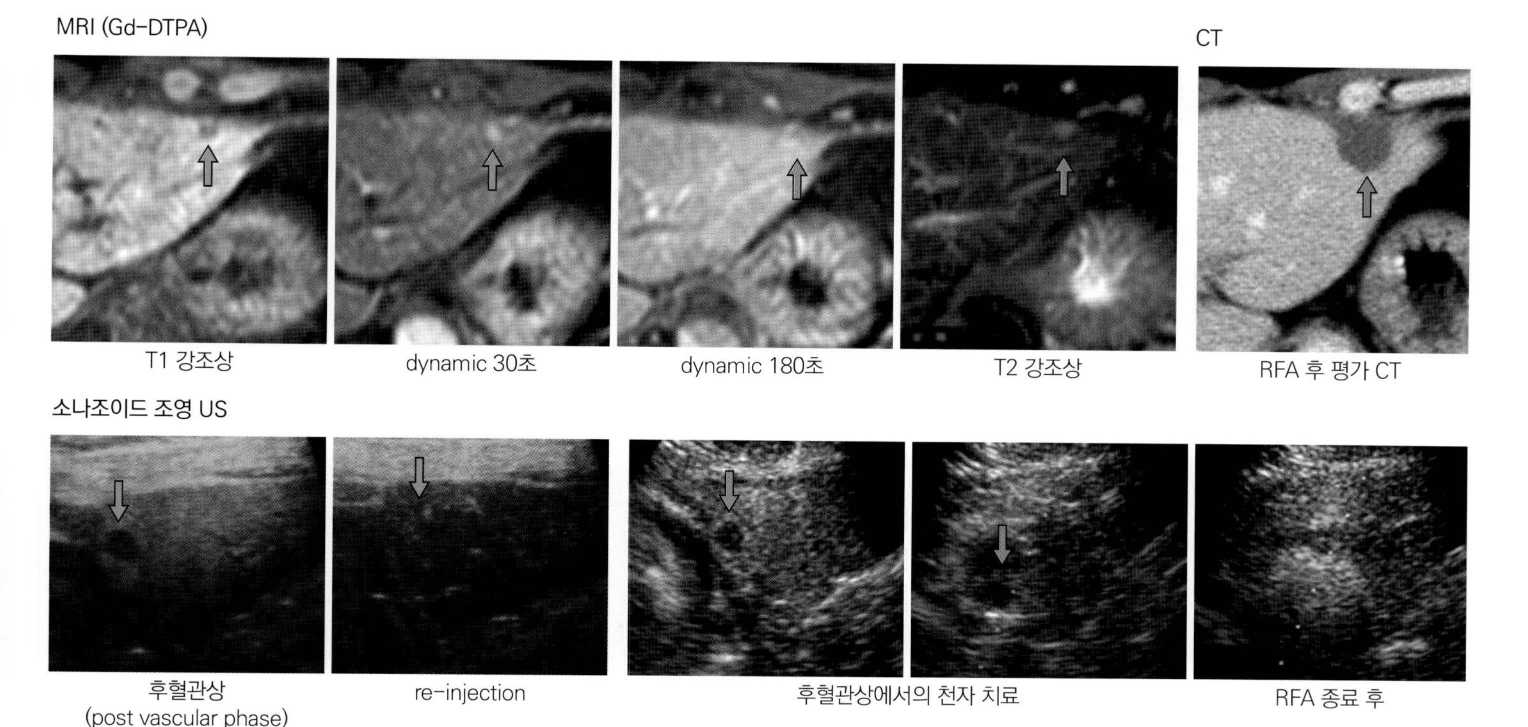

그림 4. 불명확한 병변의 조영초음파에 의한 가시화

30대, 여성. B형 간경변증. MRI에서 간 S3에 5 mm 크기의 작은 다혈성 간암을 확인하였다. 일반적인 초음파 검사에서는 병변을 알 수 없었으나 조영초음파 후혈관상(post vascular phase)의 스캔으로 defect를 확인하고 re-injection으로 동맥 조영증강을 확인하여 진단을 확정할 수 있었다.
후일 조영초음파 하에 후혈관상으로 병변을 확인하여 천자하고 RFA를 시행하였다.

조영초음파의 병변 검출률은 dynamic CT를 기준으로 한 마스자카의 연구에 따르면, 비조영초음파 83.5%보다 조영초음파에서 93.2%로 병변 검출률이 향상되고, 총 316례 중 52례에서 조영초음파 검사 실시 후 검출된 병변 수가 증가되었다고 보고하였다.[3]

조영초음파의 후혈관상에 의한 간암 스크리닝이 B모드 단독에 비해 우월한지 여부는 일본 간암 임상연구기구(JLOG, Japan Liver Oncology Group)에서 전향적인 다기관 공동연구 SELECTED study (Sonazoid Enhanced LivEr Cancer Trial for Early Detection)가 진행 중이며 그 결과를 기다리고 있다.[11]

또한 전이성 간암에서는 더욱 높은 검출률의 향상이 보고되었으며, 근치를 목표로 할 수 있는 경우에는 조영초음파로 꼼꼼한 체크가 요구된다.[12, 13]

2) 치료 중 지원

(1) 병변 감별 가시화(visibility) 향상

국소 천자 치료 중 조영초음파의 가장 큰 장점은 '천자 시 병변을 확인하기 쉽다'는 것이다.

이를 위해서는 첫번째, B모드로 '확인할 수 없는' 내지는 '확인하기 어려운' 병변을 가시화 선명화되어야 하고, 두번째, 천자가 진행되는 시간 동안 영상이 안정화되어야 한다. 이 두 가지는 소나조이드의 등장에 의해 비약적으로 향상되었다. 또한 결손부위 재조영(defect re-injection)으로 반복하여 재조영이 가능하다는 장점도 크다.[14]

그림 4는 불명확한 병변을 가시화하여 치료한 증례, **그림 5**는 불명료한 병변을 선명하게 하여 치료한 증례이다.

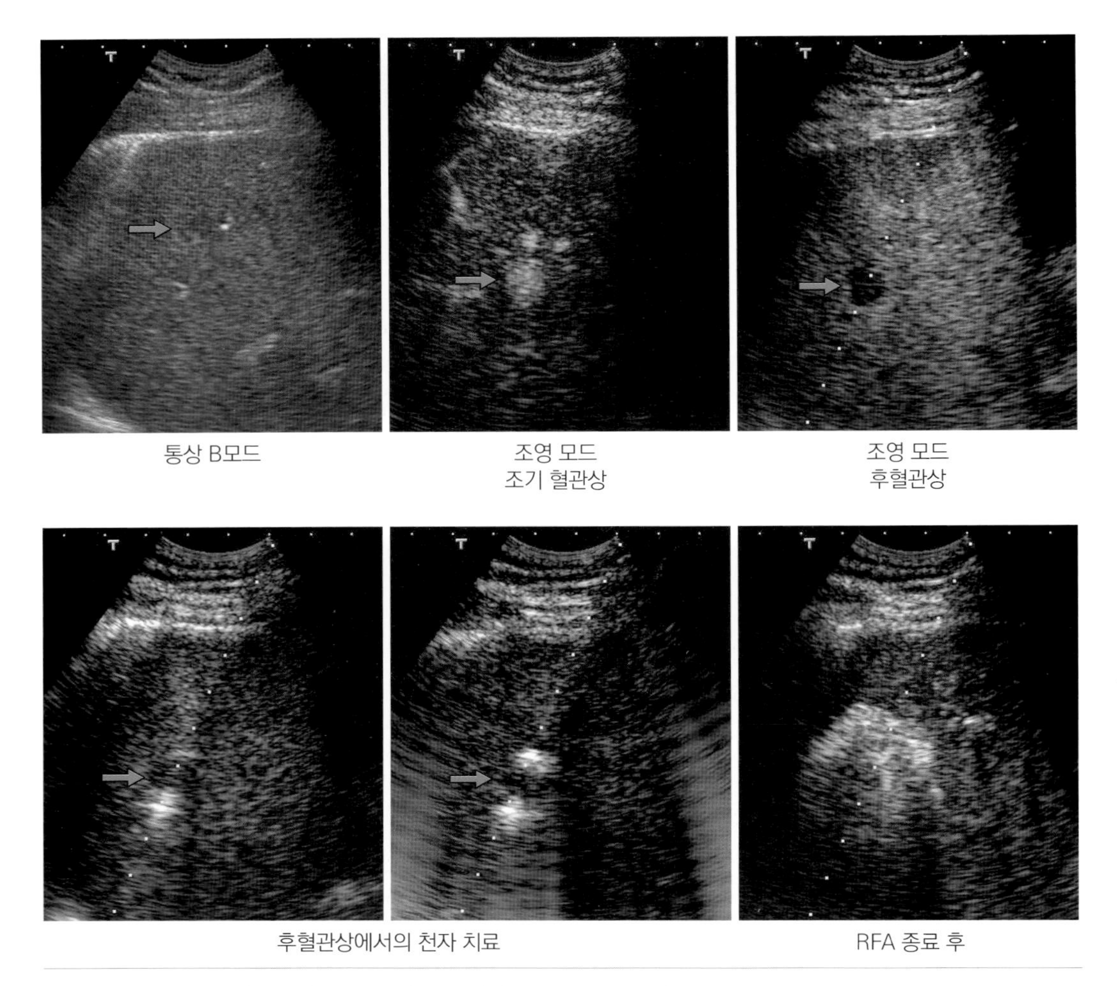

그림 5. 불명료한 병변의 조영초음파에 의한 가시성(visibility) 향상

70대, 남성. B형 간경변을 배경으로, CT로 간 S8에 9 mm의 간암을 확인하였다.
일반 초음파로도 병변을 확인할 수 있지만, 경계는 뚜렷하지 않다.
소나조이드 조영의 후혈관상(post vascular phase)에서는 명료한 defect를 나타내기 때문에, 이 시상으로 병변을 정확하게 천자하여 RFA를 시행하였다.

(a) 조기 혈관상에서의 천자

이 방법은 치료 잔존부를 추가 치료할 때 이용되는 경우가 많다. 이 경우 B모드로 확인되는 병변 전체 중 치료 잔존부 만을 목표로 해야 하며, 조영 초기(early vascular phase)에 조영 증강되는 부분을 확인하고 천자하게 된다. 간문맥에서 간실질이 조영되는 30초 정도의 짧은 시간에 천자를 완료해야 하므로 본과(삿포로 후생병원 간내과)에서는 사전에 미리 천자침을 간 표면에 위치시켜 두었다가 좋은 이미지를 얻는 순간 주저하지 않고 신속하게 천자침을 진입하도록 하고 있다.

사전 정보가 있을 경우에는 최초 조영으로 천자하는 것도 가능하지만 실전에서는 첫번째는 관찰만으로 하고, 후혈관상의 defect(결손)에 대하여 소나조이드를 재정주(re−injection)하여[13], 그 혈관상으로 천자하는 경우가 많다.

그림 6은 TACE(경동맥 화학색전술) 후의 암 잔존부에 대한 추가 RFA의 증례인데, 첫번째 조영으로 암 잔존부를 확인하고 나서 재정주 시에 조기 혈관상의 타이밍으로 천자하였다.

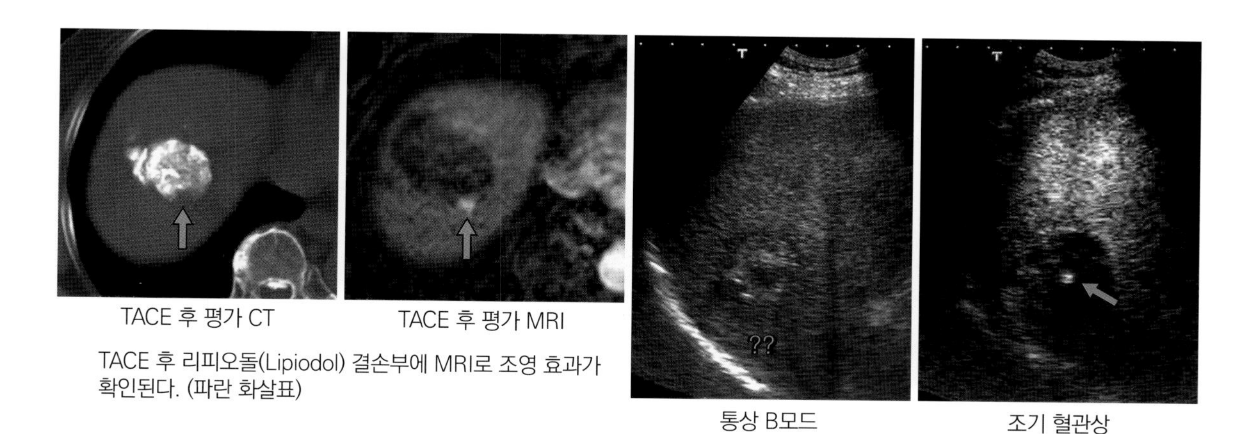

TACE 후 평가 CT　　TACE 후 평가 MRI

TACE 후 리피오돌(Lipiodol) 결손부에 MRI로 조영 효과가 확인된다. (파란 화살표)

통상 B모드　　조기 혈관상

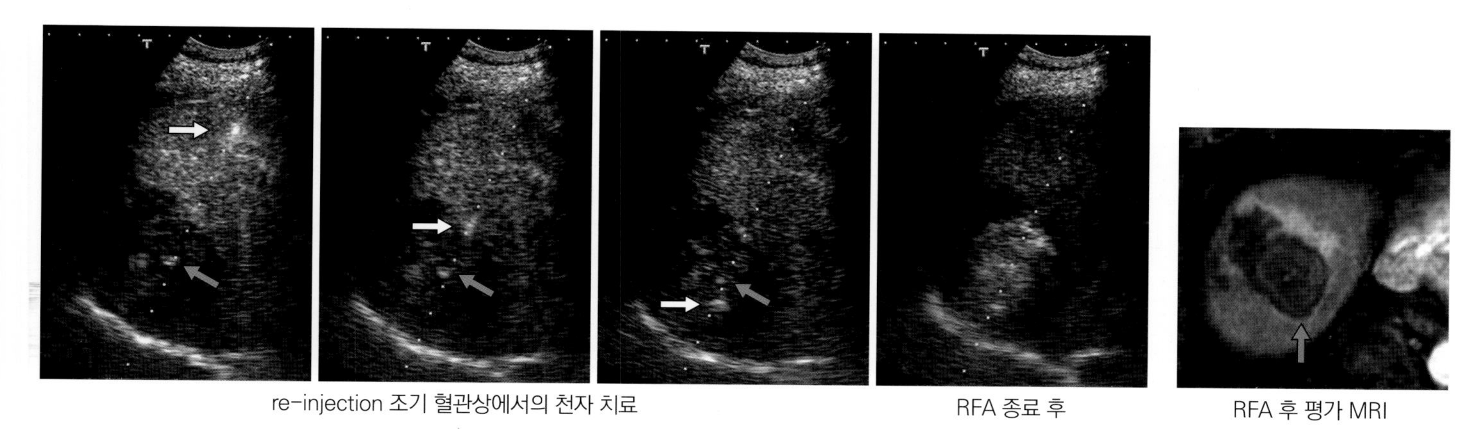

re-injection 조기 혈관상에서의 천자 치료　　RFA 종료 후　　RFA 후 평가 MRI

그림 6. 조영 조기 혈관상에서의 천자 치료가 필요한 증례

70대, 여성. NBNC (non-B non-C) 간경변증

간 S8의 간암에 대한 TACE 치료 후의 잔존 암 증례. 조영초음파의 조기 혈관상으로만 잔존부를 확인할 수 있으므로 이 시상으로 천자하여 RFA 시행(파란 화살표). 시간적 제약이 있으며 확실하고 신속한 천자 기술이 요구된다(흰색 화살표).

(b) 후혈관상(post vascular phase)에서의 천자

이 방법은 후혈관상에서 표적 병변이 보여지는 경우에 이용되는데, 조기 혈관상보다 이 시기 상에서 천자를 실시하는 것이 시간적 여유가 있기 때문에 용이하며 실제 임상에서 가장 많이 이용된다.[4] 또한 전이성 간암에서는 B모드에서 불명료한 종양 경계가 명료해지는 경우가 많기 때문에 자주 이용된다.[5]

다만 시간이 많이 소요되면 비록 저음압(low MI)이라 해도 버블의 붕괴로 콘트라스트(조영 효과)가 저하되므로 수분 내에 신속하게 천자를 완료하는 것이 바람직하다. 그러나 여러 사정으로 관찰에 시간이 걸려 병변이 불명료화 된 경우에는 재정주로 좋은 조건을 재현할 수 있으므로 안전성을 중시하여 당황하지 말고 시간을 가지고 천자해야 한다.[4]

(2) 수술 중 초음파 조영

수술 중 초음파 분야에서도 조영초음파에 의한 치료 지원이 이루어지고 있다. 간세포암, 전이성 간암의 경우 모두 체외 초음파 스캔 때와 마찬가지로 병변 가시성의 향상과 새로운 병변의 검출이라는 두 가지 장점이 있다.[15~17]

또한 수술 중 고해상도 초음파를 이용한 종양 혈관상 확인으로 종양 분화도(악성도) 평가를 시행하는 시도도 이루어지고 있다.[18]

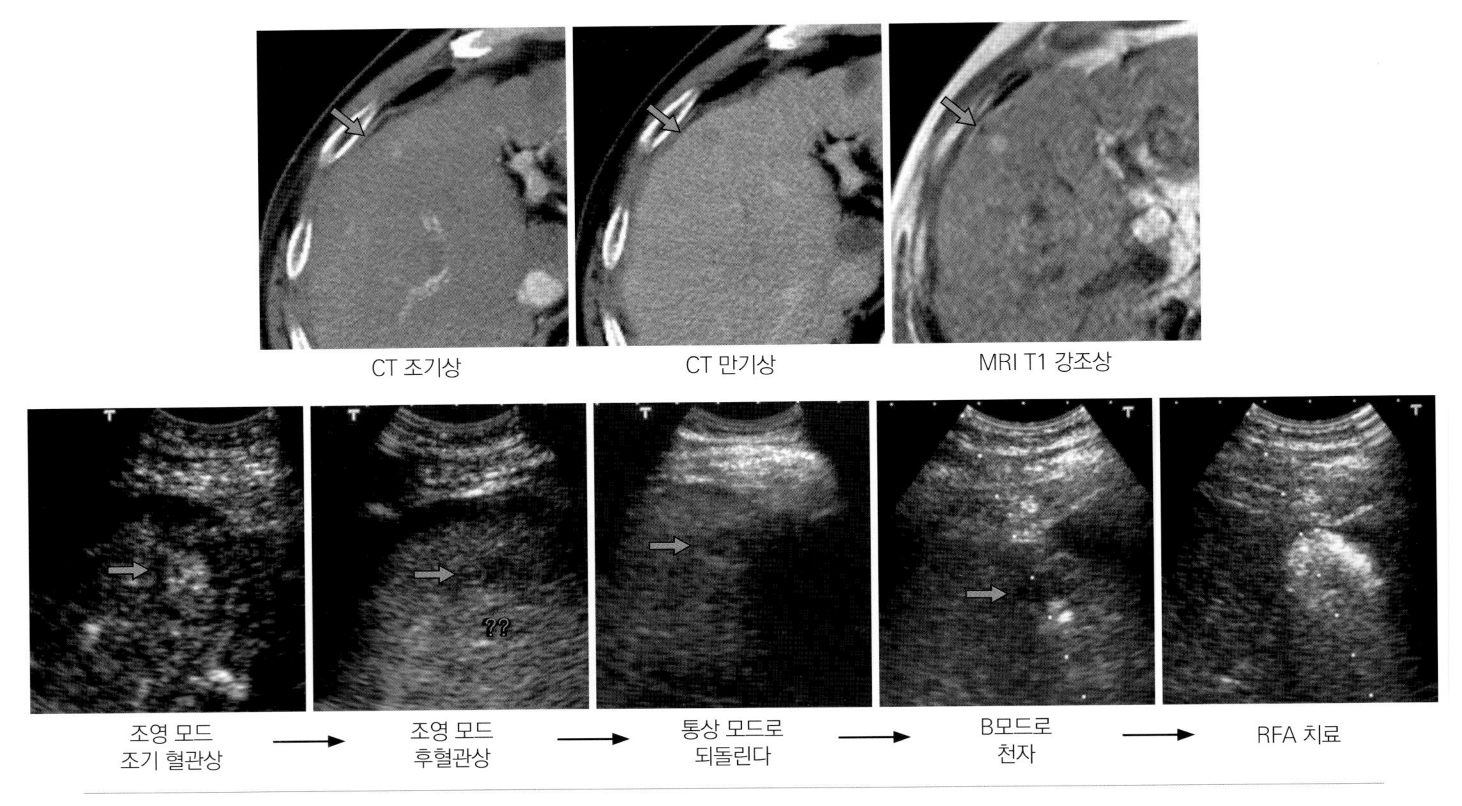

그림 7. 조영초음파하의 천자 피트폴(pitfall) 증례
60대, 남성. C형 간염 간경변증으로 인해 희미한 동맥 조영증강을 나타내는데, T1 강조상에서 고신호로 비교적 고분화라고 생각되는 HCC가 확인되었다. 조영초음파로 동맥 조기 조영증강과 후혈관상에서의 결손이 확인되나, 콘트라스트는 약하고 경계가 불명료하다. 이러한 경우 일반적인 B모드로 되돌리는 편이 병변이 명료해져서 천자 치료가 편리해지는 경우가 있다.

(3) 조영초음파의 약점(pitfall)

지금까지 조영초음파의 이점을 중심으로 서술해 왔지만, 몇 가지 약점도 있으므로 인식해 둘 필요가 있다.[19]

우선 조영 모드는 낮은 MI 값으로 촬영하기 때문에 콘트라스트 분해능이 낮은 점을 들 수 있다. 따라서 후혈관상에서 희미한 결손(defect)상의 경우에는 병변의 확인이 오히려 어려울 수 있다. 또한 혈관의 표현능력 저하하고 있으므로 유의할 필요가 있다. 마찬가지로 체표에서 10 cm 이상의 심부 병변이나 좁은 늑간 스캔(scan)에서는 송신파가 제한되어 가시적인 영상 이미지의 저하가 현저하다.

이러한 때에는 reference의 B모드나, 과감하게 통상적인 높은 MI 값의 B모드로 전환하여 천자를 시행하는 것이 좋다(그림 7).

또한 RFA 치료가 예측되는 증례의 조영초음파 사전 검사를 맡았을 때에는 이러한 시술에 도움이 되는 모드(mode) 정보를 보고서에 덧붙일 수 있으면 좋을 것이다.

3) 치료 후 지원

(1) 국소 치료 후 효과 판정

조영초음파에 의한 국소 치료 효과 판정에서는 CT, MRI의 axial 영상 평가에서 가장 취약한 병변의 상단과 하단을 포함한 병변 전체를 높은 해상도로 스캔 할 수 있다는 장점이 있다. 이 때문에 TACE 및 RFA 후 잔존 암 판정에서 dynamic CT 보다 더 유용하다고 판단된다.[20~23] 또한 신장병(renal damage)이나 방사선 피폭이 없고 여러 번 검사해도 안전성이 높다는 이점도 있다.

그러나 현시점에서는 화상 처리나 영상 비교의 복잡성 때문에 널리 보급되었다고는 말하기는 어려운 실정이다. 의사들이 바쁜 임상 현장에서 장시간의 화상 처리를 위해 시간을 소비할 여유가 별로 없기 때문에 그러한 측면에서 영상 기술자(technician)의 협력이나 의사와의 역할 분담이 이러한 문제의 중요한 해결책이 될 것으로 여겨진다.

또한 다른 영상 검사와의 퓨전기술의 진보나 4D 탐촉자를 이용하는 노력을 통해, 보다 정확하고 간편한 검사법이 개발될 가능성이 있어[24], 향후 발전이 기대된다.

(2) 새로운 병변의 스크리닝

간암 치료 후의 추적 검사에서도 치료 병변의 국소 재발 유무와 다른 부위 재발의 스크리닝이 동시에 가능한 조영초음파가 매우 유용할 것으로 생각된다.

다른 부위 재발 체크는 기본적으로 스크리닝 검사에 준하는 작업으로, 조영초음파와 비조영초음파 간의 우열 및 상호 비교 우위에 대해서는 앞서 기술한 SELECTED study의 결과를 기다려 봐야 할 것으로 여겨진다.

마치며

이상으로 간암의 경피적 치료에 대한 조영초음파의 지원에 대하여 대략 설명하였다.

이러한 치료 지원은 '의사와 영상 기술자(technician)의 공동작업'이다. 가려운 곳을 긁어줄 수 있는 이심전심의 파트너십을 기르기 위해서는 일상 진료 속에서 증례를 쌓고 의견을 교환하며 '공통 인식'을 구축해 두는 것이 중요하다.

또한 실제 현장에서의 판단은 경우에 따라 미묘하게 다르기 때문에 글로만 배우는 것은 어렵다. 본 글을 참고하여 실제 임상에서 실전 감각을 보완하고 살아 있는 지식으로서 받아들여지면 좋겠다.

참고문헌

1 Shiina, S., Teratani, T., Obi, S., et al. : A randomized controlled trial of radiofrequency ablation with ethanol injection for small hepatocellular carcinoma. *Gastroenterology*, 129 : 122~130, 2005.

2 Tateishi, R., Shiina, S., Teratani, T., et al. : Percutaneus radiofrequency ablation for hepatocellular carcinoma. An analysis of 1000 cases. *Cancer*, 103(6) : 1201~1209, 2005.

3 増崎亮太, 椎名秀一朗, 建石良介, 他 : 肝細胞癌ラジオ波凝固療法におけるソナゾイド造影超音波の有用性. 肝胆膵, 60(3) : 409~316, 2010.

4 中西裕之, 泉 並木 : 局所壊死療法の最近の進歩. 腫瘍内科, 6(5) : 446~454, 2010.

5 椎名秀一朗, 後藤絵理子, 内野康志, 他 : 転移性肝腫瘍のRFA治療. *Innervision*, 25(3) : 87~90, 2010.

6 Moriyasu, F., Itoh, K. : Efficacy of perflubutane microbubble-enhanced ultrasound in the characterization and detection of focal liver lesions; Phase 3 multicenter clinical trial. *Am. J. Roentgenol.*, 193 : 86~95, 2009.

7 大村卓味, 木村睦海, 荒川智宏, 他 : 画像による肝癌肉眼型診断の意義—CTHA画像による検討を通して—. *Rad Fan*, 9(6) : 57~58, 2011.

8 田中弘教, 飯島尋子, 齋藤正紀, 他 : Sonazoid造影超音波による新しい肝癌悪性度分類法の試み. 肝臓, 50(7) : 397~399, 2009.

9 麻生和信, 岡田充功, 玉木陽穂, 他 : Sonazoid造影USを用いた肝癌の精密診断—肉眼型と組織分化度診断—. 第46回日本肝癌研究会抄録集, 221, 2010.

10 Hatanaka, K., Chung, H., Kudo, M., et al. : Usefulness of the post-vascular phase of contrast-enhanced ultrasonography with sonazoid in the evaluation of gross types of hepatocellular carcinoma. *Oncology*, 78(Suppl) : 53~59, 2010.

11 工藤正俊, 畑中絹代, 熊田 卓, 他 : ソナゾイド造影 : 肝細胞癌サーベイランスへの応用. 肝胆膵画像, 13(1) : 13~20, 2011.

12 Sugimoto, K., Shiraishi, J., Moriyasu, F., et al. : Improved detection of hepatic metastases with contrast-enhanced low mechanical-index pulse inversion ultrasonography during the liver-specific phase of sonazoid: observer performance study with JAFROC analysis. *Acad. Radiol.*, 16(7) : 798~809, 2009.

13 Correas, J.M., Low, G., Needleman, L., et al. : Contrast enhanced ultrasound in the detection of liver metastases: a prospective multi-centre dose testing study using a perfluorobutane microbubble contrast agent(NC100100). *Eur. Radiol.*, 21(8) : 1739~1746, 2011.

14 工藤正俊, 畑中絹世, 鄭 浩柄, 他 : HCC治療支援におけるSonazoid造影エコー法の新技術の提唱—Defect Re-perfusion Imagingの有用性. 肝臓, 48 : 299~301, 2007.

15 Arita, J., Takahashi, M., Hata, S., Shindoh, J., et al. : Usefulness of contrast-enhanced intraoperative ultrasound using Sonazoid in patients with hepatocellular carcinoma. *Ann. Surg.*, 254(6) : 992~999, 2011.

16 Nanashima, A., Tobinaga, S., Abo, T., et al. : Usefulness of sonazoid-ultrasonography during hepatectomy in patients with liver tumors: A preliminary study. *J. Surg. Oncol.*, 103(2) : 152~157, 2011.

17 Nakano, H., shida, Y., Hatakeyama, T., et al. : Contrast-enhanced intraoperative ultrasonography equipped with late Kupffer-phase image obtained by sonazoid in patients with colorectal liver metastases. *World J. Gastroenterol.*, 14(20) : 3207~3211, 2008.

18 光法雄介，田中真二，伴 大輔，他：術中造影超音波による肝細胞癌の腫瘍血管像の分類と多段階進展の診断．第16回肝血流動態イメージ研究会抄録集, 83, 2010.

19 小川眞広，阿部真久，松本直樹，他：造影超音波ガイド下穿刺のピットフォール. *Rad Fan*, 6(10) : 93~95, 2008.

20 Xia, Y., Kudo, M., Minami, Y., et al. : Response evaluation of transcatheter arterial chemoembolization in hepatocellular carcinomas: the usefulness of sonazoid-enhanced harmonic sonography. *Oncology*, 75(Suppl 1) : 99~105, 2008.

21 坂本 梓, 池田敦之, 谷口敏勝, 他：肝細胞がんに対するTAI，TACE後治療効果判定におけるソナゾイド造影超音波の有用性. 肝臓, 51(7) : 361~370, 2010.

22 池田敦之, 木村 達, 大崎往夫, 他：ソナゾイド造影超音波による肝細胞癌のRFA後治療効果判定：造影CTとの比較. 肝臓, 50(7) : 362~370, 2009.

23 Shiozawa, K., Watanabe, M., Takayama, R., et al. : Evaluation of local recurrence after treatment for hepatocellular carcinoma by contrast-enhanced ultrasonography using Sonazoid: comparison with dynamic computed tomography. *J. Clin. Ultrasound*, 38(4) : 182~189, 2010.

24 Luo, W., Numata, K., Morimoto, M., et al. : Role of Sonazoid-enhanced three-dimensional ultrasonography in the evaluation of percutaneous radiofrequency ablation of hepatocellular carcinoma. *Eur. J. Radiol.*, 75(1) : 91~97, 2010.

6. CT·MRI와의 퓨전(Fusion) 영상 표시의 임상 응용 및 주의점

오가와 마사히로 |
일본대학병원 소화기내과

시작하며

최근 자기 센서(magnetic sensor)를 이용한 초음파 장치가 등장하여 CT나 MRI 영상을 실시간으로 나란히 보면서 초음파 검사를 시행할 수 있게 되었다. 현재(2012년 5월 일본) 자기 센서를 지원하는 장치도 5개 회사로 늘어나 향후 보급에 가속도가 붙을 것으로 예상된다. 본 글은 자기 센서를 이용한 퓨전 영상 표시의 임상 응용 및 주의 사항에 대하여 구체적인 검사 기술도 포함하여 해설한다. 이번에 우리가 사용한 장치는 GE Healthcare의 제품 LOGOIQE9, S8, 사용 탐촉자는 C1-5, 9L이다.

1. 퓨전 영상의 간단한 원리(그림 1, 2)

장치는 초음파 진단 장치, 자기 센서, 트랜스미터(transmitter) 세 가지로 구성된다. 원리는 트랜스미터에서 발생한 자기장으로부터 탐촉자에 장착한 자기 센서의 위치를 파악하여 위치 정보를 포함한 초음파 영상 데이터를 취득한다. 그 다음 해당 볼륨 데이터와 다른

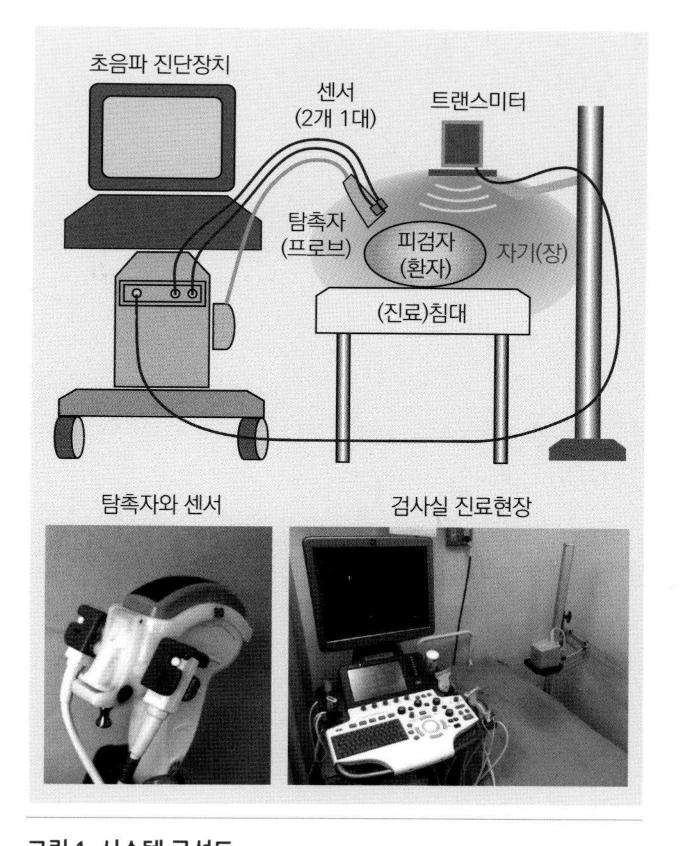

그림 1. 시스템 구성도
초음파 진단 장치, 탐촉자에 부착된 자기 센서, 자기장을 발생시키는 트랜스미터의 세 가지로 구성되어 있다.

볼륨 데이터의 공간 좌표를 보정하여 통합 영상 이미지를 취득한다. 보통 볼륨 데이터의 공간 좌표 보정은 3점으로 하는데, 본 장치의 기법은 우선 수평 단면에서 2차원 방향을 맞춘 후 3점째 위치를 맞추어 위치 보정을 시행하고 있다. 구체적으로는 CT·MRI 영상 이미지의 수평단면과 초음파 영상의 수평단면을 합한 후, 해부학적으로 동일하다고 알 수 있는 점을 3점째로 합하여 공간 좌표 보정을 실시하고 있다. 물론 초음파 검사에서는 호흡에 의한 위치 차이가 발생할 가능성이 있으므로, 기본적으로는 숨을 들이마시거나 내쉬는 타이밍을 정해 놓고 통합 영상 평가를 실시한다. 그러나 늑궁하 스캔(subcostal scan)이나 늑간 스캔(intercostal scan) 등 반드시 일정한 호흡상태에서 검사가 시행되는 것은 아니므로 각 스캔(scan) 단면에서 다시 위치보정을 하는 것이 바람직하다.

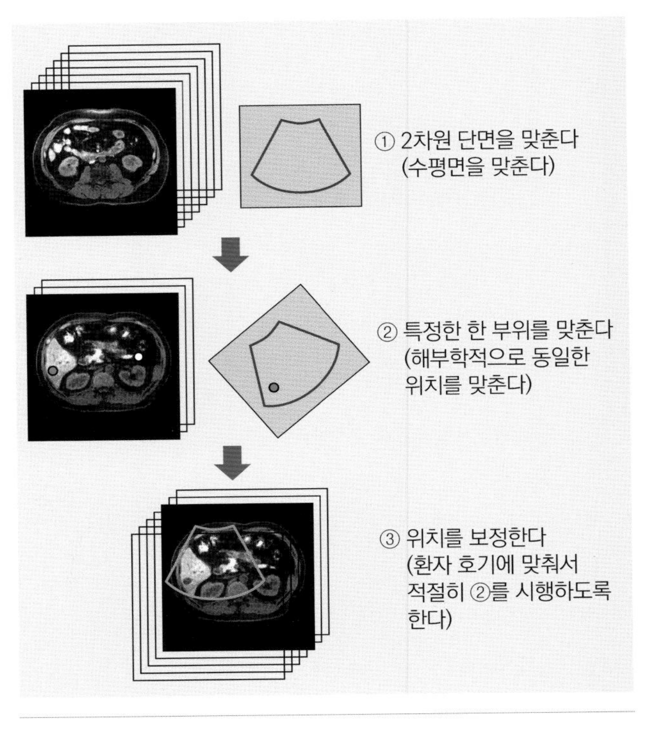

그림 2. 공간 좌표 보정의 원리
CT·MRI 영상과 평행한 초음파 단면을 먼저 맞춘다(2차원 단면을 맞춘다). 다음으로 CT·MRI 영상과 초음파 영상이, 같은 랜드마크(해부학적으로 같은 위치)가 되는 위치를 일치시킨다. 이로 인하여 2차원 단면→3점째의 공간 좌표 보정을 실시한다.

2. 퓨전 검사 기술(그림 2)

아래에서는 구체적인 검사 기술에 대하여 해설한다. 참조 영상의 입력, 트랜스미터의 설치, 공간 좌표 보정의 크게 3 파트로 나누어 설명한다.

1) 참조 영상의 입력 및 출력

먼저 참조 영상으로 이용할 영상을 입력한다. 대상은 CT·MRI의 DICOM 영상 또는 자기 센서를 장착하여 촬영된 3차원 초음파 영상이다.

입력 방법은 CT 또는 MRI의 DICOM 영상의 경우 온라인 또는 CD, DVD로 입력하고 초음파 영상은 장치 내의 보존 데이터로부터의 재출력이 된다. 참조 영상을 출력하는 것은 장치 내의 저장 영상을 통해서도 가능하기 때문에 검사 시작 직전에 입력할 수 있는 것뿐만 아니라 미리 입력해 두는 것도 가능하다. 또한 참조 영상은 최대 다섯 종류까지 선택할 수 있으며, 같은 단층 방향일 경우 동시에 입력할 수 있다. 따라서 CT검사라면 단순동맥 우위상(arterial predominant phase), 문맥 우위상(portal predominant phase), 간정맥상(venous phase)의 4상, MRI검사라면 T1 강조 화상, T2 강조 화상, 확산 강조상 그리고 조영 MRI의 경우 동맥 우위상, 문맥우위상, 간정맥상 또는 간세포 조영상(EOB·Primovist 조영 MRI 검사의 경우) 등 목적에 따라 5가지를 선택하여 입력한다.

2) 트랜스미터의 설치

트랜스미터에서 발생하는 자기장은 그다지 크지 않기 때문에 초음파 검사 스캔(scan) 부위에 따라 최적의 위치에 설치하는 것이 중요하다. 트랜스미터의 위치를 바꿀 때는 설정을 다시 해야 하며 트랜스미터와 탐촉자에 설치한 자기 센서의 위치가 멀어질수록 위치가 어긋나기 쉽기 때문에 초음파 스캔 범위를 고려하여 트랜스미터의 위치를 설정할 필요가 있다. 간 검사에서는 우늑간 스캔(right intercostal scan)을 실시하는 경우 너무 멀어지지 않도록 위치를 설치하는 것이 중요하다. 적절한 범위의 판정은 화면상에 감도를 표시하기 때문에 적당한 때에 확인이 가능하다. 또한 자기 센서를 사용하기 때문에 침대와 의류 등의 금속으로 인해 악영향을 받을 수 있다는 점을 미리 염두해둘 필요가 있다. 자기장에서 멀어진 경우나 금속 등의 아티팩트(artifact)가 혼입된 경우에는 reference 영상이 원활하지 못하거나 튕기므로 이 경우에는 재설정이 필요하다.

3) 공간 좌표 보정

참조 영상으로 입력한 화상을 다시 출력하고 해당 영상과 같은 방향의 단면에 탐촉자를 둔 후, 공간 좌표 보정의 개시 버튼을 누른다[축평면(axial plane)이든 정중면(sagittal plane)이든 참조 영상과 같은 방향이면 된다]. 여기에서는 어디까지나 2차원 방향의 위치 정보를 입력하는 것이기 때문에 반드시 같은 단면을 작성할 필요는 없다. 참조 화면과 평행한 위치면 된다. 이 설정 버튼을 누른 후에는 동영상이 되므로 탐촉자를 움직이면서 초음파 영상과 참조 영상의 해부학적으로 같은 장소를 찾아서 초음파 영상과 참조 영상을 각각 세팅하여 보정한다.

본래 여기에서 2차원 단면+3점째의 위치 정보를 보정하고 종료하지만, 초음파 검사는 호흡성의 이동이나 탐촉자의 압박 정도에 따라 장기의 표시 위치가 다르기 때문에 표시 방법의 변경과 함께 3점째의 위치 보정을 재설정함으로써 더욱 정확한 표시가 가능해진다. 간단히 말하면 양쪽의 영상이 불일치인 것을 감지한 경우, 같은 장소임을 알 수 있는 위치에 대해 3점째의 보정을 적시에 실시하는 것이다. 좋은 검사의 포인트는 검사를 흡기 또는 호기로 할 것인지, 스캔 부위가 우늑궁하 스캔(right subcostal scan)인지 우늑간 스캔인지 등 검사의 중심이 되는 장소를 결정하고 그 단면에서 다시 설정할 수 있도록 하는 것이다. 간낭종(hepatic cyst) 등이 있는 경우에는 비교적 맞추기 쉬우나 특별히 표식으로 할 것이 없는 경우 본 기관(일본대학병원 소화기내과)에서는 정중 횡스캔(mid−transverse scan)에서는 문맥 제부(Portal vein umbilical region), 우늑간 스캔에서는 문맥 전구역지(anterior segmental branch of portal vein)의 전상구역지(antero−superior branch)와 전하구역지(antero−inferior branch)의 분기부(bifurcation)를 표식으로 하여 위치를 설정하였다.

3. 퓨전 영상 검사가 필요한 증례

퓨전 영상은 설정의 번거로움만 제외한다면, 진단용 정보량이 증가한다는 관점에서 모든 사례에 유용하다고 할 수 있다. 특히 종합 영상 진단을 실시한다는 관점에서 보면, 참조 영상의 설정이 여러 장 가능하기 때문에 단순하게 해부학적 위치를 확인한다는 의미를 넘어서서 초음파 검사를 하면서 두 가지 검사법을 동시에 평가하는 의미가 강해지고 있다. 특히 동시에 검사를 시행하여 얻는 최대 장점은 두 가지 검사법을 상보적으로 사용하여 검사와 분석(radiologic interpretations)을 시행함으로써 검사의 정밀도가 높아지는 것이라고 할 수 있다. 시간적인 관점에서도 모든 증례로 시행하는 것은 불가능하기 때문에 여기에서는 특히 유용한 증례에 대하여 설명하고자 한다.

1) 천자 치료 전의 시뮬레이션(그림 3)

천자 치료를 시행할 목적으로 하는 퓨전 영상의 이점은 초음파 검사의 결점인 한 번에 관찰 가능한 가시범위(visual range)가 좁다는 점과 아티팩트(artifact)의 존재에 의한 묘출 부위의 제한을 방지할 수 있다는 것이다. 즉 초음파 검사의 관찰 가능 범위가 좁아도 reference 영상인 CT·MRI에 초음파 검사의 가시 영상 범위가 표시되기 때문에 어느 범위를 어느 각도에서 관찰하고 있는지 객관적으로 파악하면서 검사할 수 있어서, 그 증례의 최적 탐촉자 위치에서 검사를 할 수 있다. 이

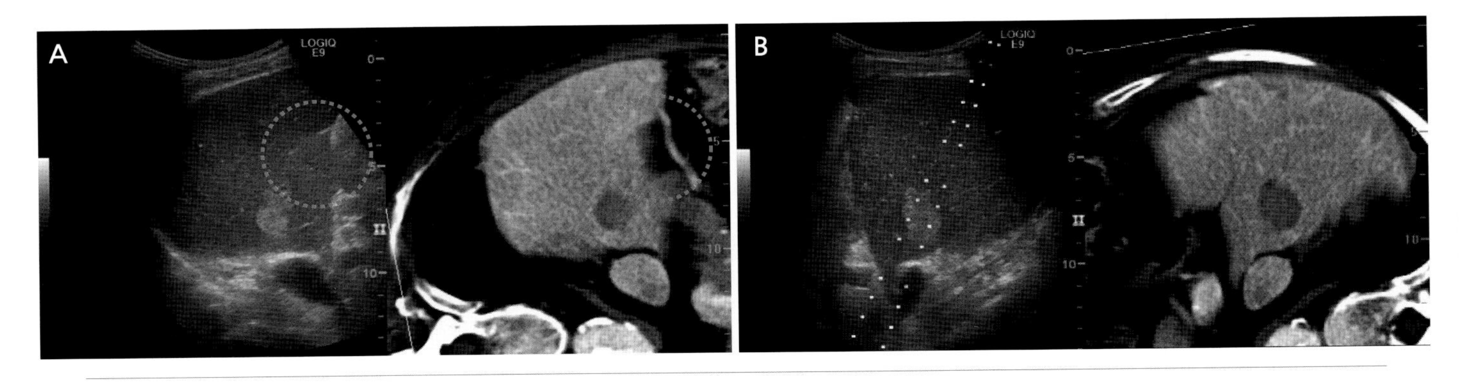

그림 3. 천자 치료 전의 시뮬레이션
S7 심부 방향에 있는 종양에 대한 천자 시뮬레이션 영상. A에서는 천자 방향 도중에 간 아래면의 변형이 있어서 초음파 영상만으로는 파악하기 어렵지만, 천자침이 한 번 간 밖으로 나올 가능성이 있다. 탐촉자를 반대로 바꾸어 역방향에서의 천자 경로를 선택함으로써 B처럼 안전한 경로를 확보하고 치료하였다. 시야가 넓은 CT를 reference 영상으로 제작함으로써 더욱 안전한 천자 경로를 확보할 수 있고, 퓨전 영상이 치료 계획에 있어서도 안전성 향상에 도움이 되리라 생각된다.

러한 점은 천자 치료에 있어서 장기 전체를 통한 천자 경로 파악이 가능하기 때문에 안전성의 향상에도 도움이 될 것으로 생각된다.

그림 3에서는 우늑간 스캔으로부터의 천자 시뮬레이션 영상을 보여주고 있다. S7의 심부에 종양이 있는 증례다. 간의 하면(inferior surface)의 변형으로 인해 천자침이 한번 간 밖으로 빠져나오기 쉬운 위치이다. 본 증례는 탐촉자를 거꾸로 하여 반대쪽에서의 경로를 선택함으로써 안전한 경로를 얻을 수 있었다. CT 영상을 병용함으로써 주위 장기를 포함하여 광범위하게 관찰이 가능하기 때문에 넓은 시야로 주위 상황을 파악하여 최적의 경로가 결정되었다.

2) 치료 효과 판정(그림 4)

퓨전 영상으로 치료 효과 판정을 하는 경우 다음 세 가지를 생각할 수 있다. 첫 번째는 치료 전 CT, MRI 영상과의 비교, 두 번째는 치료 후 CT, MRI 영상과의 비교, 마지막은 수술 전 초음파 영상과의 비교이다. 어느 경우든 치료 범위의 판정 및 국소 부위의 재발 여부를 판정하는 것이 주요한 목적이다. 수술 전 CT·MRI 영상과의 퓨전인 경우 초음파 B모드 영상만으로는 치료 부위가 불명료해지는 경우도 많기 때문에 치료 전후의 초음파 진단 장치나 검사가 다른 경우 등 치료 부위를 동정(identification)하여 효과적인 조영 검사를 시행하는데 유용할 수 있다. 그러나 다른 영상으로 치료 부위의 영역을 판정하는 것은 바람직하지 않으며, 이 경우 단순한 위치 확인 및 종양의 조영 증강 효과가 소실되었음을 확인하는데 그친다.

치료 후 CT·MRI 영상과의 비교는 종양의 조영증강 효과 소실의 확인 이외에도 추가 치료를 할 때 reference 영상의 소견이 초음파 영상의 어디에 해당하는지를 판정하는 데 유용하다.

수술 전 초음파 영상과의 비교는 같은 방법으로의 비교이기 때문에 미세한 변화를 파악하는 것이 가능하므로 가장 타당한 평가라고 할 수 있다. 그러나 수술 전부터 치료 효과 판정을 의식하여 3D 데이터를 저장해 두어야 하기 때문에 모든 증례가 가능한 것은 아니라는 점을 덧붙여둔다.

어느 경우든 표적 종양에 시행된 치료에 대하여 충분한 치료 영역이 확보되어 있는지, 국소 재발부가 어디인지, 주위 혈관 및 장기에 대한 영향을 판정하는 것이 목적이 된다. 어느 비교에서도 지금까지의 초음파 검사만의 판정과 비교하여 퓨전 영상으로 인해 객관성이 비약적으로 상승하여 유용한 방법이라고 생각된다.

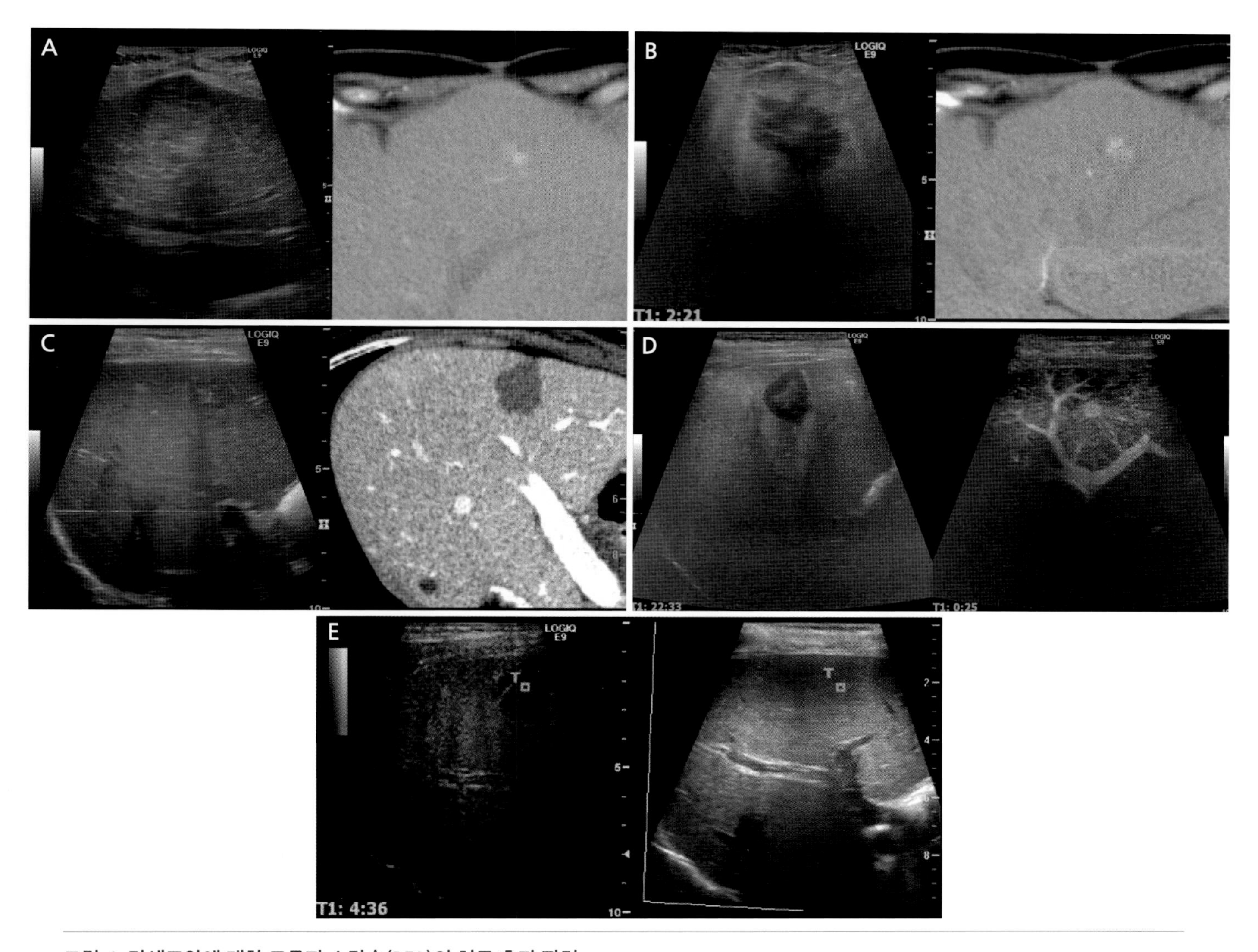

그림 4. 간세포암에 대한 고주파 소작술(RFA)의 치료 효과 판정

A : 치료 후 B모드 상과 치료 전 조영 CT 동맥 우위상(arterial predominant phase), B : 치료 후 조영초음파 검사와 치료 전 조영 CT 동맥 우위상, C : 치료 후 B모드 상과 치료 후 조영 CT 문맥 우위상(portal predominant phase), D : 치료 후 조영초음파 검사 후혈관상(post vascular phase)과 치료 전 조영초음파 검사 동맥 우위상, E : GPS기능을 이용한 치료 전 B모드와 치료 후 후혈관상의 비교.

치료 전 조영 CT와의 비교에서 치료 후 결절은 초음파 B모드에서 정확히 관찰하는 것이 어려워지기 때문에 치료 부위를 파악하는 데 유용하며 적절한 치료 단면을 결정하여 조영초음파 검사를 시행할 수 있다. 단 조영초음파 검사와 조영 CT 동맥 우위상은 조영 범위도 다를 수 있으므로 해당 이미지만으로 치료 영역의 마진을 평가하는 것은 부적절하다.

수술 후 초음파상과 치료 후 CT상의 비교도 뚜렷한 국소부위 재발의 진단 이외에는 치료 부위의 동정이라는 의미가 강하다.

이러한 점에서 초음파 가이드 하에 치료한 경우, 수술 전 B모드 및 조영초음파 검사 동맥 우위상과의 비교는 같은 검사법의 비교가 되기 때문에 종양의 잔존 부위나 종양 주위가 어느 정도까지 치료되었는지를 판정하기 쉽다. GPS 기능을 이용한 영상 비교는 수술 전에 종양 부분에 마크를 해 두면 수술 전후를 비교하는 것이 편리해진다. 특히 조영초음파 검사에서는 B모드와 조영 모드의 중첩 영상도 가능하므로 수술 전의 B모드와 비교하여 치료한 범위를 파악하기 쉽다.

3) 결절이 여러 개 있고 두 검사에서 같은 결절임을 증명하고 싶은 경우(그림 5)

간암을 전제로 하면 결절이 여러 개 확인되는 경우도 많다. 이와 같은 증례에서는 두 검사에서 소견이 일치하는 경우 우선적인 치료 대상 결절이 되는 경우가 많다. 그러나 결절이 여러 개 존재하는 경우, 특히 소결절성 병변에서는 실제로 같은 종양인지 망설이는 증례도 적지 않다. 이런 경우에도 퓨전 영상은 유용하다. 같

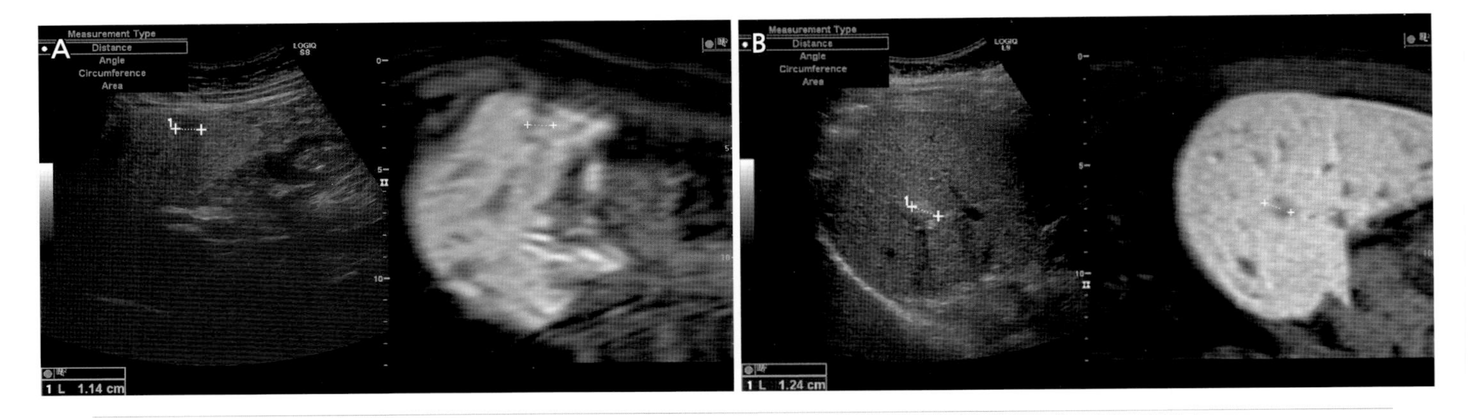

그림 5. 초음파 B모드 상과 EOB 프리모비스트(Primovist) MRI 검사의 간세포 조영상(hepatobiliary phase)과의 퓨전 영상
C형간염 간경변증으로 경과 관찰 중인 증례이다. 초음파 B모드 검사에서는 10 mm 전후의 고에코 결절과 저에코 결절이 산재해 있다. 본 증례처럼 결절이 여러 개인 경우, 퓨전 검사를 함으로써 EOB 조영 MRI 검사의 간세포 조영상(hepatobiliary phase)과 초음파 검사가 일치하는 결절을 명확히 확인할 수 있게 되어 유용하다.

은 단층면에서의 비교가 실시간으로 가능하기 때문에 같은 결절인지 아닌지를 판정하는 것이 용이하다. 특히 초음파 스캔 단면에 따른 차이가 다른 인상을 주는 원인이 되기 때문에 본 장치에 내장되어 있는 GPS 기능을 이용한 내비게이션 시스템을 이용하여 대상 결절을 놓치지 않도록 한다.

4) CT·MRI 영상과 초음파 영상의 소견이 다른 경우(그림 6)

이 시스템은 초음파 검사로 발견된 결절성 병변이 CT·MRI 영상에서 어떤 소견인지, CT·MRI상의 결절이 초음파로 실제로 가시화되지 않았는지 여부를 가장 확실하게 평가할 수 있는 방법이다. 특히 reference 영상을 다섯 종류까지 선택할 수 있게 됨으로써 CT·MRI의 여러 조건과 비교가 가능해져서 유용성이 높아졌다. 정상적인 혈관의 분기부(bifurcation) 등을 기준으로 하여 위치 보정을 실시하고 종양의 유무를 평가한다.

원래는 종양의 성질에 따른 영상 소견의 차이를 비교하는데, 이 밖에 횡격막의 돔(dome) 직하 등을 대표로 하는 이른바 초음파 검사의 사각(blind spot)이라고 불리는 위치에 있는 결절성 병변에 대한 평가도 포함된다. 다만 이 경우는 reference 영상을 참조하면 관찰 가능한 경우도 많으며, 부위를 의식함으로써 초음파 검사의 관찰 가능 범위가 넓어지는 것도 이 시스템의 장점이다.

CT·MRI 영상에서는 종양이 확인되고 초음파 검사에서 확인되지 않는 결절 중 대부분은 AP shunt에 의한 종양 조영 증강 소견이다. 본래 CT·MRI 검사에서도 문맥 우위상이나 간실질상에서 종양이 확인되지 않을 수 있다는 것을 어느 정도 짐작을 하지만 작은 종양 결절은 때로 정확한 감별이 매우 중요하다. 또한 최근 EOB 프리모비스트(Primovist) MRI 검사 도입으로 조기 간세포암이 간세포 조영상(hepatobiliary phase)에서의 결손(defect)상으로 확인되면서, 초음파 음성 결절이 증가하고 있다는 인상을 받는다. 조기의 간세포암이나 경계병변에서는 종양 자체가 10 mm 이하로 작은 경우가 많고 피막 형성 등도 없기 때문에 비종양부와의 경계가 불명료한 증례나 주위 간조직과의 변화가 경미한 것도 있어 실제 초음파 검사에서 종양으로서 '알아채기 어려운 결절'이다. 따라서 이러한 결절은 고주파 탐촉자의 사용이나 포커스 포지션의 재설정 등 초음파 검사 조건을 최적으로 재조정함으로써 가시화할 수 있다. 또한 적극적으로 고주파 탐촉자를 사용함으로써 5 mm 전후의 결절이 초음파 검사에서만 확인되고, CT·MRI 검사에서는 확인되지 않는 결절을 다수 확인할 수 있다.

이러한 증례는 퓨전 검사에서 CT·MRI 영상을 재분석(radiologic interpretations)함으로써 막연한 소견을 양

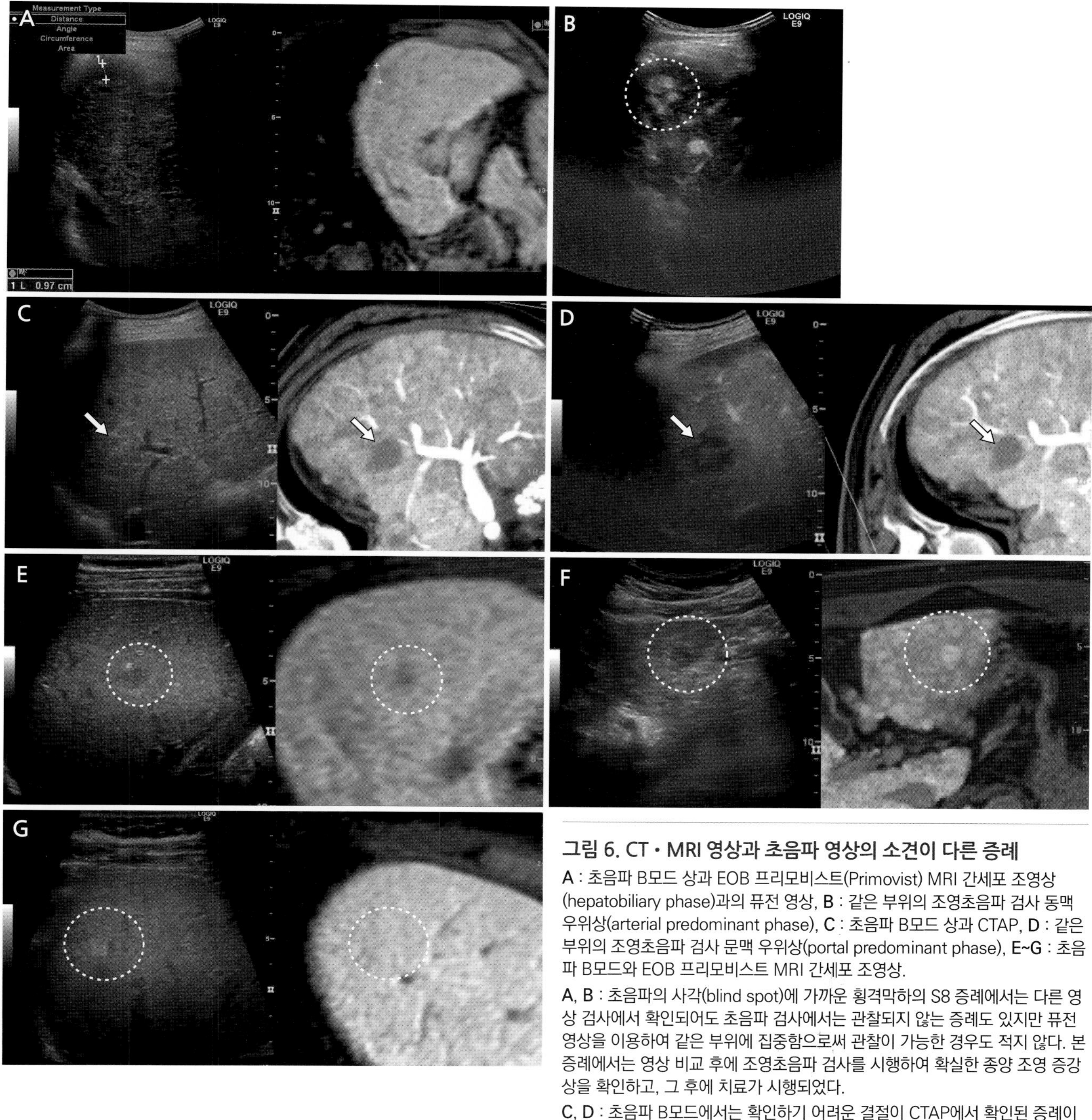

그림 6. CT · MRI 영상과 초음파 영상의 소견이 다른 증례

A : 초음파 B모드 상과 EOB 프리모비스트(Primovist) MRI 간세포 조영상(hepatobiliary phase)과의 퓨전 영상, B : 같은 부위의 조영초음파 검사 동맥 우위상(arterial predominant phase), C : 초음파 B모드 상과 CTAP, D : 같은 부위의 조영초음파 검사 문맥 우위상(portal predominant phase), E~G : 초음파 B모드와 EOB 프리모비스트 MRI 간세포 조영상.

A, B : 초음파의 사각(blind spot)에 가까운 횡격막하의 S8 증례에서는 다른 영상 검사에서 확인되어도 초음파 검사에서는 관찰되지 않는 증례도 있지만 퓨전 영상을 이용하여 같은 부위에 집중함으로써 관찰이 가능한 경우도 적지 않다. 본 증례에서는 영상 비교 후에 조영초음파 검사를 시행하여 확실한 종양 조영 증강상을 확인하고, 그 후에 치료가 시행되었다.

C, D : 초음파 B모드에서는 확인하기 어려운 결절이 CTAP에서 확인된 증례이다. 본 결절도 같은 부위를 중심으로 조영초음파 검사를 시행함으로써 결손상 D가 확인되었다.

E~G : 모두 간세포암의 확정 진단에는 이르지 않고 경과 관찰 중인 결절이다. 초음파 B모드로 확인되어 EOB 프리모비스트 MRI 간세포 조영상의 단면을 합하여 처음으로 확인되는 희미한 결손상 (E)이나 EOB 프리모비스트 조영 MRI 간세포 조영상에서 조영 증강상 (F), EOB 프리모비스트 조영상에서 확인 불가능 (G) 등 여러 가지 경우가 존재하는 것이 퓨전 화상에서 밝혀진다.

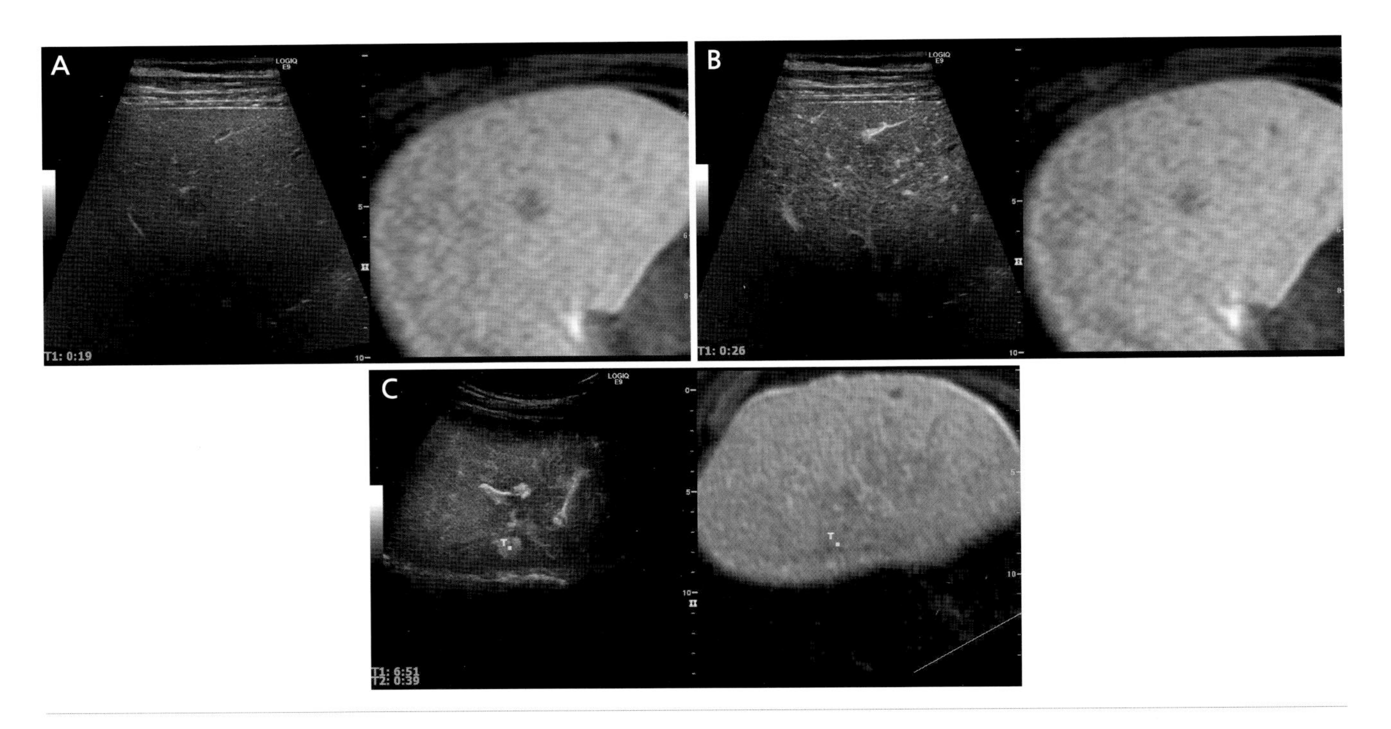

그림 7. 퓨전 검사와 조영초음파 검사

A, B : 이형결절의 조영초음파 검사 동맥 우위상(arterial predominant phase)과 EOB 프리모비스트(Primovist) MRI 간세포 조영상(hepatobiliary phase)과의 퓨전 영상, C : 작은 간세포암의 조영초음파 검사 동맥 우위상과 EOB 프리모비스트 MRI 간세포 조영상과의 퓨전 이미지

A, B : 초음파 검사에서 확인된 결절이 EOB 프리모비스트 MRI 간세포 조영상에서도 단면을 맞춤으로써 희미한 결손 영역으로 되어 있음이 확인된 증례이다. 이 결절에 초점을 맞추어 조영초음파 검사를 시행하면 그림에 나타난 바와 같이 동맥 우위상에서 혈행동태는 주위와 완전히 같으며 이후 후혈관상(post vascular phase)까지 결손상(defect상)은 나타나지 않고 이형성 결절로서 경과를 관찰 중이다.

C : 결절이 여러 개 관찰되는 경우 EOB 프리모비스트 MRI 간세포 조영상에서 희미한 결손상을 나타낸 결절을 우선으로 하여 조영초음파 검사를 시행하고 있다. 특히 소결절이 여러 개 있는 경우 GPS 기능을 이용하여 주요 관심 결절에 표시를 해 두면, 평가에서 실수하는 일이 적다. 본 증례에서는 명확한 종양 조영 증강상이 확인되어 간세포암으로 진단되었다.

성 소견으로 파악이 가능한 경우도 포함되어 있다. 이것이 앞에서 말한 상보적으로 검사할 수 있게 되는 본 시스템의 장점이라 생각한다.

4. 퓨전 영상 검사와 조영(그림 7)

간종양의 진단에서 CT·MRI 검사는 대부분 조영 검사로 진단하는 경우가 많으므로 초음파 검사도 마찬가지로 조영초음파 검사로 비교하는 것이 권장된다. 초음파 검사의 장점은 무엇보다 공간 및 시간 분해능이 탁월하며 단점은 한 번에 관찰 가능한 범위가 좁다는 것이다.

퓨전 영상 검사는 이 초음파의 약점을 보완하고 장점을 살리는 검사법이며 특히 조영 검사에서 위력을 발휘할 것으로 생각된다. 즉 시야가 좁은 초음파 검사의 약점을 광범위하게 관찰할 수 있는 퓨전 영상으로 보완하고, 가장 관심 있는 종양 결절을 결정한 후 그 종양 결절에 초점을 맞추어 조영초음파 검사를 시행함으로써 다른 검사에서 얻을 수 없는 혈류 정보를 얻을 수 있다.

조영초음파 검사의 경우 종양 조영 증강의 유무뿐만 아니라 종양 조영 증강의 패턴이나 혈관 구축을 파악할 수 있는 것 외에도 시간분해능의 우수함을 이용한 희미한 조영 증강상도 확인 가능하기 때문에 유용성이 매우 높다고 생각된다. 즉 단순히 종양 조영 증강상의 평가라고 해도 주변 간 실질(underlying hepatic disease)과 비교하여 동맥혈류가 떨어지는지, 동등한지, 아니면 상승하는지 등의 평가와 종양 내부 및 주위의 종양 혈관에 대한 평가, 나아가 시간 경과에 따른 연속적 관찰로 문맥 혈류의 영향까지 상세하게 관찰할 수 있다는 것이 큰 특징이다.

또한 소나조이드를 이용한 조영초음파 검사의 특징인 우수한 공간분해능을 이용한 종양 진단의 향상에도 기여하고 있다. 전이성 간암의 증례에서는 B모드로 확인되지 않는 작은 종양이 조영초음파 검사의 문맥 우위상(portal predominant phase)~후혈관상(post vascular phase)에서 결손상으로 처음 확인되는 증례도 자주 경험한다. 이러한 경우 앞서 기술한 바와 같이 reference의 CT·MRI 영상으로 해당 부위를 확인하고 상세한 재분석을 실시하되, 초음파 조영제를 다시 주입(re-injection)하여 다시 동맥 우위상에서의 조영 증강 패턴을 평가하여 진단하는 것이 중요하다.

마치며

CT·MRI와의 퓨전 영상 표시의 임상 응용과 주의점에 대하여 구체적으로 설명하였다. 결점으로는 장비의 의존성이 높아지는 점과 초음파 검사에 걸리는 시간이 연장된다는 점을 들 수 있지만 그동안 두 검사 사이의 소견 불일치에 의해 재검사나 추적 관찰이 요구되었던 증례를 줄일 수 있다는 점을 고려하면 그 임상적인 의의가 매우 크다. 특히 간암의 고위험군에서는 전암 병변이라고도 할 수 있는 소결절성 병변도 확인됨으로써, 진단 영상에서 보이는 고위험군으로서 기존의 추적 관찰에 비해 훨씬 정밀도를 높인 추적 관리가 가능해지고 있다.

간암의 치료 시점은 종양의 혈류 증가가 중요한 포인트가 되므로 시간분해능이 높은 조영초음파 검사는 대단히 중요하다. 또한 퓨전 영상을 이용함으로써 객관성 향상과 종합 영상 진단이 가능해지므로 그 유용성이 매우 높다. 향후 장치의 보급과 함께 간암 진료에서 중심적인 역할을 담당하리라 예상된다.

참고문헌

1 小笠原正文：マルチモダリティにおけるFusion imaging技術について. 超音波検査技術, 34(4) : 482~487, 2009.

2 小川眞広, 森山光彦：肝癌診断および治療における最新の超音波技術, ① Volume Navigation（GEヘルスケア社）を使用したラジオ波熱凝固療法. *The Liver Cancer Journal*, 3(4) : 274~279, 2011.

3 Hakime, A., Deschamps, F., De Carvalho, E.G.M., et al. : Clinical evaluation of spatial accuracy of a fusion imaging technique combining previously acquired computed tomography and real-time ultrasound for imaging of liver metastases. Cardiovasc. *Intervent. Radiol.*, 34(2) : 338~344, 2011.

4 Ewertsen, C., Henriksen, B.M., Torp-Pedersen, S., et al. : Characterization by biopsy or CEUS of liver lesions guided by image fusion between ultrasonography and CT, PET/CT or MRI. *Ultraschall Med.*, 32(2) : 191~197, 2011.

5 Jung, E.M., Schreyer, A.G., Schacherer, D., et al. : New real-time image fusion technique for characterization of tumor vascularisation and tumor perfusion of liver tumors with contrast-enhanced ultrasound, spiral CT or MRI: First results. *Clin Hemorheol Microcirc*, 43 : 57~69, 2009.

A 병원

초음파 검사의 조영제 사용에 관한 설명서

환자 이름 ____________________님 ID ________________ □ 男 □ 女 _______세

1. 검사의 필요성 및 목적

검사 당일, 본인이 받는 검사에서 조영제라는 검사약을 사용할 가능성이 있습니다. 드물지만 조영제의 부작용이 생길 수 있으므로 아래의 항목을 읽은 후에 궁금한 사항은 주치의에게 질문하고 납득하였다면 동의서에 서명을 해 주십시오.

2. 초음파 검사의 방법과 그 특징

초음파 검사는 환자 본인의 귀에 들리지 않는 소리를 이용하여 신체의 단층 화상을 작성하는 검사입니다. 환자는 침대에 누운 상태에서 젤을 바르고 복부 전체를 검사 받습니다. 검사 중에는 배를 부풀리거나 숨을 내쉬거나 하면서 검사를 합니다. 통증은 없습니다. 보통 검사 전날 저녁부터 공복인 상태로 검사를 실시합니다.

3. 조영제란?

초음파용 조영제는 신체 구성 성분의 일부에도 포함되어 있는 성분입니다. 진단을 내릴 때 더 많은 정보를 얻기 위하여 화상에 콘트라스트(강약)를 주는 검사용 약입니다. 보통 정맥에 주사합니다.

4. 조영제로 인한 부작용이 생길 위험이 높은 상태

다음에 해당하는 분은 조영 검사를 받기 전에 주치의와의 상담이 필요합니다.

① 심각한 심장질환, 폐질환

② 계란 또는 유제품 알레르기

5. 조영제의 부작용

부작용의 빈도는 0.1~5% 미만으로 보고되어 있으며, 모두 가벼운 증상으로 주사부위 통증이나 홍조 등입니다. 드물게 설사나 두통이 생길 수 있습니다. 해외에서 유사약의 유해현상으로 관상동맥질환이 있는 증례에서 심근질환을 동반한 서맥, 저혈압이 확인되었다는 보고가 있습니다. 또 빈도는 알 수 없으나 아나필락시스 증상(호흡곤란, 혈압저하, 발진 등)을 초래하는 보고도 있습니다.

6. '초음파 검사에서 조영제 사용에 관한 설명서'의 유효기간

이번에 검사를 받을 수 있는 것을 동의한 환자가 이후에도 같은 검사를 받을 수 있는 경우, 환자로부터 특별한 신청이 없는 한 계속해서 같은 검사의 내용과 위험성을 이해하고 있는 것으로 간주하며, 재차 설명 동의서의 내용을 설명한 후에 서명을 받지 않으므로 양해해 주십시오. 그리고 이번 이후의 검사 시에 다시 검사 내용과 위험성에 대하여 설명을 듣고 싶은 분은 그 시점에 신청해 주십시오. 재차 설명하겠습니다.

7. 한번 동의한 후, 조영제 검사를 받고 싶지 않은 경우

앞으로 초음파 검사에서 조영제를 사용하는 검사를 권하는 경우, 조영제 사용에 대하여 매번 서면으로 설명하지 않을 수도 있습니다. 그러나 일단 동의를 한 후라도 각 검사 전에 조영제 사용에 대한 동의를 취소할

수 있습니다. 그러한 경우 검사의 진단 능력은 저하될 수 있지만, 조영제를 사용하지 않는 검사를 받을 수 있으므로 검사 전에 주치의와 상의하십시오. 또 동의했음에도 불구하고 검사 당일에 컨디션 변화 등으로 조영제 검사를 받고 싶지 않은 경우에는 주치의와 상담해 주십시오.

8. 설명에 이용한 보조자료

☐ 진료기록 ☐ 엑스레이(X-ray) ☐ 심전도 ☐ 기타 ( )

* 위의 내용에 대하여 설명을 듣고 이해한 경우에는 아래에 본인 또는 대리인의 서명을 해주십시오.
* 위의 내용을 이해할 수 없는 경우에는 주치의에게 설명을 듣고 충분히 이해한 후에 서명을 해주십시오.
* 치료를 동의한 후라도 치료 전이라면 언제든지 동의를 철회하고 다른 방법을 선택할 수 있습니다.
* 치료법에 대하여 궁금한 사항이나 걱정이 있으면 언제든지 주치의에게 상의해 주십시오.

초음파 검사의 조영제 사용에 관한 승낙서

____________________ 병원장님

____________________ 병원 ____________________ 과장님

본인은 ____________ 의사로부터 검사 설명서에 기재된 모든 항목을 충분히 듣고 질문할 수 있는 기회를 얻었습니다.
이 설명으로 예정된 검사와 관련된 사항들을 잘 이해할 수 있었으므로 조영제를 사용하는 초음파 검사 실시를 승낙합니다.

____________________ 병원

설명장소 ____________________

설명일시 ________ 년 월 일 시 분 ~ 시 분

설명자 직명 ____________________

서명 ____________________

환자의 서명 ____________________

주소 ____________________

대리인의 서명 ____________________ 관계 __________

주소 ____________________

보호자의 서명 ____________________ 관계 __________

주소 ____________________

동석자의 서명 ____________________ 관계 __________

B 병원

조영초음파(소나조이드) 검사 동의서

조영제의 사용 목적

이번 조영초음파 검사에서는 '소나조이드'라는 조영제를 정맥 내에 주사하여 검사합니다. 조영제를 사용함으로써 간의 병변이 명료해져서 진단 능력이 향상되고 많은 정보를 얻을 수 있습니다.

부작용에 대해서

초음파 조영제 '소나조이드'는 다른 조영제와 성분이 다르고 매우 안전한 조영제이므로 심각한 부작용은 거의 보고된 바가 없습니다. 그러나 아래의 환자에게는 신중하게 투여해야 합니다. 조영초음파(소나조이드) 검사를 안전하게 실시하기 위하여 질문에 대답해 주시기 바랍니다.

※ 계란 알레르기가 있는 분 □ 있음 □ 없음
※ 심각한 심장질환이 있는 분 □ 있음 □ 없음
※ 심각한 폐질환이 있는 분 □ 있음 □ 없음

● 여성분만 기입해 주십시오.
※ 현재 임신 중이거나 임신 가능성이 있습니까? □ 네 □ 아니오
※ 현재 수유 중입니까? □ 네 □ 아니오

위의 내용에 대하여 설명을 듣고 충분히 이해하였으므로 검사를 실시하는 것에 동의합니다. 만약 긴급한 상황이 발생하면 그에 대한 조치를 받는 것에 동의합니다.

년 월 일

환자 이름 ______________________

※ 검사를 받는 분이 미성년자이거나 의식장애 등으로 대리인이 기입된 경우에는 아래에도 기입해 주십시오.

대리인 이름 ______________________ (환자 본인과의 관계: ________)

검사동의서 설명자 이름 ______________________

조영초음파(소나조이드) 검사에 관한 문의는 담당의사 또는 아래로 연락해 주시기 바랍니다.
평일 8:30~17:00 담당의사 또는 생리검사실
사이세이카이마쓰사카 종합병원 0598-51-2626 (대표)

C병원

설명 · 동의서(조영초음파 검사)

조영초음파 검사에 대하여

초음파 검사는 초음파를 이용하여 신체 구조나 병변을 조사하는 검사로 안전성이 높은 검사입니다. 이번 검사에서는 더욱 자세히 병을 진단하기 위해 초음파 검사용 조영제를 정맥 내에 주사하여 검사를 시행합니다.

검사에 걸리는 시간은 약 30~40분 정도이나 질환에 의해 다소 연장되는 경우가 있습니다. 검사 시에는 30초에서 1분 정도 숨을 멈춥니다. 호흡처리가 곤란한 경우는 진단에 필요한 검사결과를 충분히 얻을 수 없는 경우가 있습니다. 또 약을 복용하고 계신 분은 소량의 물로 복용해 주십시오(궁금한 사항은 주치의에게 문의해 주십시오).

조영제를 투여하기 전에

조영초음파 검사를 안전하게 실시하기 위하여 아래의 질문에 대답해 주십시오.

● 지금까지 조영초음파 검사를 받은 적이 있습니까? (네, 아니오)
'네'라고 대답하신 분들에게
이전에 초음파 검사용 조영제(소나조이드 주사용)를 주사하였을 때 두드러기, 메스꺼움 등의 알레르기 반응이 일어난 적이 있습니까? (네, 아니오)

● 계란이나 유제품에 대하여 두드러기, 메스꺼움 등의 알레르기 반응을 일으킨 적이 있습니까? (네, 아니오)

◆ 신중한 투여에 관하여
□ [심각한 심장병]이라고 진단을 받은 적이 있습니까? (네, 아니오)
'네' 라고 대답하신 분 → 언제쯤(　　　　　년도 쯤), 어떤 질환(　　　　　　　　)
□ 「심각한 폐질환」(폐의 기능이 나쁘다)이라고 진단받은 적이 있습니까? (네, 아니오)
'네' 라고 대답하신 분 → 언제쯤(　　　　　년도 쯤), 어떤 질환(　　　　　　　　)

◆ 적용상의 주의에 관하여
□ 오늘 복강경 검사나 바륨을 마시고 실시하는 소화관 검사를 받습니까? (네, 아니오)

◆ 여성분에게만
● 현재 임신 중 또는 임신 가능성이 있습니까? (네, 아니오)
● 현재 수유 중입니까? (네, 아니오)

조영제 투여에 관한 주의

이 조영제를 주사했을 때 0.1~5% 정도의 사람이 설사, 두통, 단백뇨, 호중구 감소, 발진, 구갈, 주사 부위의 통증 등을 느낄 수 있는데 **모두 일시적이며 현재 조영제로 인한 심각한 부작용은 보고된 바 없습니다.** 위와 같은 증상이 있으면 검사 담당자에게 알려 주십시오.

진단을 위해 사용한 화상 기록의 일부를 학회나 학술논문 등에 사용할 수 있습니다. 그 때 성명 등의 개인정보는 이용하지 않으며 개인정보의 비밀유지 의무는 준수하겠습니다.

년　　월　　일

설명 의사 ____________________

본인은 조영초음파 검사에 대해 설명을 듣고 납득하였으므로 조영초음파 검사를 받는 것에 동의합니다

환자 이름 ____________________ (서명)

친족 또는 대리인 성명 (서명) ____________________ 관계(　　　　)

D 병원

조영초음파 검사를 안전하게 실시하기 위하여 다음 두 가지를 확인한 후 당일 검사실에 제출해 주십시오.

1. 과거 조영초음파 검사로 알레르기 증상이 있었던 분
2. 계란 또는 유제품에 알레르기가 있는 분

있음/없음 서명 ______________________

스루가다이 일본대학병원 초음파 검사실
연락처 : 03-3293-1711 내선 : 353